LES 3 ÉTOILES DU GUIDE MICHELIN
le tour du monde des tables d'exception

FRANCE . ALLEMAGNE . BELGIQUE . CHINE . ESPAGNE . ÉTATS-UNIS . GRANDE-BRETAGNE . ITALIE . JAPON . MONACO . PAYS-BAS . SUISSE

Manufacture française des pneumatiques Michelin
Société en commandite par actions au capital de 304 000 000 EUR
Place des Carmes-Déchaux - 63 Clermont-Ferrand (France)
R.C.S. Clermont-Fd B 855 200 507

© **Michelin, Propriétaires-Éditeurs**
Dépôt légal : mars 2009
ISBN : 978-2-06-714-311-1
Impression : Casterman

Textes : Eve-Marie Zizza-Lalu avec la collaboration de Chihiro Masui
Conception graphique et direction artistique : Georges Riu
Réalisation : Cent pages

Toute reproduction, même partielle et quel qu'en soit le support est interdite sans autorisation préalable de l'éditeur.

ÉDITORIAL

Quel gourmet n'a pas rêvé un jour de faire le tour du monde des tables trois étoiles ? Parcourir les régions de France, l'Europe, l'Asie, l'Amérique, la planète gastronomique à la rencontre de ces chefs-d'œuvre éphémères, tableaux charnels réconciliant le beau et le bon, merveilles d'un soir rayées d'un trait de fourchette.
Depuis que le guide MICHELIN a créé cette distinction suprême qui récompense les chefs d'exception, les gourmets avertis se récitent les noms de ces nouveaux apôtres, comparant leurs évangiles, égrenant les assiettes comme un chapelet de délices. Imaginer ce qui va s'incarner c'est déjà savourer cet assemblage harmonieux, subtil, audacieux qui se coulera dans une forme virtuose aux possibilités de variations infinies.
Entre les soixante-douze chefs triples étoilés qui brillent dans le ciel de l'année 2009, il existe beaucoup de points communs : l'exigence, la rigueur, le sens de l'équipe, cette quête insatiable de l'essence du goût, ce regard personnel qui change un plat en œuvre d'art. Pourtant, aucun ne ressemble à un autre. Ils parcourent un large spectre de tendances, de la tradition stricte à l'avant-garde pure et dure, vagabondant entre les deux sur des terres mixtes où chacun puise au gré de ses affinités, ici un doigt d'épices orientales, là une pointe d'acidité asiatique.
Ce bouquet d'étoiles, Michelin tenait à l'offrir à l'occasion de la centième édition de son guide : une façon d'inviter tous les gourmets à s'installer, au moins en pensée, à la table de ces artistes du goût.

SOMMAIRE

→ Introduction

Michelin,
la bonne étoile
des gourmets

→ France . 15

Alain Ducasse
au Plaza Athénée

L'Ambroisie

L'Arnsbourg

Arpège

Astrance

Auberge de l'Ill

Bras

Le Bristol

La Côte St Jacques

Georges Blanc

Guy Savoy

Lameloise

Ledoyen

La Maison
de Marc Veyrat

Maison Troisgros

Le Meurice

Michel Trama

Paul Bocuse

Le Petit Nice

Pic

Pierre gagnaire

Le Pré Catelan

Les Prés d'Eugénie

Régis et
Jacques Marcon

Le Relais
Bernard Loiseau

→ Allemagne . 117

Amador

Aqua

GästeHaus

Restaurant Bareiss

Restaurant Dieter
Müller

Schloss Berg

Schwarzwaldstube

Vendôme

Waldhotel Sonnora

→ Belgique . 155

De Karmeliet

Hof Van Cleve

→ Chine . 165

Lung King Heen

Robuchon a Galera

→ Espagne . 175

Akelarre

Arzak

Can Fabes

Carme Ruscalleda - Sant Pau

El Bulli

Martín Berasategui

→ États-Unis . 201

Le Bernardin

Jean Georges

Joël Robuchon

Masa

Per Se

The French Laundry

→ Grande-Bretagne . 227

Fat Duck

Gordon Ramsay

The Waterside Inn

→ Italie . 241

Al Sorriso

Le Calandre

Dal Pescatore

Enoteca Pinchiorri

La Pergola

→ Japon . 263

Hamadaya

Ishikawa

Joël Robuchon

Kanda

Koju

L'Osier

Quintessence

Sukiyabashi Jiro

Sushi Mizutani

→ Monaco . 301

Le Louis XV-Alain Ducasse

→ Pays-Bas . 307

De Librije

Oud Sluis

→ Suisse . 317

Le Pont de Brent

Philippe Rochat

→ Index . 328

LES 3 ÉTOILES DU GUIDE MICHELIN
le tour du monde des tables d'exception

✿✿✿
LES 3 ÉTOILES DU GUIDE MICHELIN
le tour du monde des tables d'exception

MICHELIN, LA BONNE ÉTOILE DES GOURMETS

Le raisonnement a l'efficacité d'un bon plan marketing : pour vendre des pneus, il faut inciter au voyage, et pour voyager, rien de tel qu'un outil pratique offrant toutes les informations utiles permettant d'approvisionner et de réparer son véhicule, de se loger et de se nourrir. C'est ainsi que les frères Michelin, Edouard et André, lancent en 1900 le premier guide de voyage, à destination des 3 500 chauffeurs de France qui découvrent, à l'ère naissante de la voiture, la liberté – et le risque – d'explorer les routes de France.

DE LA CLÉ À MOLETTE À LA FOURCHETTE

Une vingtaine d'années plus tard, tandis que les automobilistes atteignent bientôt le million, le guide s'enrichit d'une petite étoile de couleur noire, placée aux côtés de quelques-uns des restaurants cités. Celle-ci ne fait encore que signaler un niveau de confort et de prix, mais elle va s'associer explicitement, dès 1926, à la notion qualitative de « table renommée ».

Depuis 1912, en effet, André Michelin compte parmi les membres de l'honorable Club des Cent, une confrérie de gastronomes dont la devise est de défendre la bonne cuisine partout en France. Avec l'appui des commentaires éclairés du club, Bibendum va ainsi coiffer sa toque et faire entrer le guide dans l'ère du tourisme gastronomique. Le pli est pris : s'il reste essentiel de savoir où changer un pneu partout en France, il semble dès lors évident que la fourchette a pris le pas sur la clé à molette.

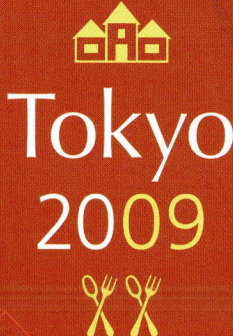

Tokyo 2009

RESTAURANTS & HOTELS

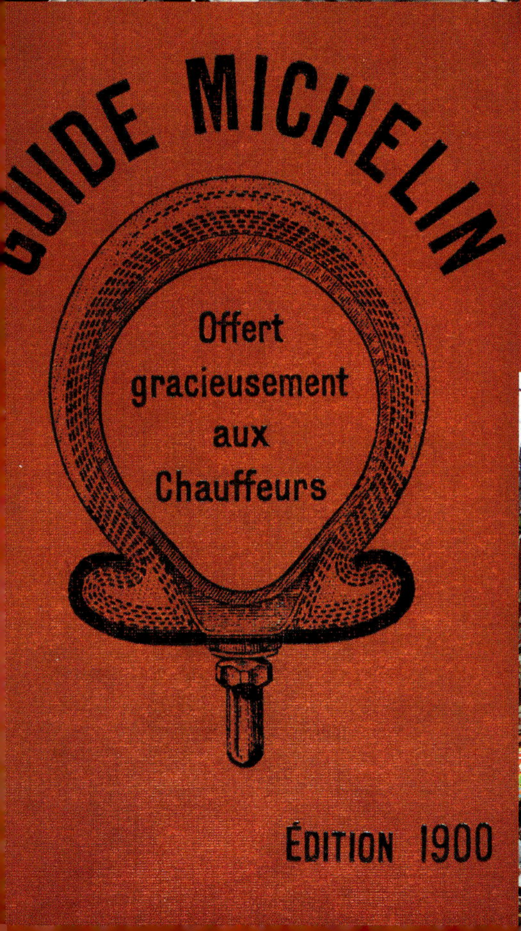

GUIDE MICHELIN

Offert gracieusement aux Chauffeurs

ÉDITION 1900

ÉTOILE, ÉTOILES

Empruntant à la course automobile la notion de podium, le guide décerne ses premières étoiles en 1931 aux restaurants de province dont il juge la cuisine particulièrement intéressante. Une étoile signale « une cuisine de très bonne qualité » ; deux étoiles désignent « une cuisine d'excellente qualité », tandis que trois étoiles distinguent « une cuisine fine et justement renommée ».

En rappelant cette volonté du guide de demeurer une aide au voyage, ces « labels », étayés de critères précis, seront bientôt gravés dans le marbre tels des commandements. Aussi, à quelques nuances près, les trois définitions actuelles ne varieront-elles plus depuis leur apparition en 1933 avec les premières étoiles parisiennes : une étoile nomme une « très bonne table dans sa catégorie », deux étoiles invitent déjà à partir en désignant une « cuisine excellente, qui mérite un détour ». Quant au trio suprême, « une des meilleures tables : vaut le voyage », il justifie le déplacement à lui tout seul.

Sur le plan graphique, l'étoile a subi quelques évolutions depuis sa création. Petite étoile noire à cinq branches pour ses débuts, elle prend ensuite la forme d'un astérisque. Temps de guerre oblige – car le guide suit l'histoire –, en 1946 certaines d'entre elles apparaissent évidées, pour signaler les établissements qui n'ont pas été revisités. Ses six branches au contour noir ressemblent alors des pétales, expliquant l'appellation de macaron (ou de marguerite, quoique plus rare) qui fleurira dans la presse. Avec la prospérité des années 50, elle grossit un peu et sa dernière

ÉVOLUTION DE L'ÉTOILE MICHELIN
de son origine en 1933 à aujourd'hui

mutation viendra en 2006 avec son passage en rouge, couleur emblématique du guide qui repère tous les caractères de distinctions qu'il contient.

LA NAISSANCE DE LA GASTRONOMIE

Au fil du XXe siècle, la route cahoteuse s'est changée en boucles soyeuses. La société poursuit son évolution, la cuisine aussi : les cuisiniers deviennent des chefs, les artisans des artistes, les petits plats mijotés des toiles de maître… Et le guide MICHELIN, en fidèle compagnon de route, accompagne – à moins qu'il ne suscite – ces mutations. Avec le temps Bibendum a pris de l'embonpoint : son guide est parti à la conquête de l'Europe, puis de Tokyo, de New York et de Las Vegas. Il compte aujourd'hui 26 éditions dans 23 pays, totalise plus de 45 000 adresses et autant de courriers de lecteurs, et il cumule plus de 30 millions d'exemplaires vendus depuis 1900 ! Chaque sortie créée l'événement avec l'annonce du nouveau palmarès, et la distribution des étoiles, à chaque millésime, anime immanquablement le petit monde de la gastronomie.

Les nouveaux promus se congratulent, les rétrogradés attendent des jours meilleurs. Mais les lecteurs restent fidèles, et si le guide soulève parfois les polémiques, la profession ne cesse de le citer – preuve s'il en est qu'il demeure, depuis plus de cent ans, la référence.

« IL N'Y A QU'UNE CUISINE, LA BONNE »

Pourtant les questions ne manquent pas, entretenues par l'anonymat des inspecteurs et les notes gardées secrètes. Pourquoi tel chef et non tel autre ? Sur quels critères ? Fallait-il attendre si longtemps ? La troisième étoile tient-elle aussi du décor ? Y a-t-il une prime à la créativité ? Combien de visites faut-il pour motiver une décision ? À toutes ces interrogations, les responsables du guide MICHELIN répondent sereinement. Les étoiles évaluent et ont toujours évalué la cuisine. Leur attribution se fonde, outre la personnalité de la cuisine, sur des critères simples et atemporels reposant sur une analyse factuelle et sensorielle des plats : des produits frais, des cuissons justes, des saveurs harmonieuses. Car « il n'y a qu'une cuisine, la bonne », aime à résumer Paul Bocuse, le doyen des chefs couronnés. À condition, enfin, de rester constant, dernier des sacro-saints principes de l'excellence et du sésame vers la constellation des triples étoilés. Car s'il n'est pas rare de voir un « deux étoiles » produire un plat qui en vaudrait trois, il en faut beaucoup plus pour gravir l'ultime marche du podium. Le choc émotionnel, la personnalité du chef, le sentiment de vivre un moment unique dessinent un faisceau de bonnes raisons pour attribuer la récompense suprême. « Un inspecteur peut se souvenir dix ans après d'un plat qui l'a marqué », racontent certains d'entre eux ; les autres d'ajouter « et même toute la vie ! ». Il importe de préciser que ce choix est collégial, qu'il s'effectue après de multiples visites anonymes – autant que nécessaire – et qu'il exige l'unanimité.

L'ÉTOILE EST DANS L'ASSIETTE

Si la gastronomie évolue, les critères des étoiles, eux, ne bougent pas, privilégiant l'excellence de l'assiette quelles que soient les modes et les lieux. Ce qui n'empêche pas le guide MICHELIN de rouler avec son temps, primant à chaque époque les maisons qui le méritent. « Nouvelle cuisine » dans les années 60, « cuisine d'avant-garde » aujourd'hui. L'évolution du tourisme et le métissage des cultures ont favorisé ces dernières années l'éclosion d'une cuisine voyageuse, empruntant à l'Asie et à l'Afrique ses épices et ses parfums. Les esprits sont plus ouverts, les techniques ont atteint un niveau de sophistication extrême. Pourtant, que l'on déguste une sauce Choron ou une émulsion au yuzu, un bar cuit à la vapeur ou un bonbon de foie gras, les capteurs du plaisir restent les mêmes, et l'adhésion du gourmet repose toujours sur cette merveilleuse alchimie du goût dont l'ultime étincelle conserve une part de mystère. Anthelme Brillat-Savarin s'enthousiasmait déjà : « La découverte d'un met nouveau fait plus pour le genre humain que la découverte d'une étoile ». Il ne pouvait se douter que, un siècle plus tard, Michelin réconcilierait la terre avec le ciel.

ALAIN DUCASSE
AU PLAZA
ATHÉNÉE
Paris 8ᵉ

L'AMBROISIE
Paris 4ᵉ

L'ARNSBOURG
Baerenthal

ARPÈGE
Paris 7ᵉ

ASTRANCE
Paris 16ᵉ

AUBERGE DE L'ILL
Illhaeusern

BRAS
Laguiole

LE BRISTOL
Paris 1ᵉʳ

LA CÔTE
ST JACQUES
Joigny

GEORGES BLANC
Vonnas

GUY SAVOY
Paris 17ᵉ

LAMELOISE
Chagny

LEDOYEN
Paris 8ᵉ

LA MAISON
DE MARC VEYRAT
Veyrier-du-Lac

MAISON
TROISGROS
Roanne

LE MEURICE
Paris 1ᵉʳ

MICHEL TRAMA
Puymirol

PAUL BOCUSE
Collonge
au Mont d'Or

LE PETIT NICE
Marseille

PIC
Valence

PIERRE GAGNAIRE
Paris 8ᵉ

PRÉ CATELAN
Paris 16ᵉ

LES PRÉS
D'EUGÉNIE
Eugénie-les-Bains

RÉGIS ET
JACQUES MARCON
Saint-Bonnet-
le-Froid

LE RELAIS
BERNARD LOISEAU
Saulieu

→ FRANCE

Si l'on mange divinement bien à l'Ouest comme à l'Est, la France reste reconnue dans le monde entier comme le berceau de l'art culinaire… et du guide MICHELIN. On ne s'étonnera donc pas qu'elle compte le plus grand nombre de triples étoilés en 2009 : vingt-cinq pour être exact. Un chiffre qui n'a cessé d'augmenter depuis la création de cette distinction suprême en 1931 (1933 pour Paris). Avec dix tables au sommet, la capitale tient d'ailleurs encore le haut du pavé, bien que talonnée de près par Tokyo. Car tout est possible au pays d'Escoffier, où la créativité la plus folle côtoie la tradition classique dans ce qu'elle a de meilleur. Au cœur des produits, dans l'intimité d'un terroir qui n'est jamais renié, les chefs font éclore de petits miracles de saveurs, à la fois justes et audacieux, comme s'ils puisaient dans l'inconscient culinaire collectif une inspiration sans cesse renouvelée.

Les fondements et la philosophie de cette cuisine française continuent d'exercer une formidable fascination sur les chefs étrangers, qui se l'approprient et la redessinent aux couleurs de leur terroir. Au moment où s'esquissent des influences venues de tous les continents, voilà bien la preuve de la persistance du rayonnement culinaire français. Même si, pour le bonheur de nos papilles, l'heure n'est plus à la concurrence, mais aux échanges fructueux, à la mixité gourmande, à l'intelligente fusion des cultures. Car si la gastronomie est née en France, son déploiement est universel.

Hôtel Plaza Athénée
25, avenue Montaigne
75008 Paris
Tél. 00 33 01 53 67 65 00
Fax 00 33 01 53 67 65 12
adpa@alain-ducasse.com
www.alain-ducasse.com

Propriétaire :
Hôtel Plaza Athénée Paris
Chefs : Alain Ducasse
et Christophe Moret

ALAIN DUCASSE AU PLAZA ATHÉNÉE

→ France

❀❀❀ « Le turbot sans le génie vaut mieux que le génie sans le turbot ». Alain Ducasse a décidément le sens des mots et des mets… Pour cet enfant du Sud-Ouest, élevé au milieu des canards et des oies, l'authenticité et la fraîcheur des matières premières restent en effet le fondement de la grande cuisine. Le succès de l'homme, chef d'entreprise multi-étoilé dont on ne compte plus les adresses disséminées aux quatre coins du monde, tient sans doute à cette vérité première, qui sonne comme une évidence dans les assiettes du Plaza Athénée : le goût habite la matière brute avant de hanter un plat. Son succès tient aussi, naturellement, au savoir-faire et à l'étincelle de génie qui incite le créateur à déplacer les lignes pour réinventer la tradition au quotidien. Alain Ducasse va jusqu'à concevoir des matériels spécifiques qui révèlent et subliment le produit : des casseroles en cuivre dont le fond et les parois sont plus épais que la normale, une rôtissoire spéciale, des couteaux redessinés, un mortier en granit de Bretagne… À la carte, des énoncés simplissimes qui réconfortent par leur honnêteté : « pithiviers de canard colvert sauce rouennaise », « volaille de Bresse rôtie, écrevisses "pattes rouges" et girolles à peine crémées », « pâté en

« La magie des desserts, c'est de nous aider chaque jour à retrouver notre enfance. Mais le dessert est aussi pour moi le point final d'un repas, sa signature. Comme la dernière marque d'une page de plaisir qu'on tourne et qui doit rester ancrée. »

ALAIN DUCASSE AU PLAZA ATHÉNÉE
→ France

croûte selon Lucien Tendret » (le neveu de Brillat-Savarin), « turbot de Bretagne en matelote »… Au contact des papilles, c'est un envol de saveurs éclatantes, un enchaînement d'émotions gustatives titillant la mémoire et stimulant les sens. Émulsions foisonnantes, vapeur douce, cuisson lente, jus courts… le recours aux méthodes d'aujourd'hui offrent une formidable latitude pour redessiner le contour des produits cultes. Comme ce homard breton associé à la pêche de vigne et au vin chaud épicé ou cet agneau laiton, cèpes et artichauts au sautoir, miettes de fruits secs. Quant à l'araignée de mer décortiquée en chaud et froid, voilà une expérience unique où les sensations aériennes d'une émulsion fugitive répondent à l'envoûtement soyeux de la chair du crustacé. Esthétique, poétique, plein d'étoiles… Une révélation gourmande comme on en rencontre peu dans sa vie.

Christophe Moret, le chef du Plaza Athénée, est là pour mettre en musique les recettes d'Alain Ducasse. Petit-fils de maraîchers, animé lui aussi d'une vraie passion pour les produits, le capitaine de ce vaisseau de luxe appartient depuis longtemps aux bataillons Ducasse. Après le Louis XV et le restaurant de l'avenue Raymond Poincaré, il a dirigé les cuisines du Spoon Food & Wine pendant cinq ans. Parfaitement à l'aise dans le registre du classicisme revisité, c'est à lui et à sa brigade que l'on doit la prouesse de réaliser quotidiennement cette cuisine brillante, servie sous les ors du Plaza Athénée, dans un nuage de pampilles illuminées.

EXTRAIT DE LA CARTE

Caviar osciètre d'Iran, langoustines rafraîchies, nage réduite, bouillon parfumé

Volaille de Bresse, sauce Albufera aux truffes d'Alba (du 15 octobre au 31 décembre)

Fraises des bois en coupe glacée, sablé coco

9, Place des Vosges
75004 Paris
Tél. 00 33 01 42 78 51 45

Propriétaire et chef : Bernard Pacaud

L'AMBROISIE

→ France

🌸🌸🌸 Dîner aux chandelles dans un hôtel du XVIIe siècle au cœur de Paris, à quelques dizaines de mètres de la chambre de la marquise de Sévigné, vivre un moment hors du temps dans une atmosphère d'élégance feutrée : bienvenue aux fidèles de l'Ambroisie et de son luxe ultime. Voilà maintenant vingt ans que le restaurant de Bernard Pacaud appartient au cercle très fermé des trois étoiles Michelin, une distinction légitime pour une cuisine classique qui touche au divin par sa limpidité. Bien équilibrés et basés sur des produits d'exception, les plats du maître de la place des Vosges sont tout simplement parfaits. Pour s'en convaincre, il suffit de déguster ces œufs mollets, émulsion de céleri et caviar osciètre gold, caviar qui vient aussi sublimer les escalopines de bar à l'émincé d'artichaut ou ces suprêmes de pigeon confits aux aulx, fricassée de girolles, ou encore cette noix de riz de veau à la grenobloise cloutée aux aiguilles de romarin…

Plus encore qu'ailleurs, le produit est ici à l'origine du « sans faute ». Le bar, par exemple, s'annonce par un coup de téléphone matinal de Bretagne quand la pêche de la veille a été bonne pour le ligneur ; il arrive dans les heures qui suivent, soigneusement emballé dans une caisse isotherme, bien protégé des brûlures de la glace. Cette maestria, Bernard Pacaud l'a puisée aux sources de la gastronomie lyonnaise, chez la mère Brazier, qui agit comme un révélateur de talent. Son initiation auprès de l'une des premières femmes triplement étoilée lui fit découvrir que l'on peut atteindre la perfection avec une poularde de Bresse, plat mythique métamorphosé à l'Ambroisie en poularde rôtie au beurre d'estragon et accompagnée de pommes gaufrettes à la ricotta.

Bernard Pacaud, que son fils Mathieu seconde maintenant en cuisine, se définit volontiers comme un artisan plutôt qu'un artiste, c'est un chef discret qui goûte peu les mondanités. C'est donc bien par l'effet de son seul talent de cuisinier que l'Ambroisie se remplit jour après jour de clients passionnés, dont la plupart ont réservé plusieurs semaines à l'avance. Avec l'ultime projet de savourer, pour clore leur dîner, une soupe de pêches blanches à la menthe, pain de Gênes, à moins de lui préférer la tarte fine sablée au chocolat, glace à la vanille – sans doute l'une des meilleures de la planète. Nourriture des dieux, caresse des anges…

L'AMBROISIE
→ France

« Ma cuisine est à la fois classique et moderne. Classique parce qu'elle s'appuie sur les techniques traditionnelles, moderne parce qu'elle se veut dépouillée. Depuis quarante ans, c'est la passion qui tous les jours me motive, m'incite à avancer, à répondre à la demande de mes hôtes, qui eux aussi évoluent. »

EXTRAIT DE LA CARTE

Feuillantine de langoustine aux graines de sésame, sauce curry

Suprême de volaille de Bresse au vin jaune, salsifis à la truffe blanche d'alba

Tarte fine sablée au cacao amer, glace à la vanille

L'AMBROISIE
→ France

18 untermuhlthal
57230 Baerenthal
Tél. 00 33 03 87 06 50 85
Fax 00 33 03 87 06 57 67
l.arnsbourg@wanadoo.fr
www.arnsbourg.com

Propriétaire : Famille Klein
Chef : Jean-Georges Klein

L'ARNSBOURG

→ France

❀❀❀ L'eau, la terre, le bois… La nature dans toute son exubérance enveloppe d'un épais manteau la maison forestière des Klein. Noyée dans les verts du Parc Naturel Régional des Vosges du Nord, l'Arnsbourg semble tirer du monde mystérieux qui l'entoure l'inspiration pour créer une œuvre de saveur sensuelle et sophistiquée. Du rustique relais de bûcherons créé par la grand-mère de Cathy et Jean-Georges Klein dans les années 1900, il reste le feu de cheminée, la chaleur et la convivialité d'une maison où l'on aime recevoir. Distillée par Cathy, l'élégance s'est invitée partout. Dans la salle, la blancheur des nappes et des fleurs se marie au raffinement de la vaisselle, conçue pour mettre en valeur les compositions graphiques du chef : tuiles en équilibre, veloutés piqués de caviar, envol de poudres, vagues d'écumes suspendues… Jean-Georges Klein, qui n'a pas fréquenté les cuisines des grands maîtres étoilés, aime s'aventurer sur les terra incognita : « Chaque jour, je tente des mariages, des contrastes, des histoires parfois improbables, j'essaie, je prends le risque. » Et ce risque paie. Osez la « grillade de foie gras de canard, pêche Melba, bouillon à l'infusion de fleur de sureau », « l'œuf parfait à la crème légère d'orge perlé, oxalis

L'ARNSBOURG
→ France

en gelée », « le cappuccino de pommes de terre et truffe »… L'équilibre est juste dans le mélange des textures et des saveurs, la technique ne trahit jamais le palais. Des influences asiatiques et exotiques viennent relever le goût des chairs blanches : le homard bleu infusé à la verveine est servi avec un gel de yuzu – citron vert japonais – le dos de carrelet s'accompagne d'un autre agrume asiatique, le kalamansi, et d'une écume de lait de coco à l'infusion de kaffir. Les petits gibiers de la forêt – canard, pigeon, canette – sont proposés laqués ou accompagnés de griottes, de mûres ou de kumquats…

Quant aux amateurs de plats classiques, ils sauront satisfaire leurs envies plus sages avec le carré d'agneau en croûte de sel, le carré de porcelet au foin ou le loup de mer au fenouil, un classique de la maison préparé autrefois par Lilly, la mère de Jean-Georges et Cathy.

L'ARNSBOURG
→ France

« Je veux aller toujours plus loin, c'est dans ma nature. Petit à petit, les frontières s'effondrent. J'aime mêler toutes les techniques, celles d'aujourd'hui et d'autrefois pour faire surgir de nouveaux goûts. Quand j'ai une idée, je la réalise, et c'est seulement quand je goûte que je sais si elle fonctionne. »

EXTRAIT DE LA CARTE

Poitrine de pigeon rôtie, jus réduit, betteraves et mandarine en texture

St-Pierre infusé au laurier en croûte de sel

Découpe de langoustine, perles de yaourt, raisin vert et son croustillant, confiture d'algue

84 rue de Varenne
75007 Paris
Tél. 00 33 01 47 05 09 06
Fax 00 33 01 44 18 98 39
arpege.passard@wanadoo.fr
www.alain-passard.com

Propriétaire et chef : Alain Passard

ARPÈGE

→ France

❀❀❀ Entre arabesques et arpèges, Alain Passard danse sur le fil d'harmonies subtiles et légères, dans un décor aux courbes sensuelles. Ce virtuose des fourneaux apporte à ses recettes le soin qu'un compositeur met à l'écriture d'une partition. De fait, Alain Passard cuisine à l'oreille. Il sait écouter le bruit du feu, moduler le chant de la flamme qui berce ou réveille sans agresser. Une synthèse entre cuisine et musique qui reflète d'abord une histoire de famille : une grand-mère cuisinière, des parents musiciens… c'est souvent pour jouer du saxophone qu'Alain Passard délaisse son piano. Et c'est tout naturellement que ses auteurs ont intitulé « le solfège des légumes » le documentaire qu'ils viennent de consacrer à son travail.

Car les légumes sont au cœur de la musique d'Alain Passard. Son restaurant – voisin tout à la fois du musée Rodin et de l'hôtel Matignon – doit tout aux trois potagers, répartis entre Normandie et Pays de Loire, d'où proviennent légumes et fruits qui composent l'essentiel de la carte. Le plus ancien – le principal –, celui de la Sarthe, est exploité selon une méthode ancestrale qui rend aux légumes toute la force et le goût que la surexploitation leur enlèverait. Dans ce potager,

« *Si ma cuisine avait été musique,
je l'aurais composée harmonieuse et légère.
Je l'aurais jouée enflammée.* »

ARPÈGE
→ France

un cheval remplace les motoculteurs, et les produits du Gros Chesnay viennent chaque jour à Paris dans une camionnette non-réfrigérée qui préserve la fragile saveur des légumes fraîchement cueillis.

Au lever de rideau, chaque recette se présente comme une symphonie végétale qui vaut à Alain Passard d'être considéré aujourd'hui dans le monde entier comme le magicien des légumes. Une réputation née d'une rupture, en 2001, lorsque le chef de l'Arpège, traumatisé par l'affaire de la vache folle décida de bannir les viandes rouges de sa carte. En quelques mois, et pour la première fois à ce niveau de la gastronomie française, les petits pois, les tomates, les asperges, les salsifis, les poireaux, les topinambours et les carottes devinrent les solistes du grand orchestre de l'Arpège. Sept ans plus tard, leur prestation demeure un enchantement. Comme ces petits miracles que sont les haricots et pêches blanches aux amandes fraîches ou la fricassée de petits pois et gingembre au pamplemousse. Bien sûr, les légumes ne sont pas les seuls à occuper la scène de l'Arpège : l'aiguillette de homard à la truffe noire, les volailles de pays à la casserole, les ris de veau de Corrèze ou les soles de l'île d'Yeu élargissent le répertoire dans un bel accord de saveurs. Quant aux desserts, dignes d'un final d'opéra, ils jouent encore une fois sur les tonalités de légumes et de fruits, comme la tomate confite aux douze saveurs ou la tarte aux pommes Bouquet de Roses. Somptueux hommage à la pomme faite fleur, gourmandise sculpturale aux efflorescences sucrées.

EXTRAIT DE LA CARTE

| Robes des champs multicolores « Arlequín » | Aiguillettes de homard de chausey au savagnin | Tarte aux pommes bouquet de roses© |

4, rue Beethoven
75016 Paris
Tél. 00 33 01 40 50 84 40
www.lastrance.abemadi.com

**Propriétaires : Pascal Barbot
et Christophe Rohat
Chef : Pascal Barbot**

ASTRANCE

→ France

❀❀❀ Pascal Barbot et Christophe Rohat. L'un vif et nerveux, l'autre doux et serein. La cuisine, territoire exclusif de ce chef créatif. La salle, minimaliste mais chaleureuse, le fief du maître de maison. Une complicité parfaite qui nous embarque pour un tour du monde des saveurs…

25 couverts. Aucune carte : 3 menus à midi, un seul le soir. Et des vins. Tous inconnus. Christophe Rohat, tel un médecin de famille, s'enquiert de ce que vous n'aimez pas, de vos allergies éventuelles. Et ne révèle rien. Dans sa manche la liste des produits du jour et, grand maître des cérémonies, il décide de qui dégustera quoi. À deux hommes d'affaires pressés, il proposera le paleron de bœuf, tendre comme un filet mais plus goûteux, rapide à apprécier. À un couple âgé, il suggérera un quasi de veau, qui fond en bouche sans le moindre effort. À une table de touristes japonais, il présentera des coquillages au dashi d'algue kombu, clin d'œil à leur pays qu'ils retrouveront là avec étonnement. Ainsi, le maître des lieux adapte à chacun l'imagination et la créativité du chef, qui, lui, se « contente » de cuisiner… L'Astrance vous impose la marche à suivre, avec l'infinie courtoisie des grands

diplomates. Les plats se succèdent, magiques, les parfums s'ouvrent et les saveurs s'épanouissent, plus inattendus les uns que les autres. Une cuisine qui renaît tous les jours, toutes les semaines, tous les mois, tel un *kaiseki* à l'occidentale.

Quelques classiques, pourtant, dans cette maison pleine de surprises. Le foie gras mariné au verjus, en millefeuille de champignons de Paris, accompagné d'une crème de citron confit et d'huile de noisette. Sublime mariage de richesse et de légèreté, contradictions sensuelles qui présagent d'une palpitante aventure… La langoustine, valsant parmi légumes, fleurs et herbes croquants, vifs et gais, parfums de couleurs et d'arômes. La selle d'agneau et l'aubergine fondante au miso, plaisirs intenses, puissants et néanmoins si doux.

Pascal Barbot voyage. Stages dans les grandes maisons de Kyoto, promenades dans les marchés indonésiens, complicité avec de grands chefs chinois à Pékin. Ce chef indûment modeste se dit *apprenti cuisinier,* dans un souci constant de perfection. Et pour notre plus grand bonheur, il anime une cuisine nouvelle, puisant sa force à la fois dans la grande tradition française et dans les techniques exotiques et nouvelles, créant des saveurs aux couches multiples et cosmopolites, vives et résolument contemporaines.

ASTRANCE
→ France

« Pascal fera quatre cabillauds, quatre rougets, deux pigeons, huit langoustines… et je décide ce que nous servons à chaque table. Les clients sont différents tous les jours, entre le déjeuner et le dîner, ceux qui sont pressés, ceux qui sont timides, ceux qui veulent parler, ceux qui sont amoureux… il faut que tout le monde soit heureux. Et surpris. Le plaisir de la découverte. Faire plaisir, c'est mon métier. »
Christophe Rohat

« Moi, cuisinier ? Pas encore ! Il y a tant de choses à apprendre… tous les jours. Les produits, les herbes, les fleurs, les épices du monde. Mon bœuf est bon ? C'est tout simplement une très belle viande. Le canard ? Il vient d'un élevage de qualité. Le myoga ? Quel parfum ! Ce que je fais est très simple. Ce sont les produits qui sont bons »
Pascal Barbot

EXTRAIT DE LA CARTE

D'ici ou d'ailleurs,
les plats que nous avons imaginés et cuisinés
pour ce dîner surprise racontent une histoire
et invitent à un voyage…

ASTRANCE
→ France

2 rue de Collonges au Mont d'Or
68970 Illhaeusern
Tél. 00 33 03 89 71 89 00
Fax 00 33 03 89 71 82 83

Propriétaire et chef : Marc Haeberlin

AUBERGE DE L'ILL

→ France

🌸🌸🌸 Une guinguette de pêcheurs sur les bords de l'Ill, une mère et une tante aux fourneaux entourées de deux jeunes garçons qui grandissent le nez dans les casseroles, une drôle de guerre qui sépare les enfants d'une même famille… C'est au cœur de cette Alsace historique que s'écrit la formidable histoire de l'Auberge de l'Ill, une histoire où le père, le frère, le fils, la fille et les conjoints travaillent main dans la main avec des hommes et des femmes qui sont Haeberlin de cœur.
À l'Auberge de l'Ill, le présent se nourrit du passé. Le temps s'écoule, têtu et impassible, au rythme de l'Ill, cet affluent du Rhin qui serpente sous la caresse des saules, et les fondamentaux de l'auberge subsistent. Même si, d'année en année, la maison se métamorphose, attirant toujours plus de gourmets dans cette zone stratégique de l'Europe du Nord. Sur les ruines de l'Arbre Vert, simple guinguette où leur mère Henriette et leur tante Marthe étaient reconnues pour leur matelote au riesling et leur meringue chantilly, Paul et Jean-Pierre Haeberlin font ériger après-guerre une pimpante demeure à colombages : l'Auberge de l'Ill. En 1991, l'établissement prend de l'ampleur avec la construction de l'hôtel des Berges, havre de volupté pour gourmets rassasiés.

« J'ai grandi dans la nature. Mes grands parents étaient fermiers. Enfant, je rêvais d'être garde-chasse. Cette proximité avec le terroir m'a incité à poursuivre l'aventure familiale. Mes voyages ont influencé ma vision de la cuisine à travers la découverte des épices et des techniques asiatiques. Aujourd'hui, j'aime mettre des plats classiques au goût du jour. »

AUBERGE DE L'ILL
→ FRANCE

Six ans plus tard, Patrick Jouin signe un décor inspiré, sorte de prolongement poétique du paysage. Les tuyaux d'orgues jouent la mélodie de l'eau sur une moquette entrelacée de verts et de bruns où se faufilent les courbes sinueuses de l'Ill. Et partout, toujours, la nature s'invite à travers les larges baies de la rotonde, saules pleureurs mélancoliques, noisetiers parfumés, massifs de couleurs d'où surgit parfois le bec de la belle Hansala, cigogne à la démarche altière qui niche sur le toit de l'église voisine.

Paul Haeberlin n'est plus, depuis mai 2008, mais sa cuisine demeure bien vivante. Pendant dix ans, il a partagé les fourneaux avec son fils Marc, dans la plus grande complicité. Pour les inconditionnels, la carte porte et portera toujours les stigmates de son créateur : le saumon soufflé, la brioche de foie gras frais, la mousseline de grenouilles, la pêche Haeberlin… Marc les considère comme des piliers de la maison qu'il ne lui viendrait pas à l'idée de changer, fût-ce dans d'infimes proportions. La modernité, le chef la décline à sa façon, au détour d'un odorant baeckaoffe à la truffe, d'un tablier de sapeur revisité en succulente salade de tripes aux fèves et au foie gras ou d'un subtil velouté aux trois crabes servi dans des paniers en argent. Équilibre des proportions, sobriété, élégance… Marc pense que si tout était parfait, ce serait les prémisses du déclin. Puisse cette imperfection durer longtemps encore.

EXTRAIT DE LA CARTE

| Les coquilles St Jacques à l'émulsion de cèpes au foie d'oie royale de potiron et bouquet de salade automnale | Le filet de barbue cuit à la vapeur d'algues, ragoût de coquillages aux langues d'oursin | Les quetsches d'Alsace pochées sur une crème cuite, streusel et glace aux pruneaux à l'Armagnac |

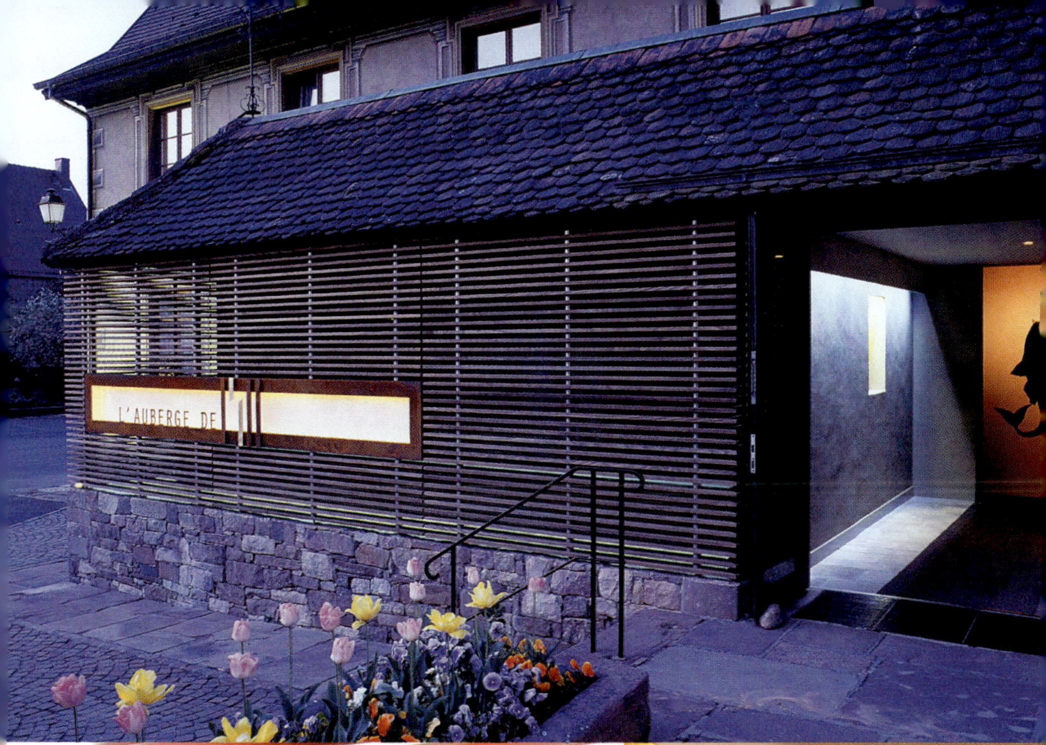
L'AUBERGE DE

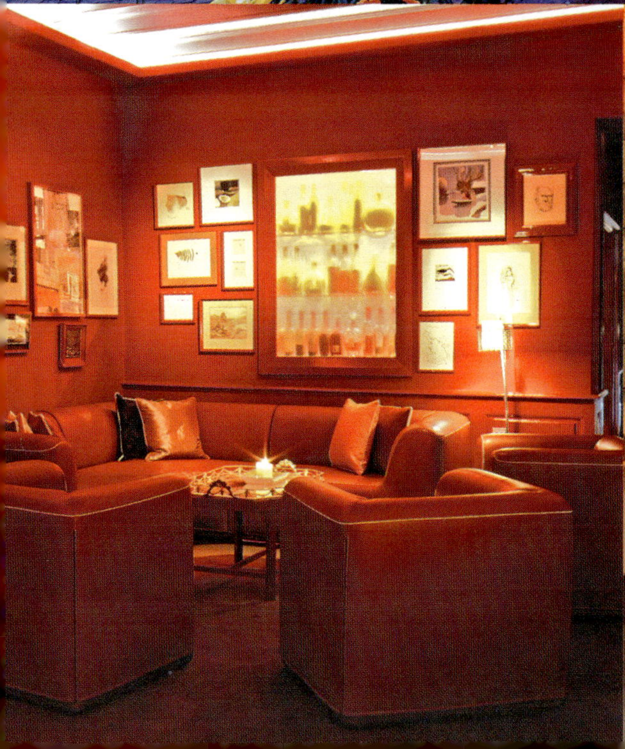

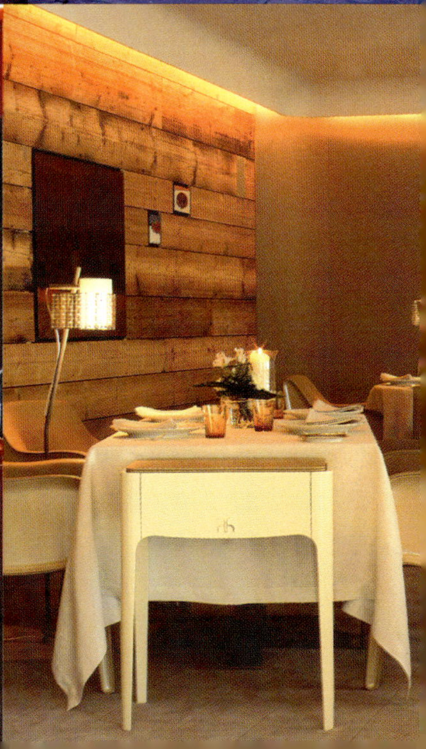

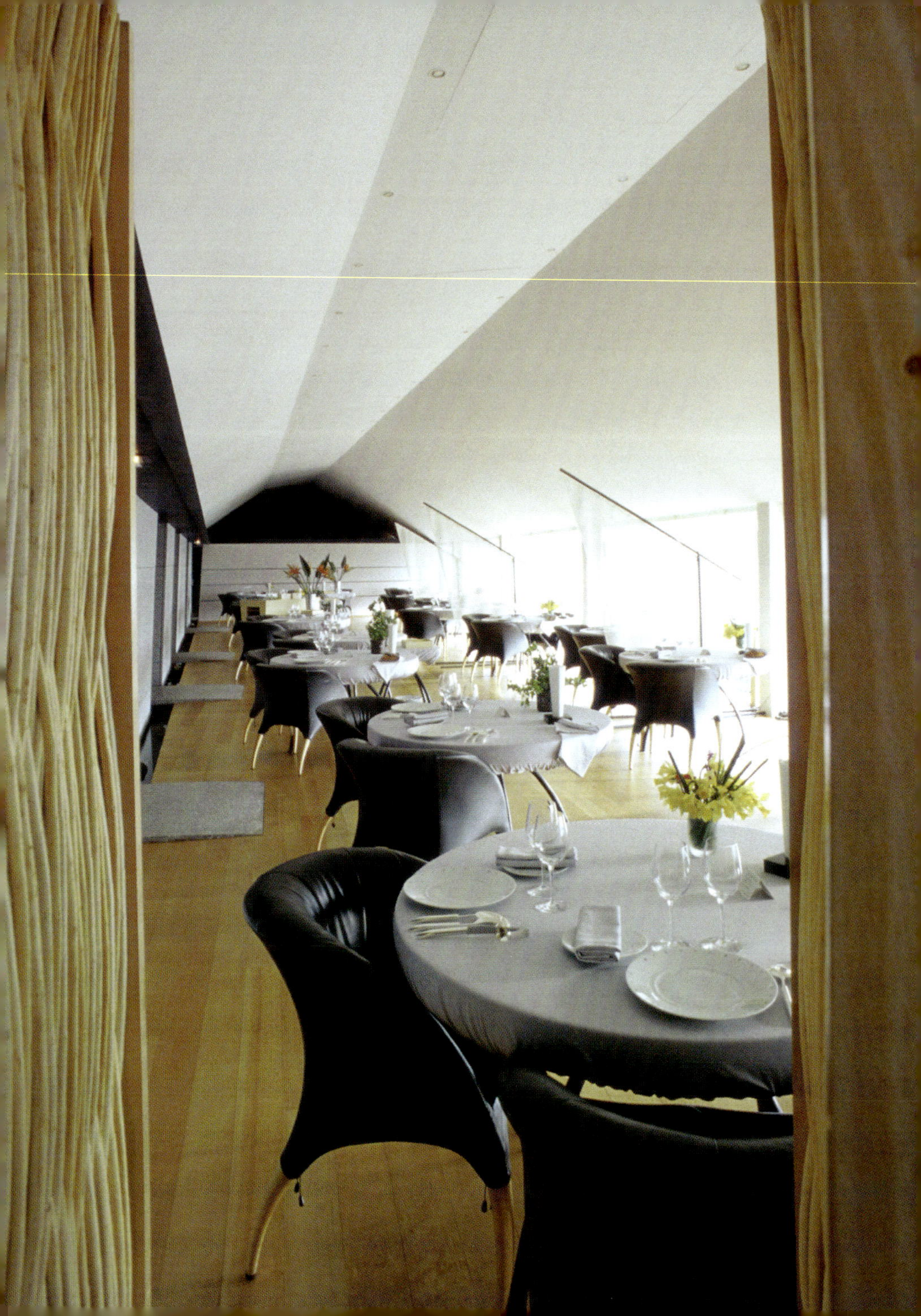

Route de l'Aubrac
12210 Laguiole
Tél. 00 33 05 65 51 18 20
Fax 00 33 05 65 48 47 02
info@michel-bras.fr
www.michel-bras.fr

Propriétaire : Michel Bras
Chefs : Michel et Sébastien Bras

BRAS

→ France

🍀🍀🍀 C'est peu de dire que Michel Bras fait corps avec sa terre. Lumière, ciel, saison, pâture, buron, roc immobile… Son être intime s'absorbe dans les moindres replis du manteau de l'Aubrac, d'où il extrait la substance de sa cuisine. Lumineuse, inspirée, changeante, unique. L'étoilé de Laguiole s'offre au terme d'un long cheminement, comme s'il fallait se nettoyer des scories de la civilisation pour s'ouvrir à une expérience nouvelle. Vaisseau de verre enveloppé de granit et d'ardoise suspendu au-dessus du plateau, la maison des Bras agit comme un révélateur du paysage qui l'entoure : Laguiole surgissant au bout de la draille – l'ancien chemin de berger – l'Aubrac et ses mamelons veloutés sous un ciel mouvant piqué de soleil, la nature dans sa vibration primitive…
Naturellement, l'aventure gastronomique de Michel Bras et de son fils Sébastien qui l'a rejoint, est profondément marquée par leurs racines. L'un des plats emblématiques de la maison, « le gargouillou », est né d'une révélation esthétique et sensorielle vécue au mois de juin dans une pâture inondée de fleurs et de parfums. Une interprétation géniale d'un plat traditionnel auvergnat composé d'une tranche de pommes

BRAS
→ France

de terre, de jambon de montagne, et mouillé d'un peu d'eau. Devenue palette de légumes, de fleurs, de graines et d'herbes, le gargouillou de Michel Bras se place à l'opposé du plat compoté d'origine : il devient un travail pictural et musical alliant le croquant et la vitalité d'ingrédients fraîchement cueillis et vivement saisis dans une sauteuse en cuivre. Un méli-mélo de couleurs et de saveurs ponctué de ce que le chef appelle des « niac » : virgules de coulis, traits de jus, légume ou herbe à croquer. Autre création phare du chef aveyronnais, le « coulant », un dessert qui a connu de nombreuses variations depuis 1981, une réalisation qui fait s'entrechoquer les textures, le chaud et le froid en exaltant les parfums du chocolat, du café ou du caramel, ou bien encore des fruits (framboises, abricots, figues)… Un sommet du goût, souvent copié, jamais égalé. Car la cuisine expérimentale en était encore à ses balbutiements quand Michel Bras faisait œuvre d'invention. Mu par une nécessité intérieure, suivant ses intuitions, réinterprétant son terroir avec la liberté d'un musicien de jazz. Picorez des yeux les menus : « morue, poireau, fenouils baignés d'un lait à la cistre ; un assaisonnement de pain et de Laguiole », « la poitrine de poulet bio rôti ; cœur de bœuf, céleri guinée & caillé brisé ; le tout relevé d'abricots et de para », « aligot d'ici à la truffe de Comprégnac »… Les classiques restent modernes et le goût du vrai n'est pas prêt de se démoder.

BRAS
→ France

« Avec Sébastien, nous aimons la cuisine gaie qui dispense étonnement et joie. C'est pourquoi nos assiettes sont animées d'une multitude de combinaisons que je qualifie de niac. Structures d'éléments visuels, odorants, goûteux, texturés qui éveillent les sensations pour de nouvelles découvertes. Le niac anime, dynamise, tonifie, interroge par des provocations. Glissés en marge du centre de la présentation des mets, je les désigne par les termes de touches, de traces. »

EXTRAIT DE LA CARTE

Le gargouillou
de jeunes légumes relevé
d'herbes champêtres et fleurs

Le biscuit tiède de chocolat
coulant sur crème glacée
à la reine des prés

La gaufrette de pommes de terre
crème beurre noisette, caramel
beurre salé

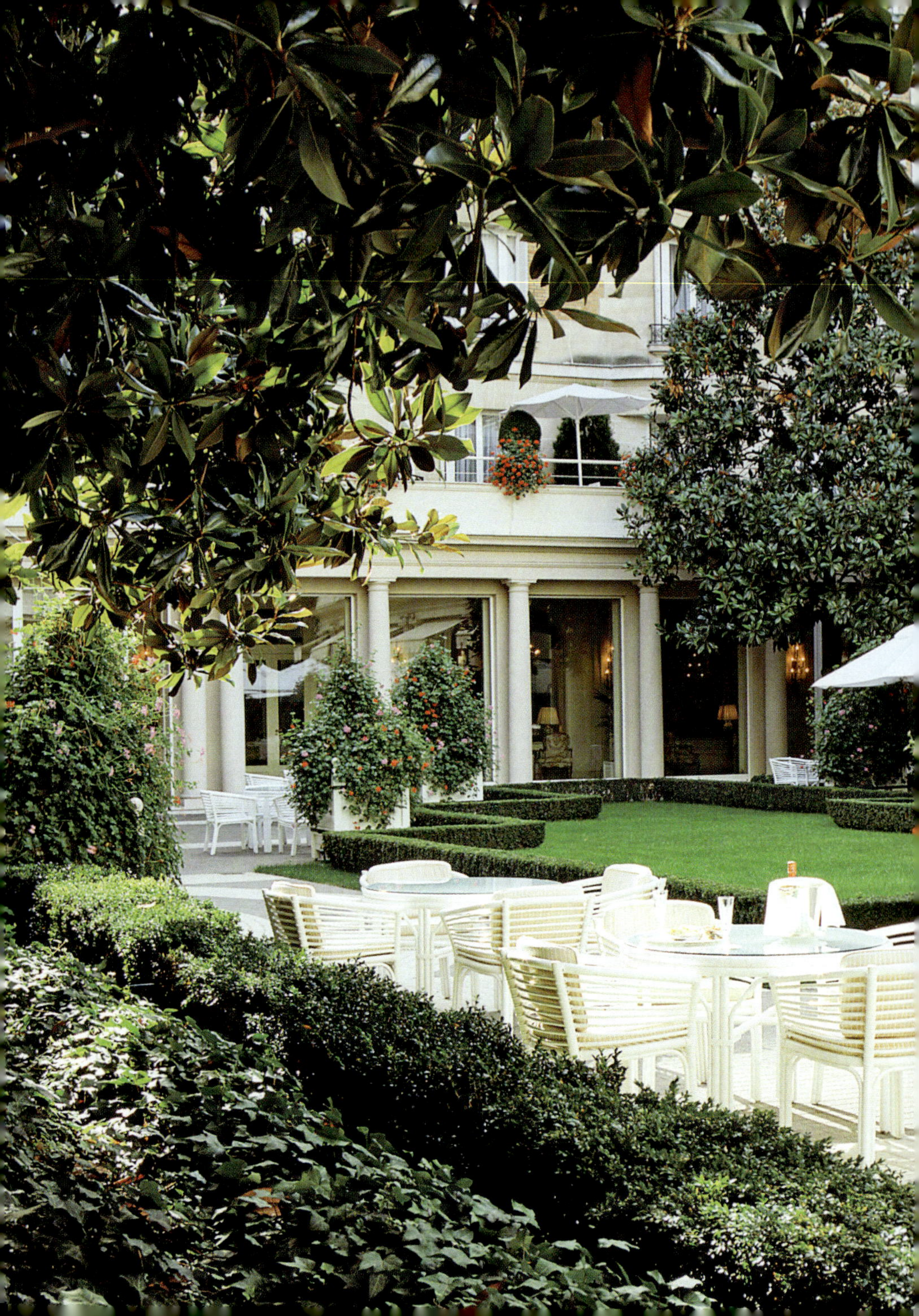

112 rue du faubourg Saint-Honoré
75001 Paris
Tél. 00 33 11 53 43 43 40 00
Fax 00 33 11 53 43 43 40 01
resa@lebristolparis.com
www.hotel-bristol.com

Propriétaire : Groupe Oetker
Chef : Éric Fréchon

LE BRISTOL

→ France

🌸🌸🌸 En haut du faubourg Saint-Honoré, à deux pas du Palais de l'Élysée, s'étendait jadis un vaste jardin maraîcher. De cette nature simple et sereine, le Bristol a gardé le souvenir entre ses murs : ses deux élégantes salles à manger, l'une d'été, l'autre d'hiver, ouvrent sur un ravissant jardin à la française adouci d'un foisonnement de magnolias, de fushias et de rhododendrons. Un ensemble unique à Paris, au luxe feutré, qui fait sans doute du Bristol l'un des palaces les plus romantiques de la capitale.
Un écrin enchanteur, aussi, pour le chef Éric Fréchon, qui avoue volontiers en avoir « toujours rêvé ». Jeune apprenti venu de sa Haute-Normandie natale, il en franchit une première fois le seuil pour intégrer la brigade d'Emile Tabourdiau. Séduit par le cadre autant que par la gageure, il se promet d'y revenir… le temps de faire ses armes à la Grande Cascade, au Crillon auprès de Christian Constant, et à la Tour d'Argent avec Manuel Martinez, avant d'ouvrir son propre restaurant dans un petit coin du 19e arrondissement.
Le rêve s'accomplit lorsqu'en 1999 le Bristol lui propose de coiffer la toque du chef, et de prendre du même coup la tête d'un staff de quatre-vingt personnes. Car rien n'effraie ce « quadra » souriant,

LE BRISTOL
→ France

d'emblée surnommé « Fréchon Fraîcheur » pour l'attachement qu'il manifeste à ne travailler que le meilleur produit.

Là est son crédo : « Je me concentre sur les produits que je connais et qui me donnent beaucoup de liberté pour créer ». La preuve dans l'assiette, harmonie jouant de parfums et de tons neufs, tel ce filet de chevreuil poêlé aux cinq saveurs, rouelles de betterave confite et sauce grand veneur.

Mais sa théorie culinaire ne serait pas complète sans les cinq mots clé qui dictent sa conduite et qu'il répète à l'envi : « produit, simplicité, originalité, assaisonnement, cuisson ». Pour saisir toute l'amplitude de son terrain d'expression, il faut se laisser porter par le menu dégustation, véritable ballet enchaînant grands tableaux classiques et surprenants intermèdes d'ailleurs. Tête de veau « crousti fondante » aux anchois et aux câpres. Bar de ligne piqué au citron, artichauts poivrade cuits au jus de coquillage. Ris de veau braisé au fenouil sec, carottes au pain d'épices et citron. Lard paysan grillé au feu de bois, côte de romaine. Diffusion de menthe fraîche parfaitement glacée... Un voyage initiatique, dont les étonnements se révèlent si forts qu'ils s'érigent en « classiques ». La nouveauté passée déjà grande tradition.

LE BRISTOL
→ France

« Ma cuisine ? Une alliance entre les grands classiques d'un Meilleur Ouvrier de France et des approches, disons un peu plus farfelues, où je m'efforce, par de nouveaux produits, d'obtenir de nouveaux goûts. »

EXTRAIT DE LA CARTE

Makis de langoustines à peine cuits, émulsion de foie gras, jus des têtes parfumées à la citronnelle

Rouget de roche et aubergine rôtie dans une fleur de courgette, jus de poivron jaune à l'huile d'argan

Crémeux noir, sablé craquant, noisette torréfiée croustillante, glace à l'infusion de café, émulsion de caramel

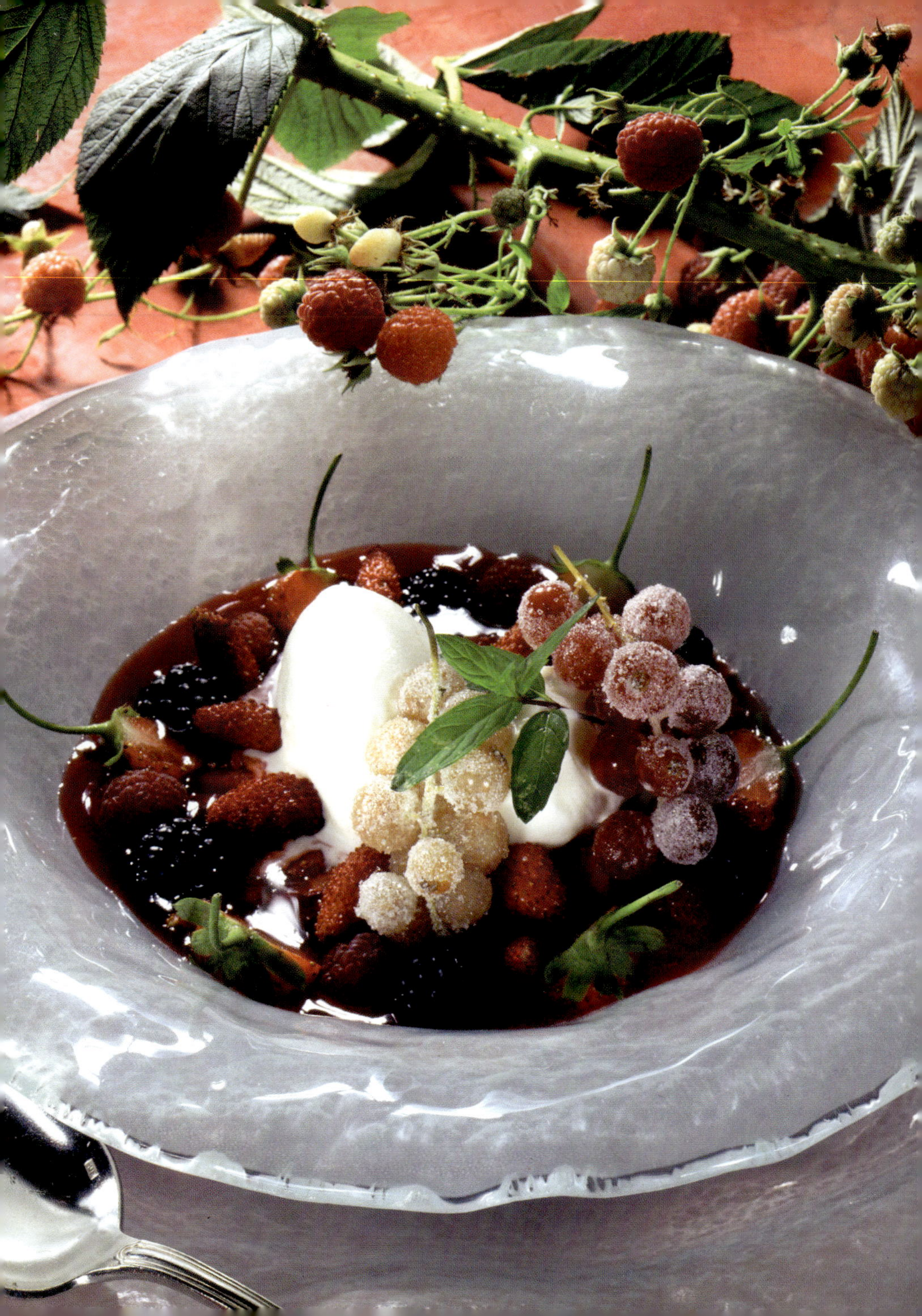

14, Faubourg de Paris
89300 Joigny
Tél. 00 33 03 86 62 09 70
Fax 00 33 03 86 91 49 70
lorain@relaischateaux.com
www.cotesaintjacques.com

Propriétaire et chef :
Jean-Michel Lorain

LA CÔTE SAINT JACQUES

→ France

❀❀❀ C'est l'histoire d'une petite couturière entreprenante qui aimait faire la cuisine… et donna naissance à une dynastie de chefs étoilés. Ainsi pourrait se résumer la saga des Lorain. De mère (Marie) en fils (Michel), et de fils en petit-fils (Jean-Michel) et bientôt peut-être en arrière-petite-fille (Marine), ce sont trois générations d'hôteliers restaurateurs qui se succèdent depuis plus de soixante ans à Joigny, sur les marches de la Bourgogne. « 2008 restera pour nous une année importante, souligne Jean-Michel Lorain, l'actuel maître des fourneaux. Il y a tout juste 25 ans, je rejoignais les cuisines de la Côte Saint Jacques, aux côtés de mon père après mes années de formation chez Troisgros à Roanne, chez Girardet à Crissier et au Taillevent à Paris. Quant à mes parents, il y a exactement cinquante ans qu'ils ont repris les rênes de la maison des mains de ma grand-mère Marie Lorain. » Cet esprit de famille se lit d'ailleurs sur la carte de la Côte Saint Jacques où le boudin noir aux pommes (le meilleur au monde d'après les gourmets experts), la poularde de Bresse à la vapeur de champagne ou la truffe aux choux, des plats créés par le père, sont toujours en bonne place. Mais Jean-Michel Lorain a su faire fructifier cet héritage. Certes, la Bourgogne est

LA CÔTE SAINT JACQUES
→ France

toujours bien présente dans sa cuisine avec le pain d'épice, la moutarde et les grenouilles. Mais le beurre d'escargot sait aussi se faire « virtuel » pour accompagner les bonbons croustillants de petits-gris. Le chutney de courgette jaune sert l'agneau en filet rôti et l'épaule confite, et le gingembre, la rhubarbe et le radis rose propulsent le ris de veau au « nirvana » des saveurs nouvelles. C'est un peu comme si toutes les cuisines du monde se donnaient rendez-vous sur les rivages de l'Yonne, pour apporter à cette terre de gastronomes le renfort de leurs générosités et de leurs épices. À la Côte Saint Jacques, les langoustines rôties s'acoquinent avec un risotto de quinoa, une émulsion de carottes nouvelles et une crème de coriandre ; le filet de turbot, cœur de palmier, haricots verts et girolles à l'huile de Kari poulet s'aventure dans des contrées nouvelles, et l'on n'hésite pas à marier en brochette la mangue, le piment et l'ananas. En toutes choses, Jean-Michel Lorain aime prendre des risques. Parce que la tradition familiale est aussi d'entreprendre. La petite pension de famille de l'après-guerre s'est muée en une superbe étape gastronomique avec un hôtel trois étoiles sur les bords de la rivière, une école de cuisine, un Spa de 800 m² doté d'une piscine et d'un centre de soins. À la Côte Saint Jacques, il y a même un bateau pour emmener les clients flâner sur l'Yonne à la découverte des trésors de la vieille ville. Toujours ce goût du voyage…

« *Je ne crée pas un plat à tout prix pour surprendre, mais avant tout pour régaler les personnes à qui je vais le servir. Je crois que la cuisine doit rester une chose simple et gourmande, pas une vue de l'esprit abstraite et conceptuelle.* »

EXTRAIT DE LA CARTE

Grosses Langoustines rôties, risotto de Quinoa au jus de Crustacé, émulsion de Carottes nouvelles et crème de Coriandre

Poularde de Bresse à la vapeur de Champagne

Truffe aux Choux « Michel Lorain »

LA CÔTE SAINT JACQUES
→ France

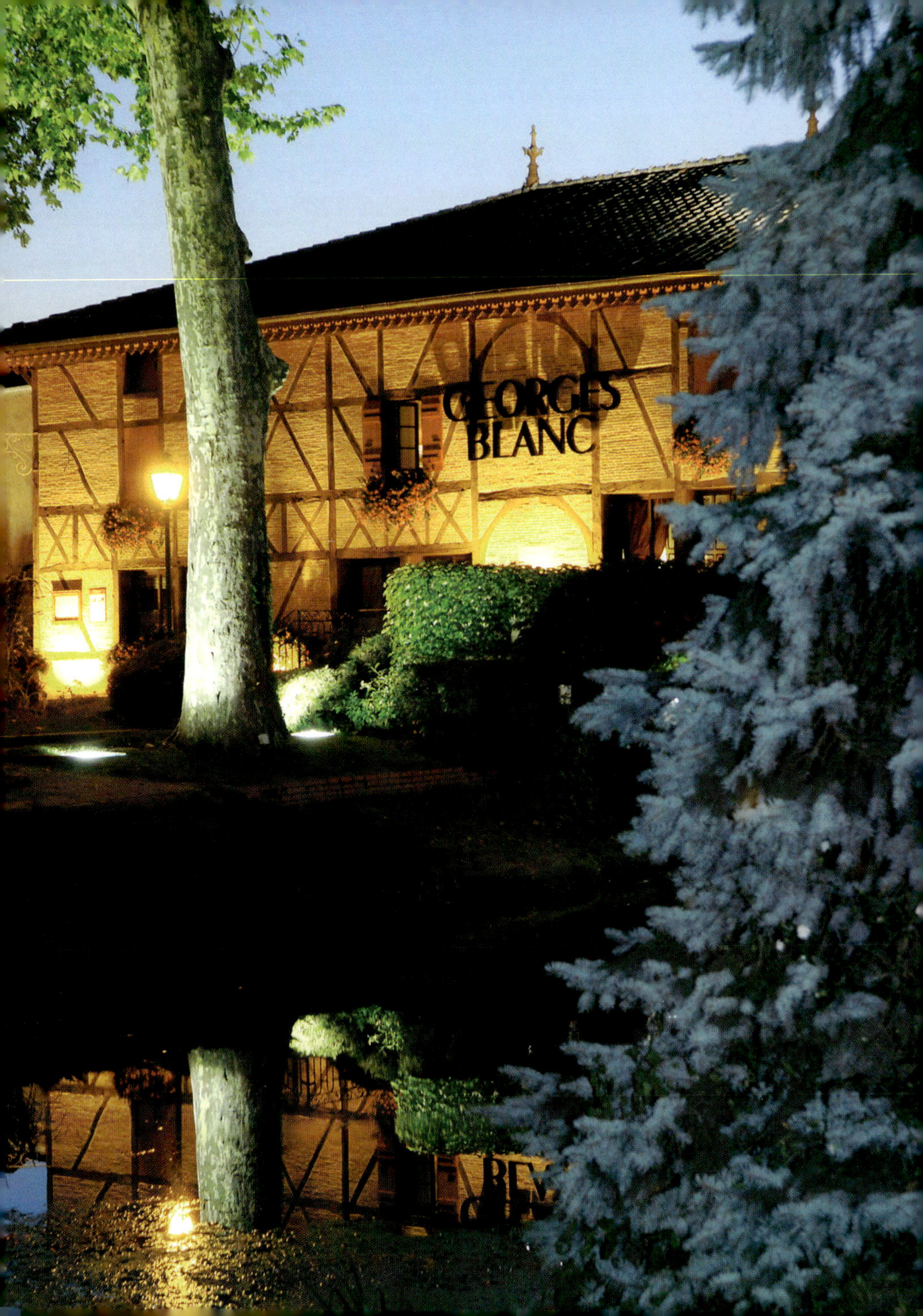
GEORGES
BLANC

Place du marché
01540 Vonnas
Tél. 00 33 04 74 50 90 90
Fax 00 33 04 74 50 08 80
blanc@relaischateaux.com
www.georgesblanc.com

Propriétaire : Georges Blanc
Chefs : Georges et Frédéric Blanc

GEORGES BLANC

→ France

✿✿✿ Dites « Vonnas » et aussitôt surgit l'univers Blanc, un village entier dédié au plaisir des sens : le restaurant triple étoilé depuis 1981, les hôtels, l'Ancienne Auberge rénovée, le spa, les boutiques, l'héliport… Bien plus qu'une escale gastronomique, un précipité de terroir où s'élabore l'alchimie de l'avenir.

Georges Blanc est loin d'être le seul chef à hériter d'une longue lignée de cuisiniers, mais il est l'un des rares à avoir aussi intimement lié son histoire à celle de son village et de sa région, la Bresse. Naturellement marqué par la personnalité de sa grand-mère, sacrée « meilleure cuisinière du monde » par Curnonsky, il a tout fait, pour se rendre digne de ce passé, jusqu'à le surpasser… En 1968, Georges Blanc n'a que 25 ans lorsqu'il reprend les commandes du restaurant, après une formation à l'école hôtelière de Thonon-les-Bains. En exécutant patiemment les recettes traditionnelles de la maison – les grenouilles, la poularde, les fameuses crêpes vonnassiennes qui ont fait sa réputation – le jeune chef rôde sa cuisine, s'autorisant peu à peu d'autres ingrédients, d'autres assemblages, reflétant en cela les tendances d'une ère nouvelle davantage tournée vers l'esthétique et la légèreté qu'hier.

GEORGES BLANC
→ France

« *Une cuisine accomplie c'est assurément celle qui régale et enchante le palais, d'abord par une juste harmonie, une pure, fraîche et subtile profondeur de goût. C'est aussi la capacité de surprendre agréablement par le caractère original d'une présentation recherchée et soignée. C'est là que le cuisinier se révèle et donne toute la mesure de sa sensibilité. On peut alors parler d'art culinaire.* »

Pour autant, les sauces, qui font la spécificité de la tradition culinaire française, restent le fondement de la cuisine de Georges Blanc. Associée à l'excellence des produits, la sauce est un incomparable révélateur de saveur. Excluant les beurres maniés et les excès de crème, elle est échafaudée et assemblée au dernier moment. Les recettes d'hier s'en trouvent revivifiées. Ainsi les traditionnelles cuisses de grenouilles au beurre noisette et persillade sont simplement saisies dans un peu de beurre mousse et servies avec un « velours ocre » à base de gingembre et poivron doux. Une légèreté qui prédispose le gourmet à apprécier d'autres plats, comme cette association inattendue de « sot-l'y-laisse et huîtres dans une nage mousseuse et iodée servie avec des haricots blancs ». Enfin, le travail sur la cuisson constitue sans doute l'un des aspects les plus remarquables de la cuisine de Georges Blanc. La poularde de Bresse, un produit hors norme, fait l'objet de soins infinis qui exaltent son fondant extraordinaire. Les cuisses désossées sont cuites au torchon tandis que les blancs sont cuits sur l'os moins de vingt minutes, le tout accompagné de gousses d'ail confites avec une royale de foie blond à l'artichaut... Et voilà que surgit l'émotion du terroir stimulée par un regard neuf, celui de Georges Blanc naturellement, mais aussi de ses fils, qui l'ont rejoint aux fourneaux. L'avenir de Vonnas n'a pas fini de s'écrire en Blanc...

EXTRAIT DE LA CARTE

Soupe sauvage aux langoustines sur une mousseline végétale à l'oseille

Le duo de ris de veau, l'un braisé, l'autre meunière, les légumes du marché, un jus de noisette et pistou d'herbes

Le poulet de Bresse aux Gousses d'ail confites avec une royale de foie blond à l'artichaut et crêpes vonnasiennes

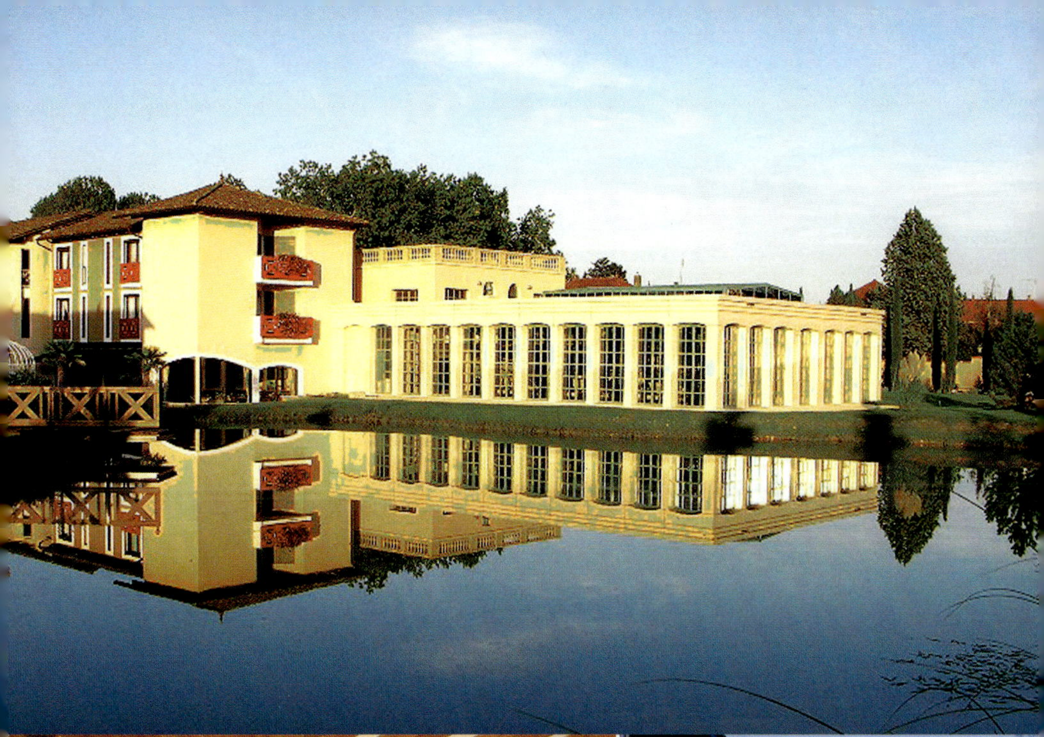
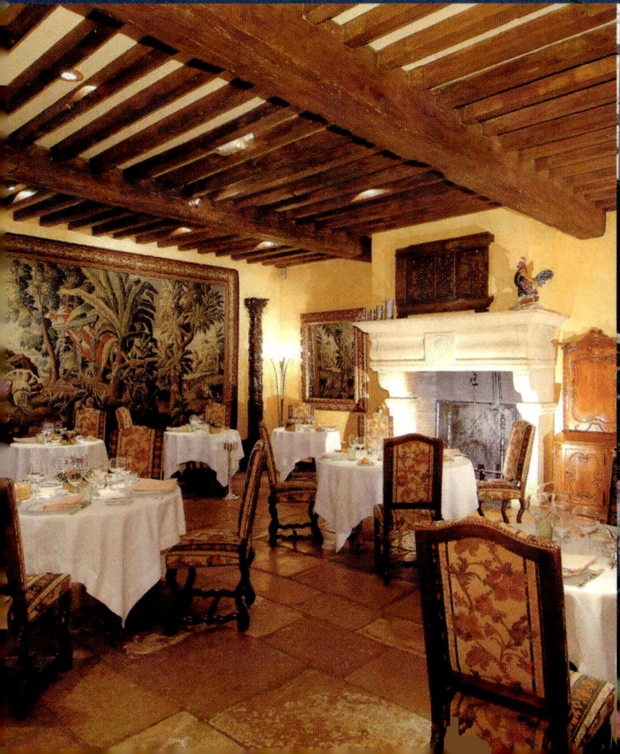
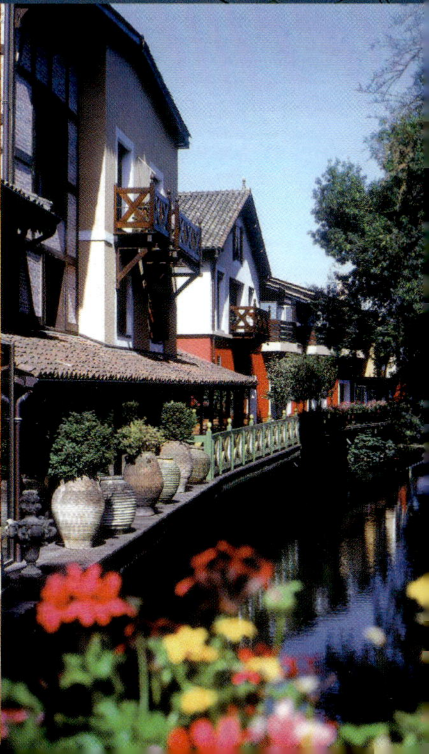

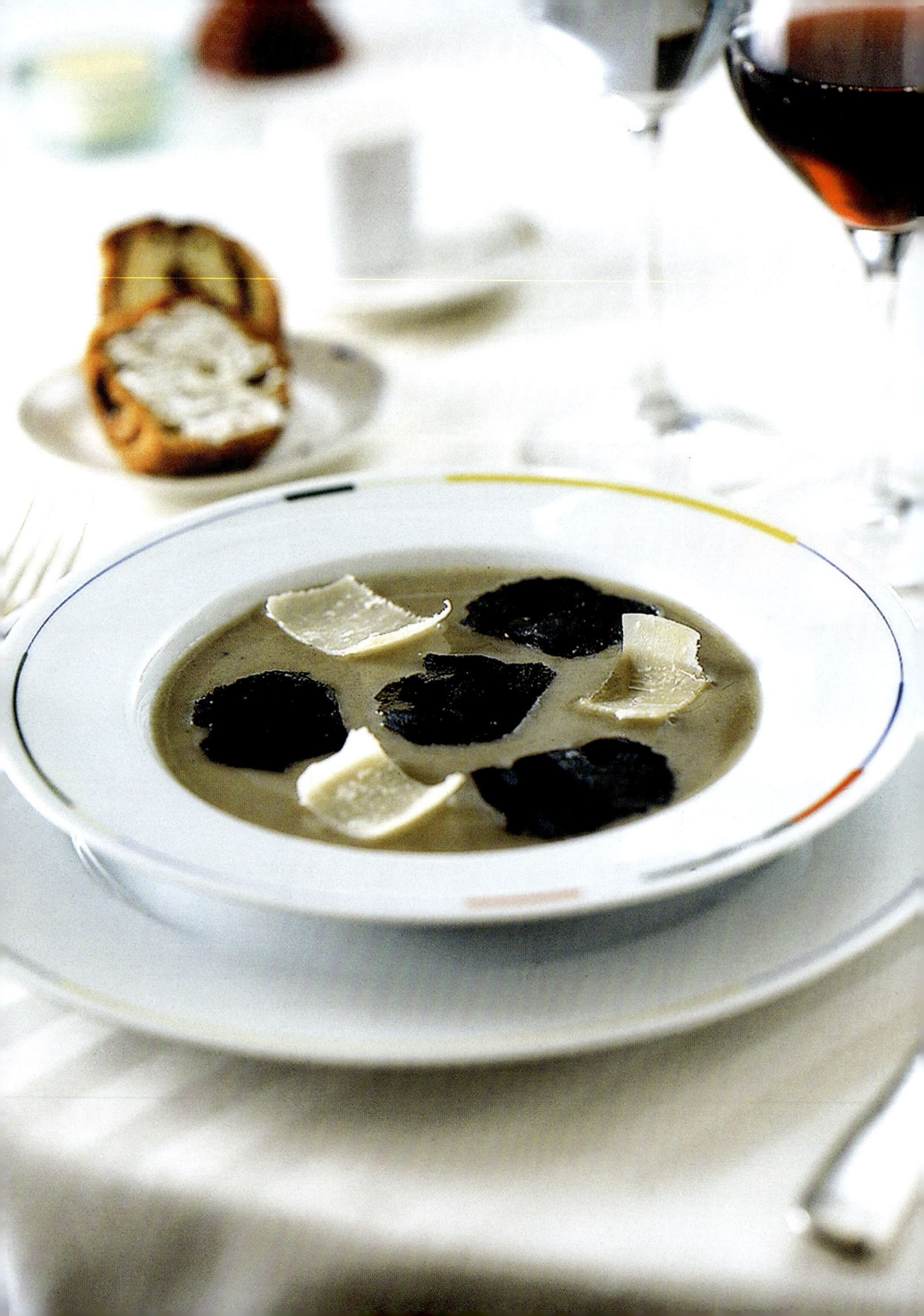

18, rue Troyon
75017 Paris
Tél. 00 33 01 43 80 40 61
Fax 00 33 01 46 22 43 09
reserv@guysavoy.com
www.guysavoy.com

Propriétaire et chef : Guy Savoy

GUY SAVOY

→ France

🌸🌸🌸 Ah! La «soupe d'artichaut à la truffe noire»! Voilà une création qui incarne à la perfection la cuisine de Guy Savoy. Imaginez un velouté d'artichaut au juste assaisonnement, parsemé de copeaux de parmesan et de généreuses lamelles de truffes, accompagné de petites bouchées de brioche feuilletée aux champignons et beurre de truffe. Tout est là. La magie des textures : le moelleux, le fondant, le doux et le râpeux ; le triomphe des saveurs : l'alchimie d'une rencontre historique entre l'artichaut et la truffe, réveillés par l'onctuosité salée du parmesan. C'est à la fois simple et sophistiqué, comme toute la cuisine de Guy Savoy, c'est aussi un moment de pur bonheur, un retour en enfance où la gourmandise frise la gloutonnerie. Du beurre et de la crème sans arrière-pensée, un excès délicieux, un instant d'éternité volé.

Car pour Guy Savoy, la simplicité est un aboutissement. D'où, sans doute, cette fascination pour les arts premiers et l'art contemporain. Hôtes mystérieux de la salle, les statuettes et les masques s'invitent à votre table. Une œuvre de Jean-Pierre Rives côtoie des statues Yoruba, des masques de l'ethnie Bozo et des oiseaux Senufo de Côte d'Ivoire. Les panneaux de bois, les dalles de cuir et le verre sablé composent

GUY SAVOY
→ France

un espace intime aux allures de salon privé. Le restaurant de la rue Troyon, réinventé par Jean-Michel Wilmotte, crée une bulle de sensations où l'on vient explorer, dans une pénombre reposante, les différentes facettes de l'art de Guy Savoy. Ici se mêlent le brut et le subtil, la matière et l'impalpable.

L'homme au sourire jovial, barbe courte et soignée, passionné de rugby, ne cesse de surprendre, passant sans transition d'une classique côte de veau rôtie, purée de pommes de terre à la truffe, à des mets sophistiqués savamment mis en scène : le homard bleu « cuit » en vapeur froide ou le fameux colors of caviars, une savoureuse variation sur l'or noir travaillé en crème, vinaigrette et sabayon… Rien n'est laissé au hasard, qu'il s'agisse de l'assiette dessinée pour son contenu, des beurriers gouttes d'eau en verre cassé, de la multiplicité de pains, du choix des vins, notamment servis au verre, pour mieux apprécier leur complémentarité avec les mets. Guy Savoy croit à la toute puissance de la cuisine, « l'art de transformer en joie des produits chargés d'histoire ». Les pieds dans la glaise, la tête dans les étoiles…

GUY SAVOY
→ France

« Je considère mon restaurant comme l'auberge du XXIe siècle, parce qu'on s'y sent comme chez soi ».

EXTRAIT DE LA CARTE

Soupe d'artichaut
à la truffe noire,
brioche feuilletée aux
champignons et truffes

Ris de veau rissolés
« petits chaussons »
de pommes de terre et truffes

Bar en écailles grillées
aux épices douces

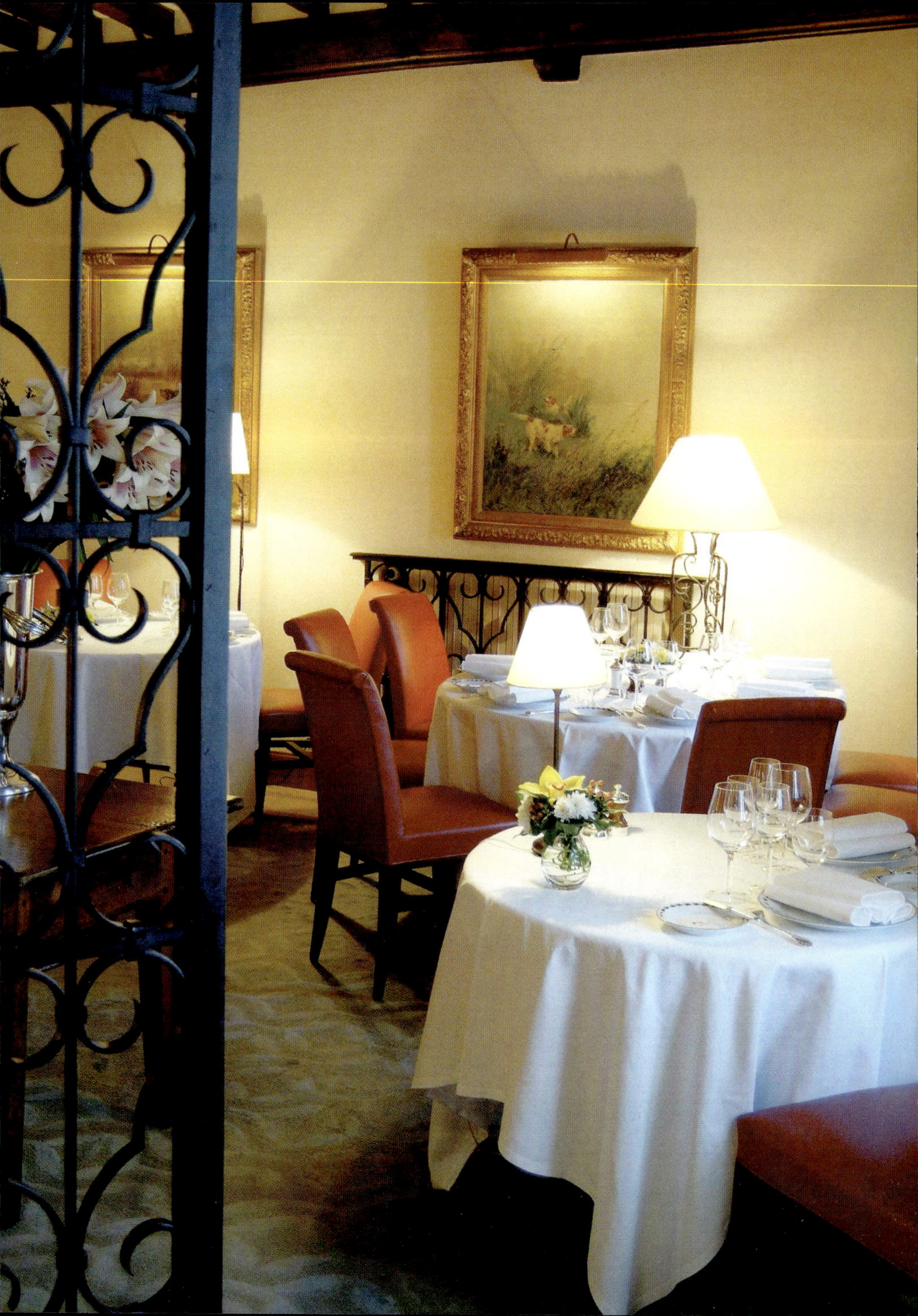

36 Place d'Armes
71150 Chagny
Tél. 00 33 03 85 87 65 65
Fax 00 33 03 85 87 03 57
reception@lameloise.fr
www.lameloise.fr

Propriétaire : Jacques Lameloise
Chefs : Jacques Lameloise et Eric Prat

LAMELOISE

→ France

🍀🍀🍀 Entrer dans la demeure des Lameloise, c'est un peu entrer dans l'histoire, sous les voûtes de l'ancien relais de Poste du XVe siècle, où Philippe le Hardi et Jean sans Peur faisaient déjà halte sur leur route vers Paris. Les grilles ouvragées, les poutres basses, les pierres apparentes nous font pénétrer au cœur de cette Bourgogne profonde, creuset naturel de l'art roman et des grands vins. L'histoire, c'est aussi celle de trois générations de Lameloise qui ont pris racine à Chagny, illustrant jour après jour la devise du blason de la ville : « du sol, il tire sa force ». Jacques, né dans l'hôtel de ses parents en 1947 – une grande année pour le vin de Bourgogne – ne sait pas encore qu'il hérite le talent de son grand-père Pierre et de son père Jean. Lucas Carton, le Savoy, Ledoyen, Lasserre sont autant d'étapes qui lui font toucher du doigt l'excellence. De retour dans la maison familiale, aux côtés de son père, il s'ouvre aux subtilités des accords mets-vins et s'intéresse aux nouvelles tendances de la cuisine. C'est l'heure de la révolution douce, une manière d'amener le terroir, sans le brusquer, vers une expression plus moderne de ses richesses. Cet art d'accommoder la tradition lui vaut trois étoiles en 1979.

« *Je travaille avec les meilleurs produits de chaque saison. Pourquoi faire compliqué ? l'important, c'est le produit, la cuisson et l'assaisonnement. La vraie bonne cuisine n'est faite que d'attention, de précision, de soins accumulés.* »

LAMELOISE
→ France

Point de yuzu, de combava ou de ras el hanout dans les plats signés Jacques Lameloise. Le voyage du chef est plus intérieur – du sol, il tire sa force – du produit, il extrait la substantifique moelle. Les spécialités de la région s'offrent une nouvelle jeunesse, comme ces « escargots de Bourgogne, œufs de caille en meurette revisités et leur jaune filé » ou ces « grenouilles simplement meunière, crème de ciboulette, fine rosace de pommes de terre dorées » ; les jus s'allègent, les crèmes se font mousseuses, les légumes – confits – concentrent leur saveur, la technique se met au service d'une esthétique épurée. « Poitrine de pigeonneau rôtie à l'émiettée de truffes, crème légère au persil plat », « noix de ris de veau rôtie, zestes d'agrumes torréfiés, déclinaison de pommes de terre », « homard bleu cuit dans sa carapace au risotto à l'encre de seiche et sauce coraillée »... Les plats classiques, fondés sur l'excellence du produit, acquièrent une nouvelle force par leur préparation limpide.

Les desserts ? Ils sont tout simplement divins. Sous les doigts de Jacques Lameloise, qui a su tirer profit de son passage chez Gaston Lenôtre, la tarte au citron meringuée déstructurée, les fines feuilles croquantes au caramel et chocolat framboises, la déclinaison d'ananas en quatre temps se changent en délices à se damner... Et justifient pleinement cette quatrième étoile, décernée officieusement aux Lameloise, un soir d'agapes, par le chanteur Léo Ferré.

EXTRAIT DE LA CARTE

Trois variations d'escargots de Bourgogne, persil plat, crème d'ail mousseuse, pommes de terre ratte grillées

Grenouilles simplement meunière, crème de ciboulette, fine rosace de pommes de terre dorées

Poitrine de pigeonneau rôtie à l'émietté de truffes

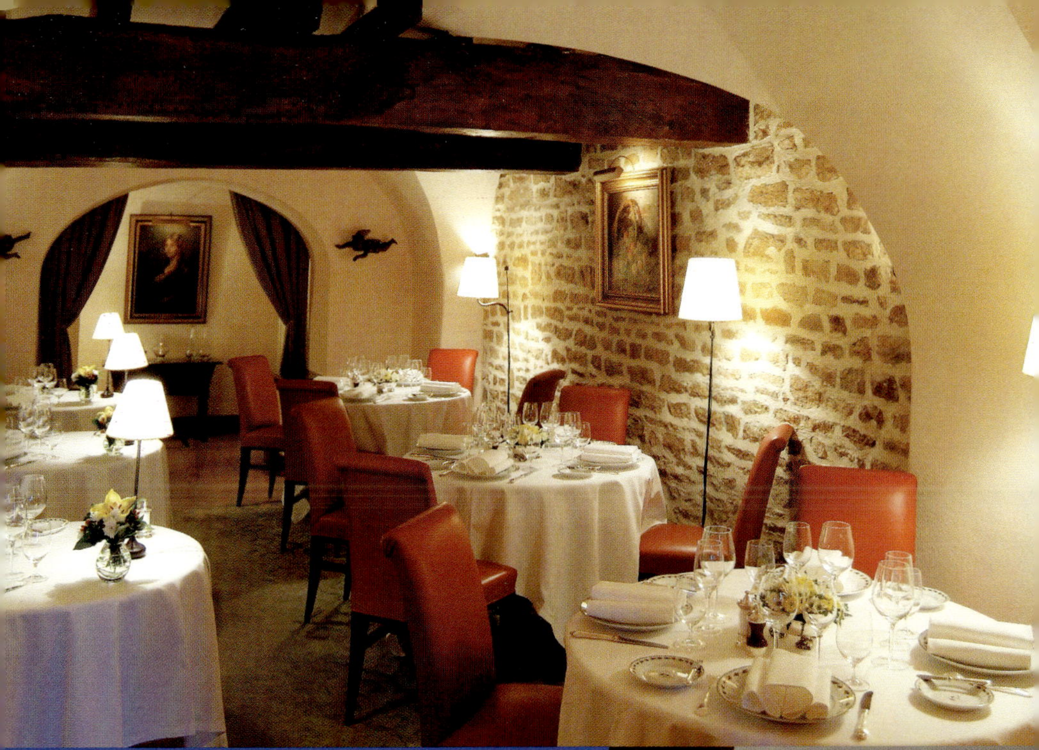

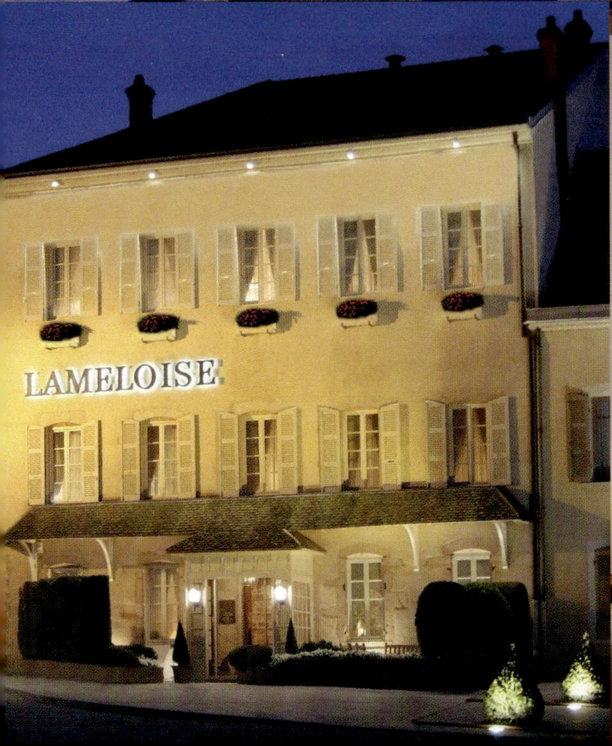
LAMELOISE

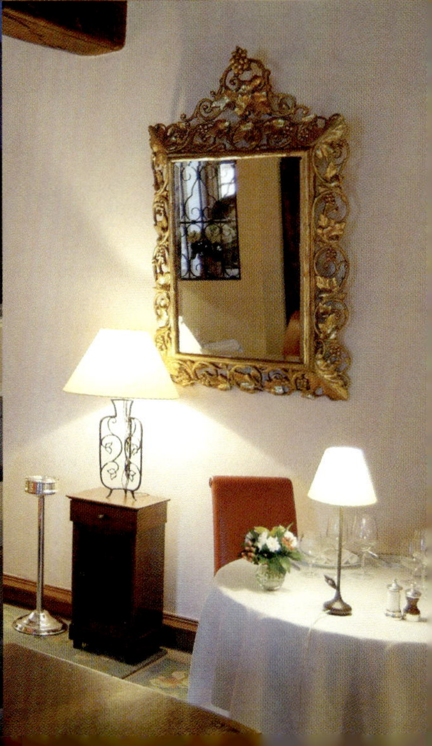

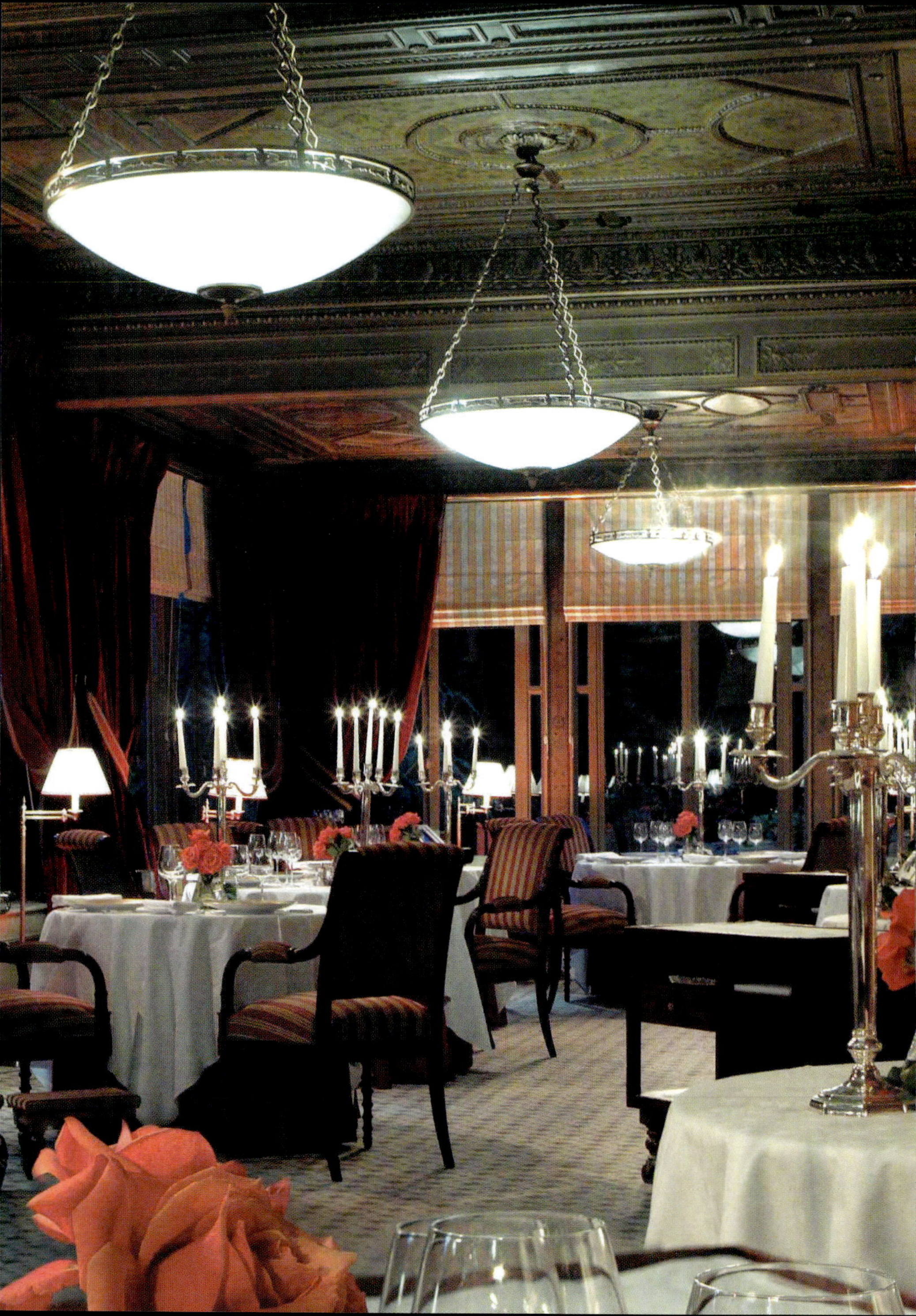

8 avenue Dutuit
75008 Paris
Tél. 00 33 01 53 05 10 01
Fax 00 33 01 47 42 55 01
info@ledoyen.com

Propriétaire : Groupe Epicure
Chef : Christian Le Squer

LEDOYEN

→ France

❀❀❀ Il est des lieux magiques où l'histoire imprime sa marque, fastueuse et grandiose en dépit du temps qui passe. Ledoyen est de ceux-là. Joséphine de Beauharnais y rencontra Bonaparte, les peintres impressionnistes y prenaient leurs quartiers les jours de vernissage, Gide y fonda la NRF… Et c'est toujours ici que bruissent les murmures de la vie parisienne entre tailleurs Chanel et revers piqués d'une rosette. Paré des préciosités du second Empire, sur la plus belle avenue du monde, le pavillon a trouvé son maître en 2000. Christian Le Squer, fils de fermiers, ne doit sa réussite qu'à lui-même. Après un parcours parisien sans faute qui l'a mené successivement chez Le Divellec, Lucas Carton, Taillevent, puis au Ritz, et au restaurant l'Opéra de l'hôtel Inter Continental, il réinvente tous les jours une cuisine de la mer chatoyante et savoureuse.
De sa Bretagne natale, il a rapporté le goût du large, subtilement marié aux ressources de la terre. Apparemment simplissimes, ces plats marins sont le fruit d'une technique virtuose qui sait se faire oublier. Poissons braisés, poêlés, cuits à la vapeur, en croûte, au four, crus en carpaccio… Aucune préparation, aucune cuisson, aussi délicate soit-elle, n'a

de secret pour Christian Le Squer. Et voici que les soles se présentent en goujonnette au vin jaune ou gratinées aux noix et amandes fraîches, l'araignée de mer est rafraîchie d'une émulsion coraillée, le carpaccio de bar divinement escorté de sa boule de neige à l'osciètre royal, les grosses langoustines sublimées par le miracle d'une fine émulsion d'agrumes.

Quittant le registre de la mer, le chef du pavillon Ledoyen s'aventure aussi dans la création de plats terriens dont il sait exalter la puissance aromatique, en usant notamment d'une belle palette de saveurs acides. L'« agneau de lait snacké, croûte d'agrumes », le « jambon blanc, cèpes, truffes, spaghetti », la « poêlée de cochon de lait épicé, gnocchi et tomates mi-séchées » ou encore les « ris de veau en brochettes de bois de citronnelle rissolée, jus d'herbes » brillent tous du bonheur de cuisiner. Mélanges de textures, travail d'orfèvre, équilibres de funambule… le chef breton exerce son palais jour après jour, en goûtant sa cuisine et celle des autres au fil de ses nombreux voyages, à Tokyo, à New York, en Indonésie. À Paris, il a su s'imprégner de l'esprit des lieux et trouver le ton juste pour parler à une clientèle avertie. Sa cuisine pétille sans flamber. Intelligente, fraîche et vive, elle suscite le plaisir et l'étonnement des palais les plus blasés.

LEDOYEN
→ France

« À la vue, puis à la dégustation d'un plat, je veux qu'on oublie le savoir-faire et la technique. Parce que je souhaite offrir plus que ça : un véritable spectacle où l'important est le mouvement, l'impulsion aromatique, la persistance magique des saveurs, les surprises infinies que permet ce mariage des produits… ».

EXTRAIT DE LA CARTE

La darne de bar poché avec pamplemousse et asperges

La poêlée de cochon de lait épicée avec ses chips d'artichauts

La volaille de Bresse truffée au pot accompagnée de morilles crémées

LEDOYEN
→ France

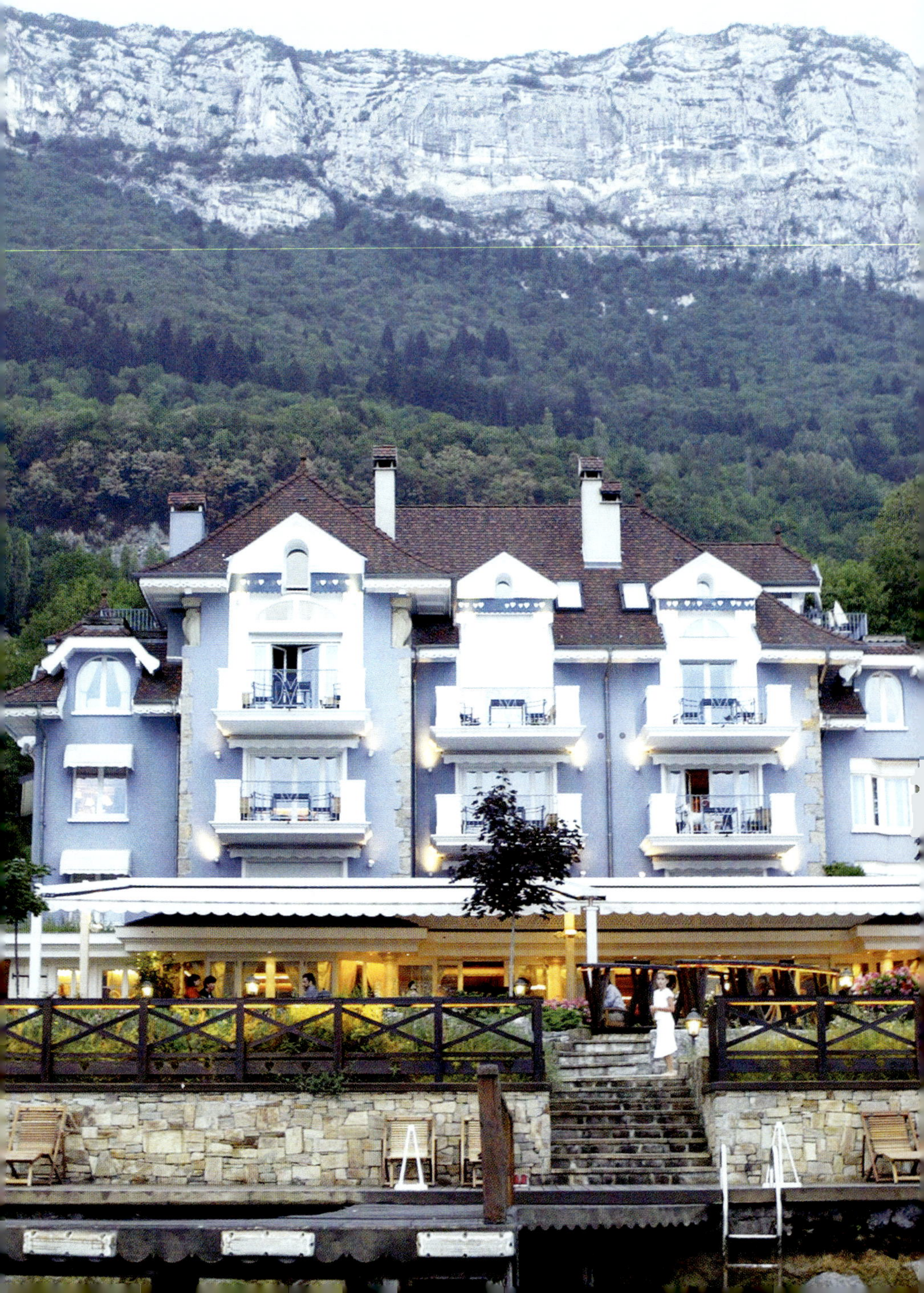

13 vieille route des Pensières
74290 Veyrier-du-lac
Tél. 00 33 04 50 60 24 00
Fax 00 33 04 50 60 23 63
contact@marcveyrat.fr
www.marcveyrat.fr

Propriétaire et chef : Marc Veyrat

LA MAISON DE MARC VEYRAT

→ France

❀❀❀ Trois fois par semaine, ils partent tous à l'assaut de la montagne en quête d'herbes aromatiques et de fleurs sauvages : crocus printanier, ail des ours, reine des prés, serpolet, mousse… Marc Veyrat et ses disciples vont chercher l'or de leur cuisine, l'inspiration du sous-bois, le goût de la nature à la source qui, restitué et sublimé par le miracle des technologies de pointe, constituera le fil conducteur d'un long périple gastronomique sur une autre galaxie.

La cuisine est au centre du monde de Marc Veyrat, et depuis 2007, elle se trouve aussi au centre du restaurant, à peine séparée de la salle par des panneaux de verre, spectaculaire et bouillonnante. On y voit danser le chapeau noir du chef, éprouvette à la main, disparaissant derrière les vapeurs blanches de l'azote liquide.

La nature dénaturée ? Bien plutôt la nature retrouvée. Car contrairement à une idée répandue, le terroir ne s'oppose pas aux techniques d'avant-garde. Le but du refroidissement à très basse température est de concentrer les arômes en évitant toute déperdition de saveur, tout comme les pipettes conservent la puissance aromatique d'un bouillon en empêchant son évaporation au contact de l'air. La vérité du produit

« Les ingrédients du spectacle de notre cuisine sont l'environnement, la modernité, le produit, le métissage. Ensuite, on tire un grand trait en dessous de tout ça, on fait l'addition et on obtient – je l'espère – la notion de plaisir parce que c'est la plus importante. »

LA MAISON
DE MARC VEYRAT
→ France

demeure la base de toute cuisine authentique, l'approche dite « moléculaire » n'est qu'un moyen parmi d'autres d'en sublimer le goût.
Dans ces conditions, comment ne pas se laisser aller, les yeux fermés, au bonheur de déguster les dix-huit créations du menu du XXIe siècle servi dans la Maison de Marc Veyrat ? En voici quelques-unes picorées au hasard, et bientôt balayées par le vent de créativité qui souffle si près des eaux étrangement calmes du lac d'Annecy : yaourt virtuel, jus d'acha. Raviolis de l'environnement de Manigod. Asperge verte sauvage déstructurée, fruit de la passion, écume romarin. Soupe d'ici dite chinoise. Œuf à la coque, écume de maïs, piqûre de carvi. Nouilles disparaissantes (sans farine, ni œufs). Pièce de turbot, pinceau de verveine. Beignet des sous-bois cuit à l'azote. Foie gras mikado à la mire odorante…
Poème aux rimes gourmandes dont les mots fondent comme des bonbons sous la langue, avant d'envahir pour de bon les palais subjugués. Marc Veyrat célèbre un autre temps de la cuisine, sans farine, sans beurre, sans huile. Ses sauces sont préparées à partir d'émulsions de bouillons de légumes, de petit-lait ou d'infusions d'herbes. La concentration et la décoction remplacent les mijotages. Les arômes ne se mélangent pas, mais se superposent pour faire de chaque goût une redécouverte, un univers en soi. Une cuisine du terroir pour le futur.

EXTRAIT DE LA CARTE

Cubisme de bar,
feuille de chocolat blanc,
citronnelle

Brochette de canette,
velouté de maïs, avoine,
soufflé de yaourt

Œufs de caille,
caramel acide, oxalis,
polypode

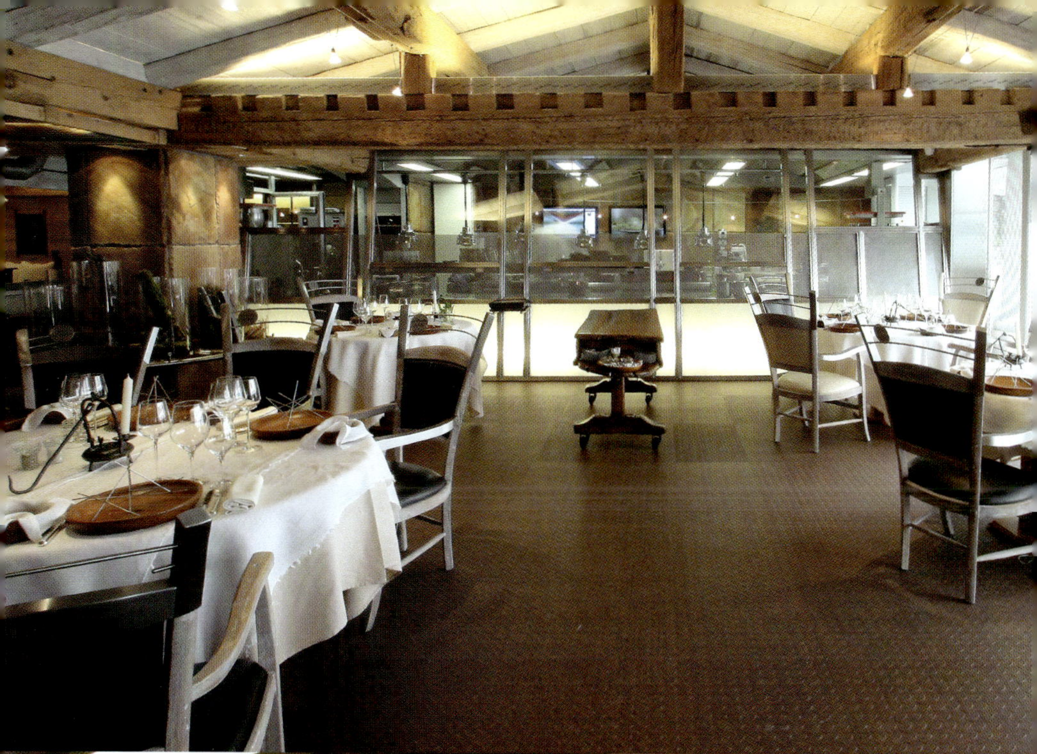
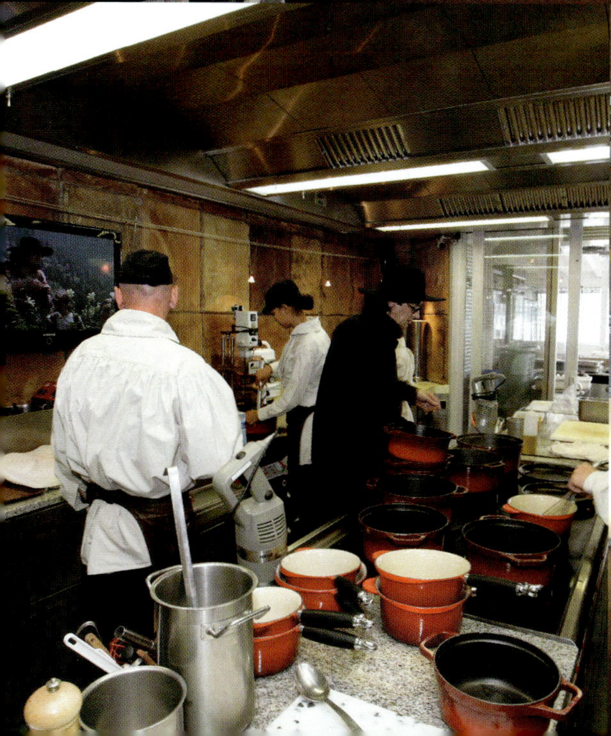
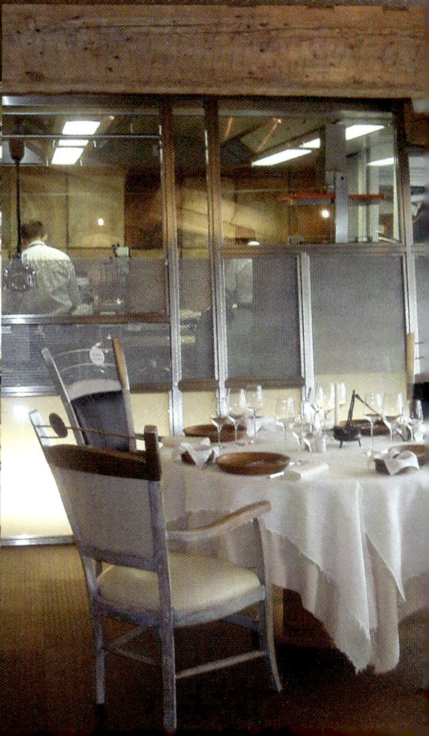

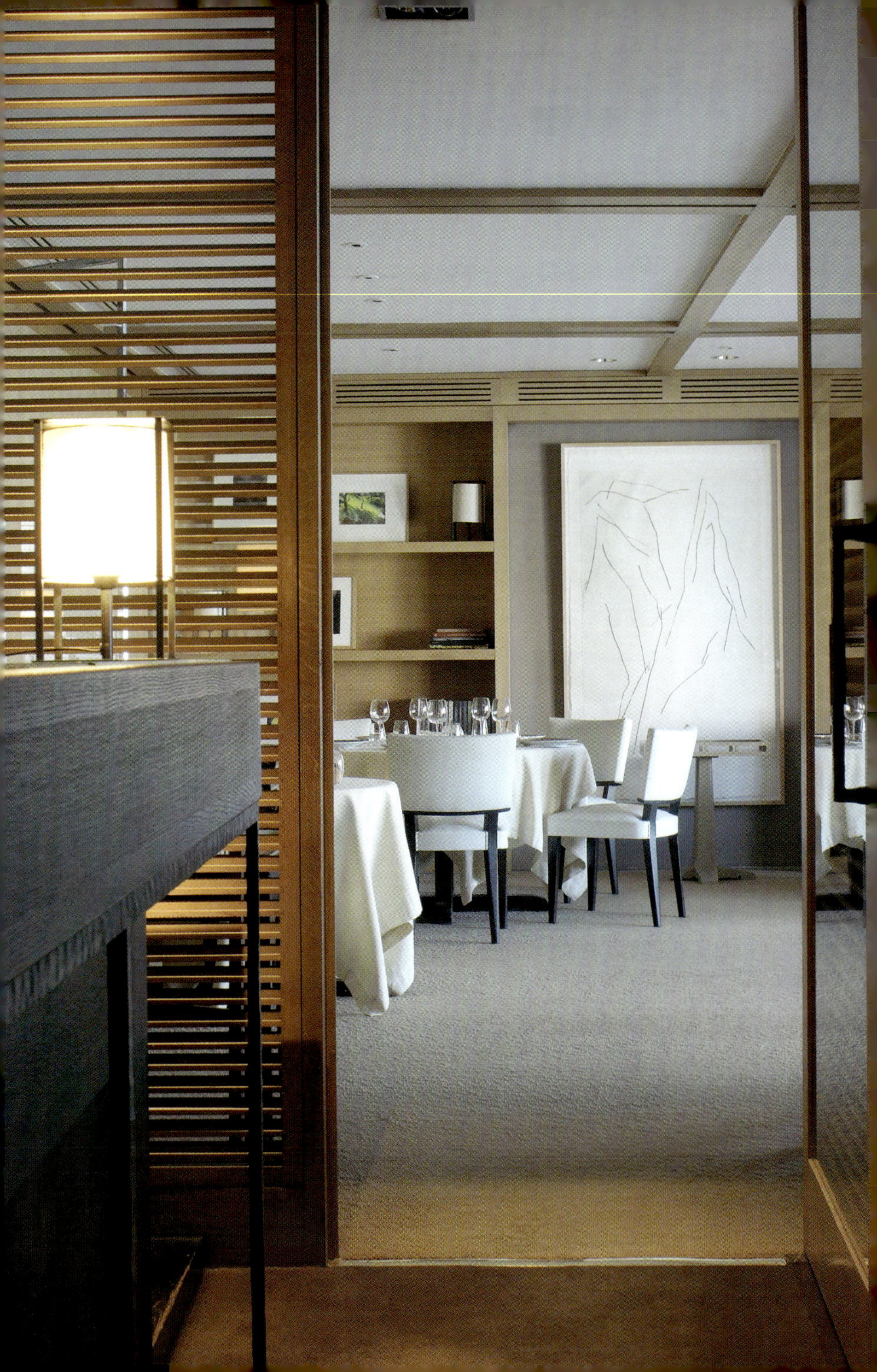

Place Jean-Troisgros
42300 Roanne
Tél. 00 33 04 77 71 66 97
Fax 00 33 04 77 70 39 77
info@troisgros.com
www.troisgros.fr

**Propriétaires : Marie-Pierre
et Michel Troisgros
Chef : Michel Troisgros**

MAISON TROISGROS

→ France

🏵🏵🏵 Française et cosmopolite… Cette alliance de termes contradictoires donne l'exacte définition de la cuisine de Michel Troisgros, héritier d'une dynastie de chefs au firmament de la gastronomie mondiale depuis quarante ans.
La tradition, qui a baigné l'enfance du chef roannais, tisse la toile de fond d'une carte consacrée à la sublimation du produit. On y retrouve les plats qui ont fait la réputation des frères Troisgros comme la côte de veau, le carré d'agneau, la fameuse escalope de saumon à l'oseille (à la carte depuis 1965) ou la pièce de bœuf de Charolles au Fleurie et à la moelle (depuis 1960). Pourtant, l'ailleurs transpire par tous les pores de cette cuisine ludique, joyeuse, anti-conventionnelle.
Globe trotter infatigable, Michel Troisgros a trouvé dans ses voyages une immense variété de saveurs et de techniques qui inspirent ses créations, à commencer par l'acidulé, dont il est devenu un maître incontesté. « Presque partout la saveur acide aide à structurer le plat et donne son sens à l'assiette », selon une analyse du chef. Transfigurées les cuisses de grenouilles poêlées au Satay. Révélé le rouget barbet au fumet de tamarin, à la rhubarbe. Revivifiée la canette de Challans

MAISON TROISGROS
→ France

caramélisée, au gingembre, pommes et pamplemousse ! Contrairement à ce que l'on pourrait penser, cette réinterprétation du terroir constitue une évolution naturelle pour le petit-fils d'une Italienne – qui pratiquait une savoureuse cuisine familiale – et d'un père qui fut l'un des premiers cuisiniers français à s'installer au Japon. Le wasabi, les kumquats, le wakamé, l'harissa, la vinaigrette thaïe, la ricotta, le jasmin disent à quel point le dernier des Troisgros a su mettre Roanne, petite ville du centre de la France, au centre du monde.

Juste retour des choses : les étrangers eux-mêmes plébiscitent cette maison bien française. Troisgros a été élu, en 2007, meilleur restaurant de la planète par les Américains. Un hommage rendu à la sincérité de ces plats « signés » comme le caillé de lait à la truffe, la melba de coquilles Saint-Jacques aux langues d'oursin, la lotte aux cèpes croustillants ou le grillon de ris de veau à la tomate au curry. Cette fibre voyageuse se place d'ailleurs à l'origine de la création des « cuisines Michel Troisgros » à l'hôtel Hyatt de Tokyo et du Koumir Michel Troisgros à Moscou. Tout cela sans déménager de Roanne, mais en changeant seulement d'adresse : la place de la gare, où la maison Troisgros a accroché son enseigne en 1930, a été rebaptisée « place Jean Troisgros ». Impossible de se tromper…

MAISON TROISGROS
→ France

« Alors que la cuisine dans un restaurant comme celui de Roanne est un enchaînement de contraintes, je cherche, depuis mes débuts dans le métier, comment exercer ma liberté, comment lui donner du champ. L'immense variété des saveurs et des techniques qu'offre le monde a été le déclic. La passion pour l'art contemporain que je partage avec Marie-Pierre, m'a fait découvrir comment d'autres créateurs, dans des domaines bien différents, sont également en quête de cette liberté. La fréquentation des artistes, peintres, sculpteurs, architectes – mais aussi, dans une moindre mesure, peut-être, comédiens, écrivains, musiciens – nous a profondément marqués. »

EXTRAIT DE LA CARTE

Canette de Challans caramélisée, au gingembre, pommes & pamplemousse

Saint Pierre cuit lentement en casserole, feuilles d'endive acides à la moutarde

Mezzaluna de pomme de terre, à l'artichaut & à la truffe

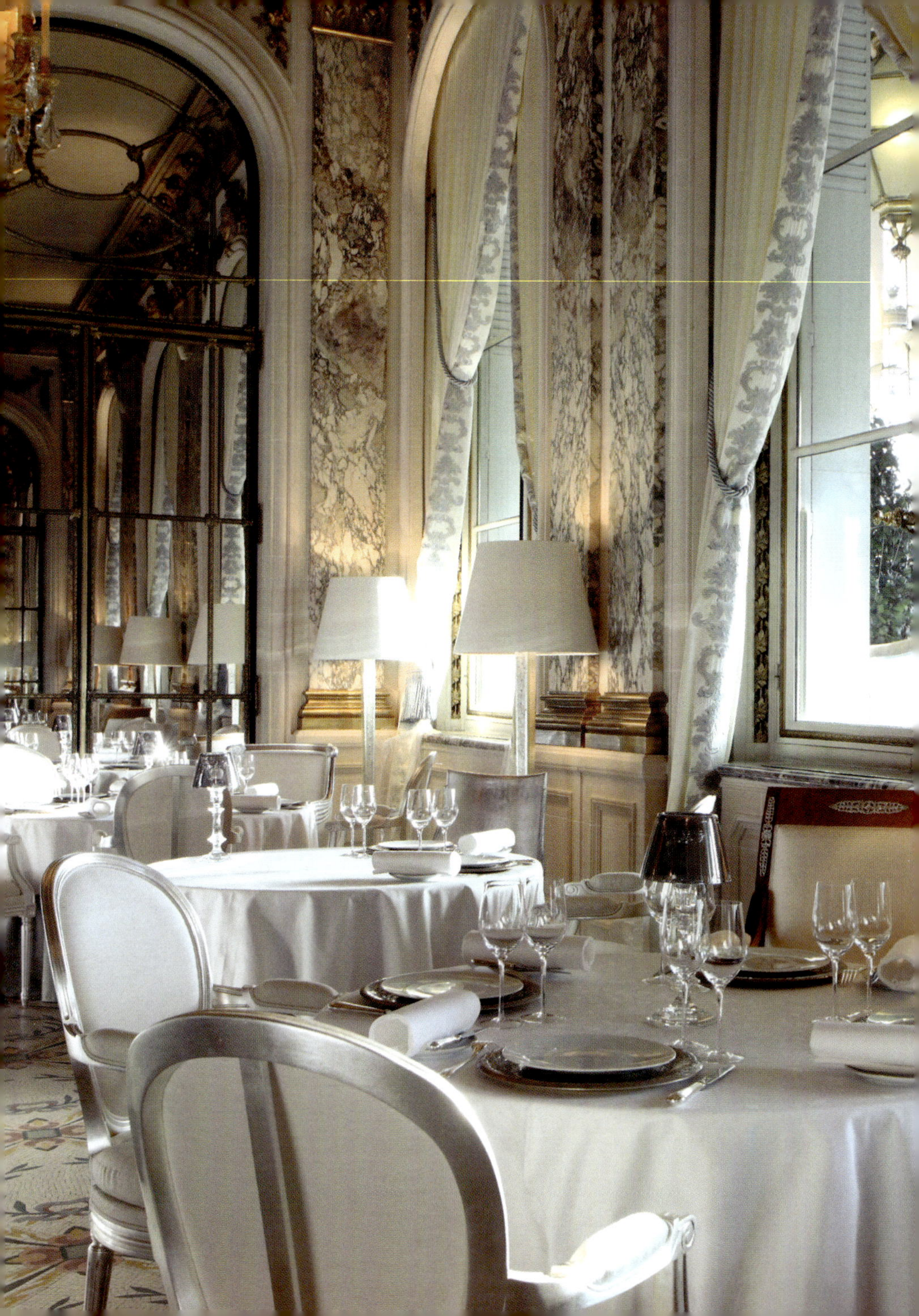

228 rue de Rivoli
75001 Paris
Tél. 00 33 01 44 58 10 10
Fax 00 33 01 44 58 10 15
restaurant@lemeurice.com
www.meuricehotel.fr

Propriétaire : Dorchester Collection
Chef : Yannick Alléno

LE MEURICE

→ France

🕭🕭🕭 L'hôtel Meurice ? Une institution parisienne. Cela fera bientôt deux siècles qu'il se dresse, coquet, discret, havre de luxe et de gourmandise réservé à l'élite du monde, dans le quartier royal de la ville des lumières. Mais c'est le restaurant – duquel on peut contempler la danse des arbres du jardin des Tuileries, métamorphose perpétuelle, douce valse des sens, verte au printemps, rougissante à l'automne – que le gourmet blasé choisira pour l'ultime divertissement des sens, dont il ne pourra jamais se lasser. Là où préside Yannick Alléno, le plus charmant et charmeur des cuisiniers de France. Fin et svelte, brun avec quelques mèches de sel, le beau jeune homme qui a pleuré jadis est devenu un grand chef, un grand homme, dont les seules larmes sont des larmes de joie. Qui a néanmoins gardé son sourire de petit garçon. Alors, d'où lui viennent ces créations si puissantes, cette jeunesse constamment renouvelée ? Si jadis il nous étonna avec ses langoustines fondantes, justes marinées, sa cotriade de coquillages à la vapeur d'algue, son consommé de cèpe sous sa cloche en verre de carpaccio de cèpe, aujourd'hui il nous laisse sans voix devant un majestueux saumon de l'Adour doucement confit servi rose, aux côtés d'un

LE MEURICE
→ France

> « Je suis très attaché à la terre, à la nature. Cela me vient de mon enfance en Lozère. Je vis au rythme des saisons, des produits, des odeurs. Inconsciemment, je me suis forgé une palette de parfums, de goûts et de textures qui sont ma banque de données. Je les fais se rencontrer pour trouver l'alchimie parfaite. Quand je me couche le soir, je vois des plats. Je les devine. Je les goûte. La création m'est dictée par l'instinct. C'est comme réaliser un fantasme… Quelque chose de nouveau. »

chou de printemps aux écorces d'orange, fumé, clarifié et parfumé au genièvre, ou encore devant un merveilleux poireau à la béchamel et au jus rôti, humble légume devenu héroïque, ses truffes épaisses cuites en papillote avec un morceau de moelle… Si certaines cuisines se veulent dans l'air du temps, d'autres s'affichant néoclassiques ou moléculaires, celle-ci est avant tout cosmopolite et sophistiquée. Nette et incisive. Structurée et solide. Sensuelle et charmeuse. Gorgée de parfums, de saveurs, toute de sophistication, de finesse, de délicatesse, de solidité. Du corps et de la virilité. Un raffinement qui sied parfaitement à ce restaurant, dont les faux piliers symétriques en marbre et les lustres au faste d'antan se marient à merveille avec une ambiance toute contemporaine redessinée en 2007 par Philippe Starck. Dichotomie harmonieuse de fauteuils classiques et modernes, lumières d'aujourd'hui, et un air de demain… Lorsque l'Américain, le Japonais, le Russe, le Brésilien ou tout simplement le Français veut goûter au vrai luxe parisien, tenir cette ville des lumières dans la paume de sa main ou dans le creux de sa cuillère, il vient ici se noyer dans le charme magique du restaurant le Meurice, dans les profondeurs de l'imaginaire du chef Alléno. Une jouissance exquise et l'abandon total d'une soirée féerique. Sans oublier les desserts somptueux de Camille Lesecq, ce jeune pâtissier parmi les plus talentueux de la planète. Sculptures de goût, harmonies de saveurs, ses conceptions répondent comme un majestueux compliment à la créativité du chef qu'ils accompagnent et closent à merveille. Sous les étoiles du ciel de Paris, s'illuminant comme par enchantement dans le reflet des lampadaires de la rue de Rivoli…

EXTRAIT DE LA CARTE

Dos de saumon de l'Adour doucement confit servi rosé, chou de printemps aux écorces d'orange, fumet clarifié parfumé au genièvre

Ris de veau en écailles de châtaignes fraîches, fragula liées au beurre de truffe blanche d'Alba

Asperges vertes du midi en chaud-froid de saumon fumé, petits blinis aux condiments et aux grains de caviar

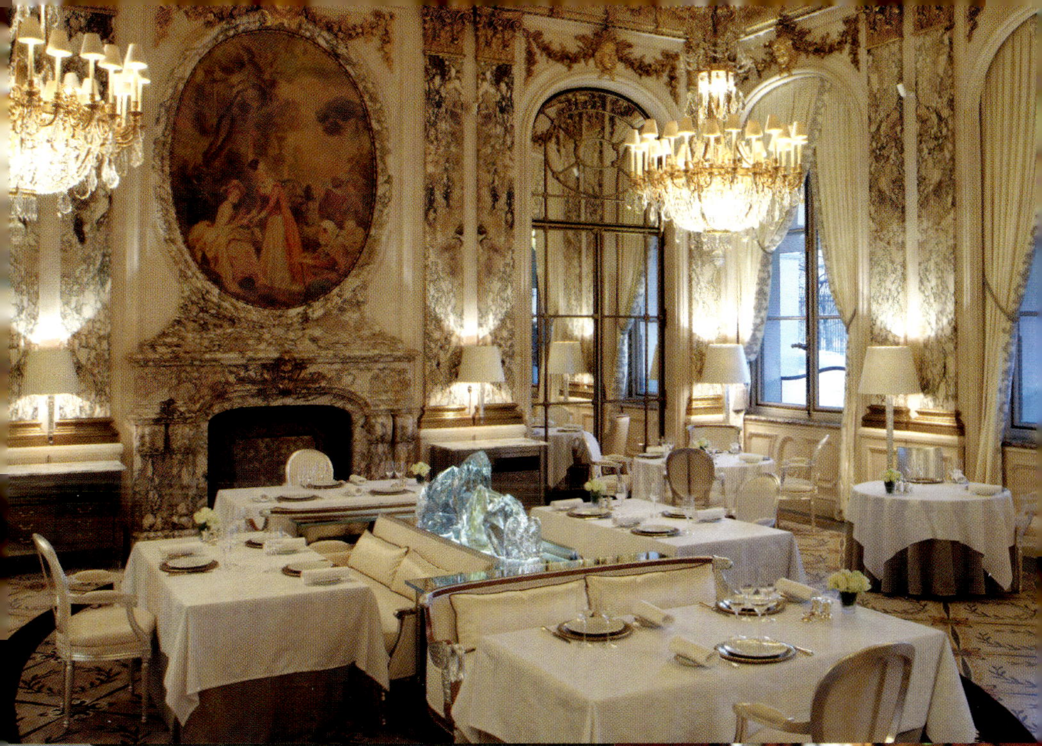
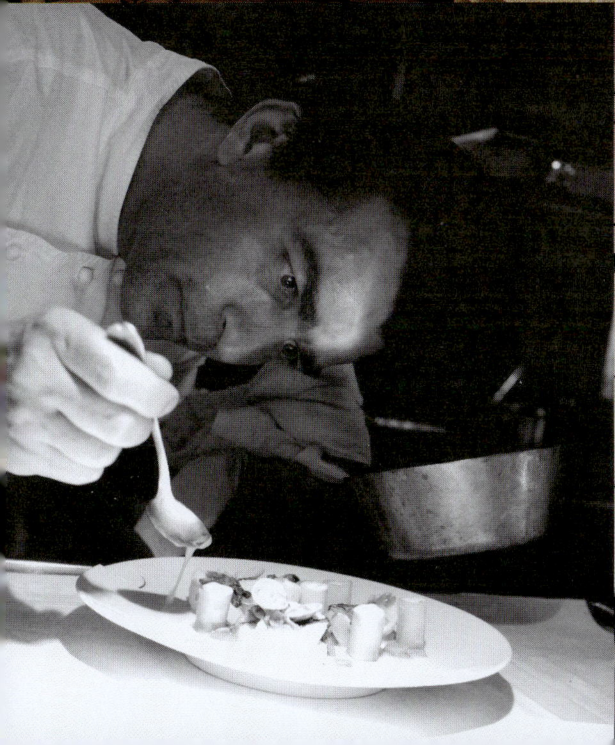
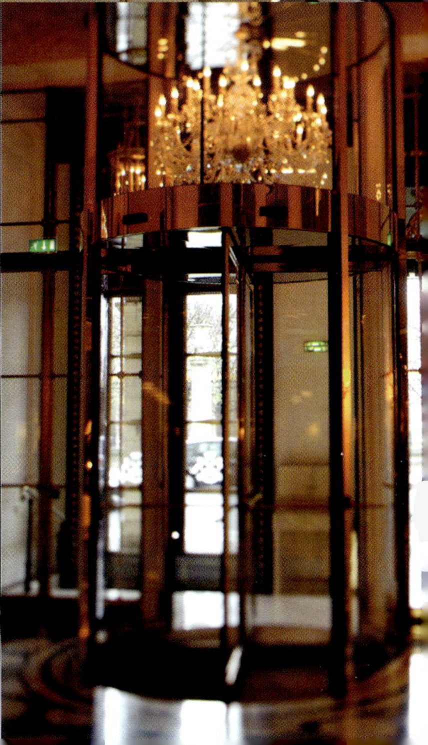

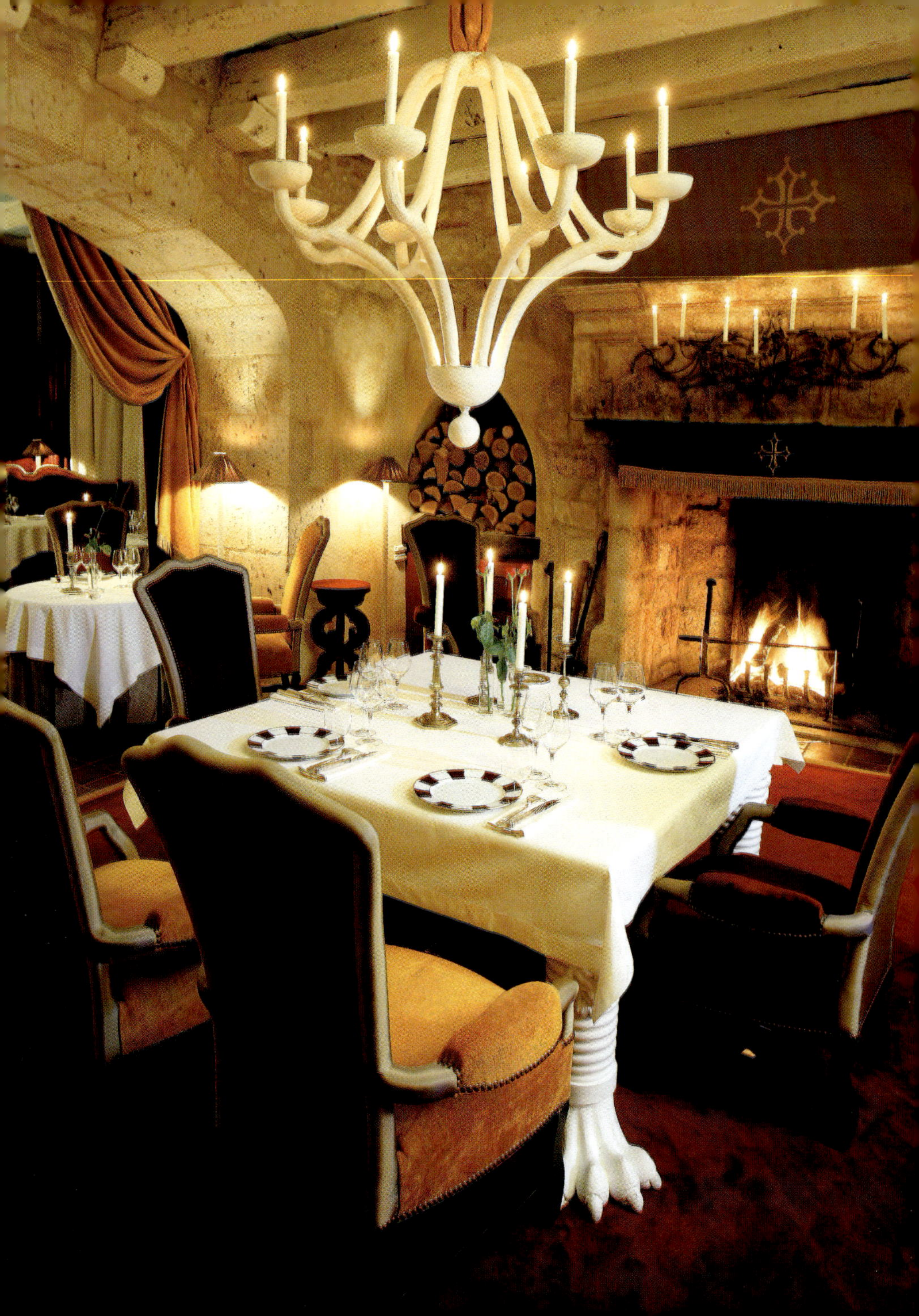

52 Rue Royale
47270 Puymirol
Tél. 00 33 05 53 95 31 46
Fax 00 33 05 53 95 33 80
trama@aubergade.com
www.aubergade.com

Propriétaires : Michel et Maryse Trama
Chef : Michel Trama

MICHEL TRAMA

→ France

❀❀❀ Inattendue, soyeuse, baroque, dans la pénombre d'un cloître rénové du XIIIe siècle, l'Aubergade de Michel Trama niche sur les hauteurs de Puymirol, éperon rocheux dressé comme la proue d'un navire sur l'étendue plane de la campagne agenaise. Mystères et mysticisme flottent entre les murs de cette chapelle de délices aux lourdes tentures gris-mauve, épaisseur ouatée qui protège de l'univers extérieur, brouillard plissé dont on fait les songes. Les tables aux pattes griffues, les fauteuils au velours cramoisi sortis d'un conte de Jean Cocteau, réinventé par le designer Jacques Garcia, entretiennent cette impression de rêve éveillé qui accompagne toute plongée dans l'univers de Michel et Maryse Trama. Énigmatique Michel Trama, autodidacte talentueux, « sans fondations », inquiet, impatient, perfectionniste, qui a trouvé le chemin de la gastronomie presque par hasard, après des années de cuisine « alimentaire », en ouvrant un livre de Michel Guérard. L'acquisition de l'Aubergade à Puymirol et la présence active de Maryse feront le reste. « Ici, je suis condamné à créer, les gens viennent pour être interpellés », commente l'intéressé. Créer à sa façon, en échappant à la bride des savoir-faire codifiés, en défrichant des

« *J'adore les produits. Quand les livraisons arrivent le matin au restaurant, je suis comme un enfant devant le sapin de Noël. Je déballe mes cagettes comme des paquets cadeaux et j'imagine ce que je vais en faire. Des carottes toutes fraîches, bien croquantes ? c'est le point de départ d'une nouvelle recette.* »

MICHEL TRAMA
→ France

terres inconnues qui le conduisent à inventer une nouvelle technique : les « cristallines », fines lamelles de légumes ou de fruits, d'une épaisseur infinitésimale, cristallisées et cassantes comme du verre, dont la concentration des goûts n'a d'égale que l'évanescence de la texture. Bijou éphémère, parure d'un soir. Michel Trama s'est fait une spécialité de ces défis gourmands qui semblent construits pour durer toujours et fondent voluptueusement au contact de la langue, à l'image de ces cromesquis de tomate ou de foie gras, petites sphères à la coque dure et aux saveurs explosives en bouche. Hormis le désormais classique « hamburger de foie gras » ou la « pomme de terre aux truffes cuite en papillote », la carte s'enrichit en permanence de nouvelles inventions, nées des recherches sur les possibilités de la matière. Michel Trama manie à merveille l'art du trompe-l'œil – toujours cette atmosphère de rêve éveillé – en préparant des raviolis sans pâte faits à base d'agar agar, une gélatine végétale aromatisée à la truffe, l'une des passions du chef. Quant aux desserts, qu'il s'agisse du double Corona Trama au chocolat et à la feuille de tabac ou de la cristalline de pomme verte, ils donnent une petite idée de la « folie créatrice » du chef. Peut-être aurez-vous un jour la chance de déguster un dessert hors carte comme ce pommier nain paré de feuilles vertes, dont les branches portent en guise de fruits des boules de sorbet à la pomme, à déguster encore croquantes avant la fonte des neiges… Délirant, poétique, éphémère, dans la grande tradition des festins dandy de la fin du XIXe siècle.

EXTRAIT DE LA CARTE

Le hamburger de foie gras chaud aux cèpes, jus de canard corsé	La papillote de pomme de terre en habit vert à la truffe	La cristalline de pomme verte

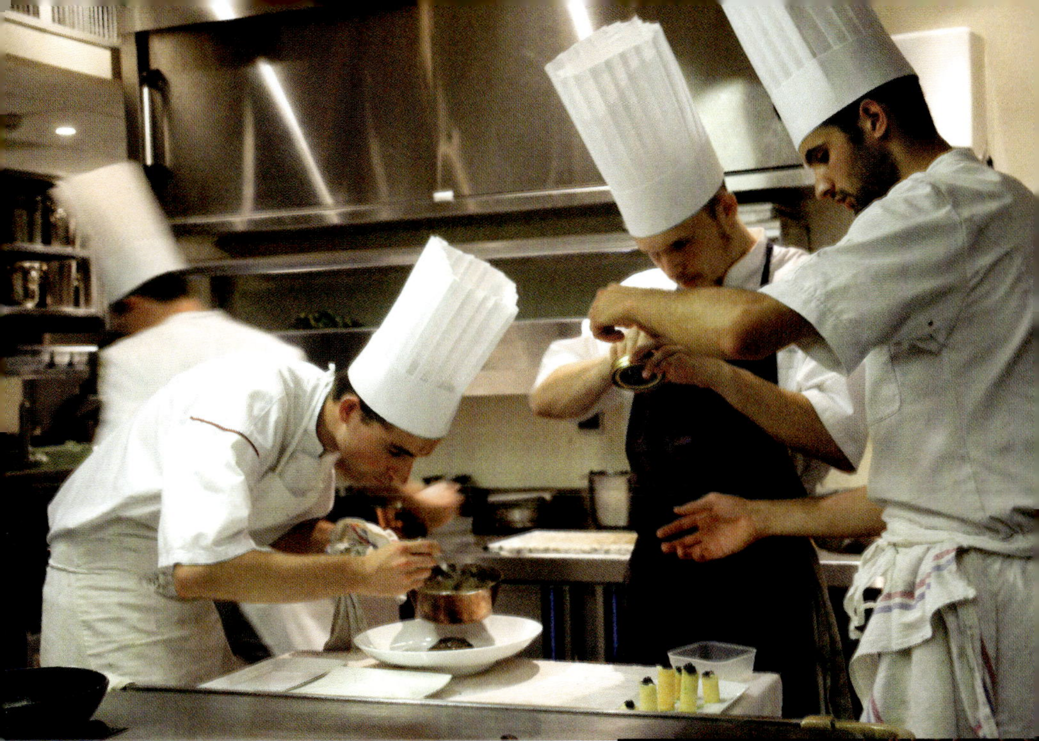

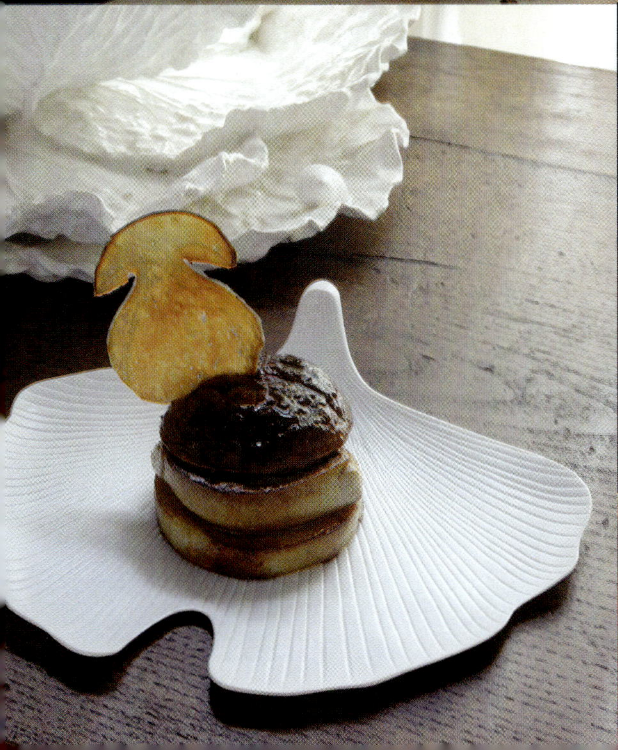

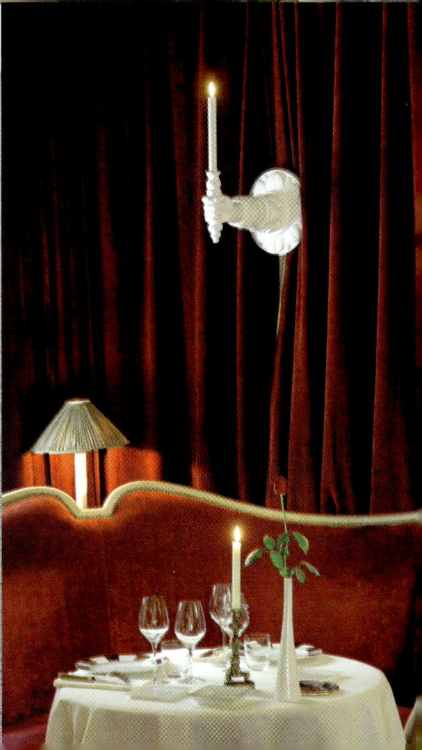

PAUL BOCUSE

40 rue de la Plage
69660 Collonges au Mont d'Or
Tél. 00 33 04 72 42 90 90
Fax 00 33 04 72 27 85 87
www.bocuse.fr
paul.bocuse@bocuse.fr

**Propriétaires : Raymonde
et Paul Bocuse
Chefs : Paul Bocuse, Christian Bouvarel,
Christophe Muller**

PAUL BOCUSE

→ France

🏵🏵🏵 Une longévité exceptionnelle, une cuisine à toutes épreuves, un mythe toujours vif… Paul Bocuse affiche quarante-trois années au compteur des trois étoiles, sans interruption. Un record qui force l'admiration et conduit les gourmets, année après année, à pousser les portes de ce conservatoire de l'excellence française, qui trône à Collonges au Mont d'Or, sur les bords de la Saône, au cœur d'un terroir particulièrement fécond. Dans ce temple du classicisme, on goûte la représentation, bien sûr… le ballet de l'équipage, installé là de toute éternité, exécutant sa partition sans la moindre fausse note, le groom comorien en habit rouge actionnant l'orgue de Barbarie, les menus signés, les photos en présence du maître, toujours prodigue de sa personne, offrant encore et encore un petit morceau d'icône, un petit morceau de soi avec la même générosité qu'il met du beurre dans ses plats de légende. On s'émerveille ensuite devant une sublime cuisine de tradition, dont les plats phares n'ont pas varié depuis trente ans : l'incontournable foie gras de canard maison en gelée au Sauternes Antonin Carême, le somptueux loup en croûte feuilletée sauce Choron, le fameux rouget barbet en écailles de pommes de terre, merveille de technicité et de saveurs, le

PAUL BOCUSE
→ France

carré d'agneau « côtes premières » rôti à la fleur de thym, d'impeccable cuisson ; la soupe aux truffes VGE enfin, petit consommé d'origine paysanne transformé en soupe présidentielle par la grâce de quelques dés de truffes et de foie gras mijotant sous un chapeau de pâte feuilletée gonflée de chaleur et de majesté… Dans un environnement gourmet saturé d'influences de toutes sortes, l'art de Collonges-au-Mont-d'Or apparaît singulièrement neuf, comme paré d'une éternelle fraîcheur. C'est la jeunesse d'une tradition indémodable, celle du goût vrai fondé sur les produits du terroir, en compagnie d'ingrédients qui n'ont pas peur de dire leur nom : beurre, crème, vin, gras… Les fondements de la cuisine s'apprennent ici, sous la houlette d'un triumvirat de chefs Meilleurs Ouvriers de France, comme Christian Bouvarel, Christophe Müller ou Gilles Reinhardt. Ce contentement des papilles qui accompagnant la dégustation de plats délicieusement simples, voilà qu'il resurgit face au chariot des desserts, vestige d'une tradition qui n'a plus cours dans les grandes maisons. Devant cet étalage réjouissant de crèmes brûlées, d'œufs à la neige immaculés, de gâteaux Président hérissés de chocolat poudré, de tartes aux fruits rutilantes, de coupes de fruits rouges, de coulis et sorbets divers, les dernières lueurs d'un appétit immémorial réveillent les coups de fourchette assoupis. Manger encore et encore dans le tourbillon d'une gourmandise insouciante et sans complexe.

PAUL BOCUSE
→ France

« Je suis un adepte de la cuisine traditionnelle, j'aime le beurre, la crème et le vin. Ma cuisine est identifiable, avec des os et des arêtes, et j'y tiens ».

EXTRAIT DE LA CARTE

Soupe aux truffes noires VGE

Loup en croûte feuilletée sauce Choron

Gâteau Président Maurice Bernachon

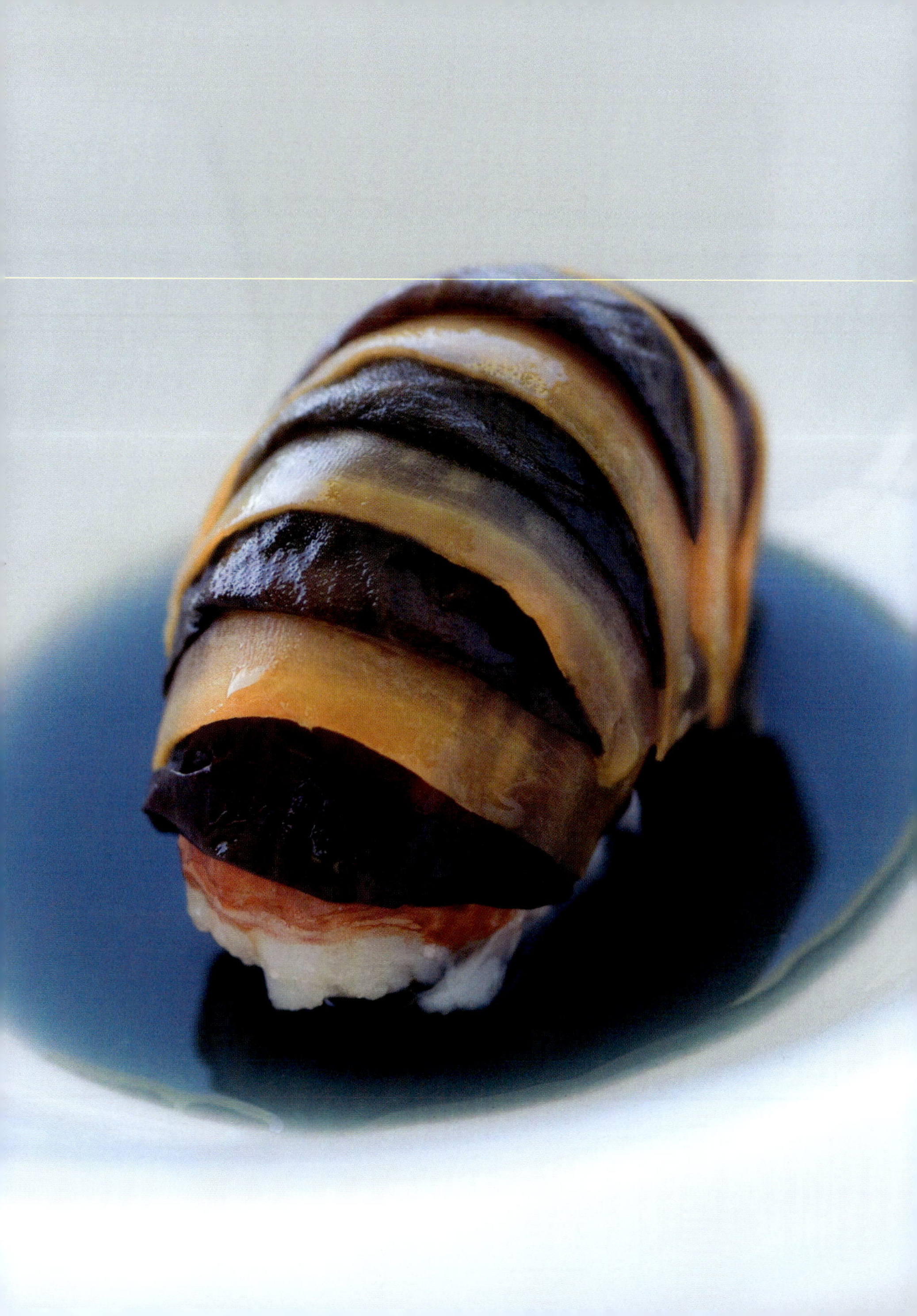

Anse de Maldormé
Corniche J.F Kennedy
13007 Marseille
Tél. 00 33 04 91 592 592
Fax 00 33 04 91 592 808
contact@passedat.fr
www.passedat.com

Propriétaire et chef : Gérald Passédat

LE PETIT NICE

→ France

✸✸✸ Avoir trois étoiles à Marseille, au pays de la bouillabaisse, conduit logiquement à interpréter ce plat légendaire nés des amours passionnés de la Provence et de la Méditerranée. Gérald Passédat, le chef inspiré du Petit Nice qui, comme son nom ne l'indique pas, se trouve sur la corniche de Marseille, ne s'est pas dérobé. Sa « bouille-abaisse » est en quelque sorte le plat amiral de son restaurant, une déclinaison princière et inspirée de cette spécialité populaire dont on dit qu'il existe autant de recettes que de cuisines au pays du mistral. Celle de Gérald Passédat est une manière de pèlerinage, un retour sur les bonheurs de son enfance. Ses trois services (au lieu de deux dans la tradition) vous rapportent des souvenirs de calanques, de coquillages, de poissons de roche, invités à paraître en carpaccio ou en goujonnettes de girelles. Le deuxième service ouvre la place aux poissons, parmi lesquels figurent la vive, la rascasse, le fiela, la baudroie qui sont la chair de cette mer, juste accompagnés d'un bouillon de royales girelles aux légumes, dont la légèreté contraste avec le troisième service. Celui de la soupe, à base de pagre et de chapon, épaissie de pommes de terre cuites au bouillon safrané pour faire ressortir « son opulence juste

> « *Des femmes de la famille que je regardais cuisiner, aux grands cuisiniers chez qui j'ai forgé mon goût et appris à exprimer ma sensibilité, un point ne s'est jamais démenti : ma cuisine est d'ici, du sud, définitivement. Du sud, cela signifie – comme Marseille – brassages liés à la culture portuaire, le carrefour, les embruns iodés qui nous viennent de loin portant tout l'imaginaire des horizons sans cesse scrutés.* »

LE PETIT NICE
→ France

énervée par la rouille. » Voilà bien la marque de fabrique Passédat. Ici, depuis trois générations, on réinvente la tradition. On la respecte et on la propulse dans l'époque. C'est ainsi depuis 1917, depuis que Germain Passédat, le grand-père de Gérald, a acquis cette villa néoclassique qui regarde vers la mer avec les yeux de l'amour, et en a fait, avec son fils Jean-Paul, le restaurant préféré des Marseillais. Depuis 1985, date de son retour au bercail, après avoir fait ses classes à Paris au Bristol, au Crillon et à Roanne chez Troisgros, Gérald Passédat a repris le fil de cette relation passionnée entre la famille et le terroir marin. Ses recettes utilisent des poissons de Méditerranée comme le saran, la mostelle, le denti, que la plupart des chefs ignorent. Lui les accommode avec toute la maestria héritée de son père et de ses maîtres fondateurs, avec sa connaissance de la mer et avec la créativité qui est la sienne. Sa carte convie à une formidable initiation aux merveilles de la Méditerranée, dont il dit qu'elle est son potager. Elle nous fait aussi plonger au plus profond d'une cuisine d'auteur, faite de belles rencontres comme ces beignets d'anémone de mer, ces sarans à l'émulsion carotène ou ces soles à l'expression de fenouil. Autant d'invitations au voyage, à prolonger en empruntant une navette jusqu'au château d'If, pour méditer sur l'héritage flamboyant laissé par le comte de Monte-Cristo à certains Marseillais…

EXTRAIT DE LA CARTE

Loup de palangre
Lucie Passédat

Anémones de mer en onctueux iodé, lait mousseux au caviar, puis en beignets légers, petit bouillon à la chlorophylle et coquillages

Homard au gingembre clarifié, mauve abyssale

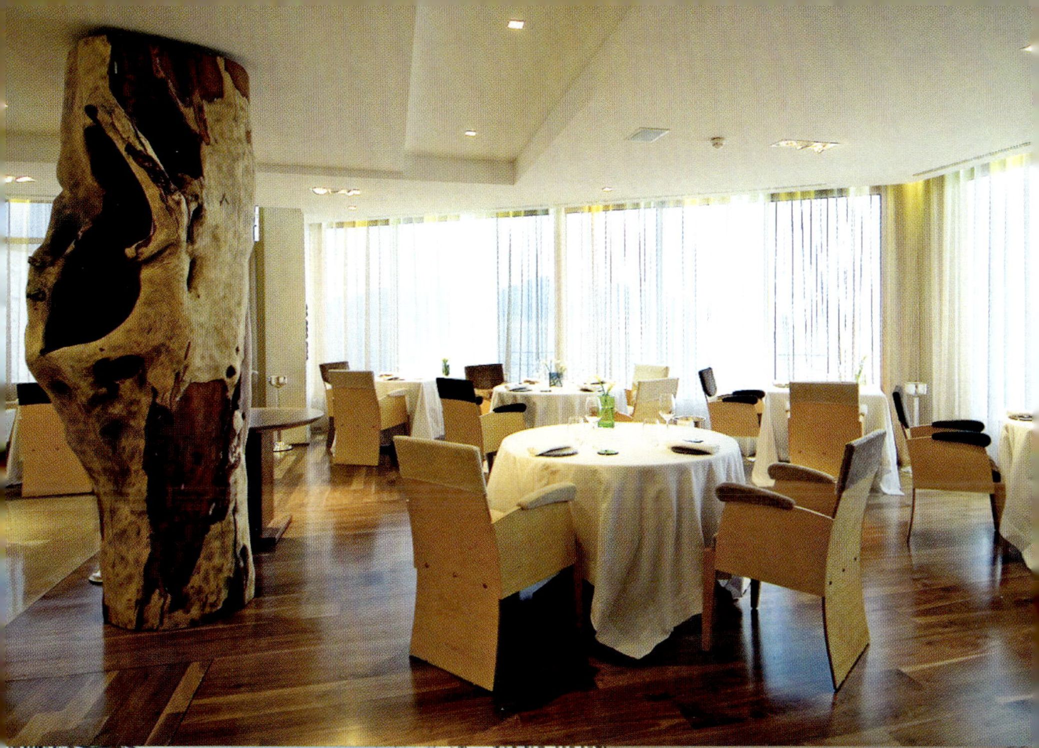
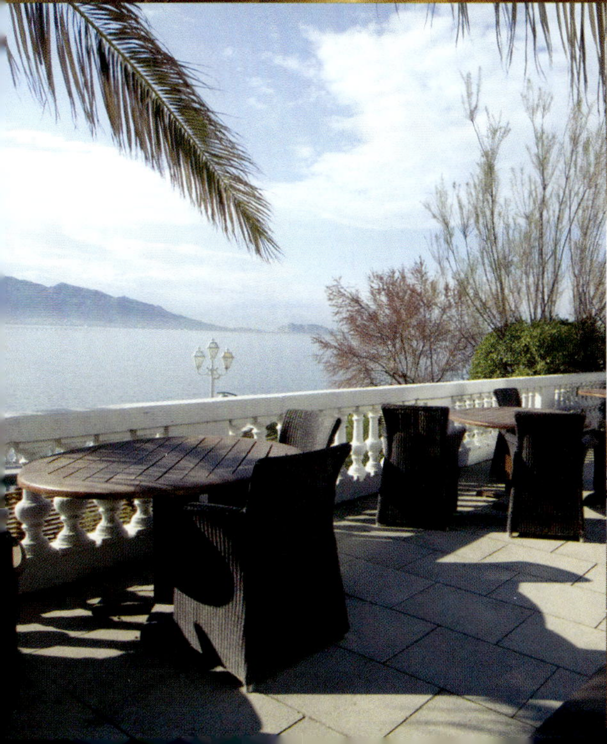
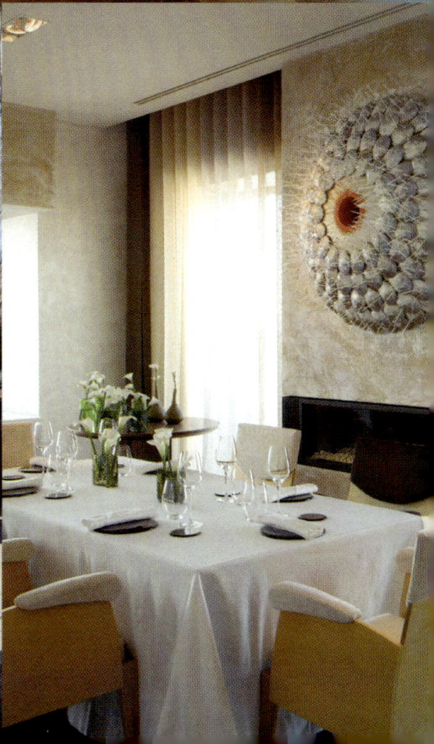

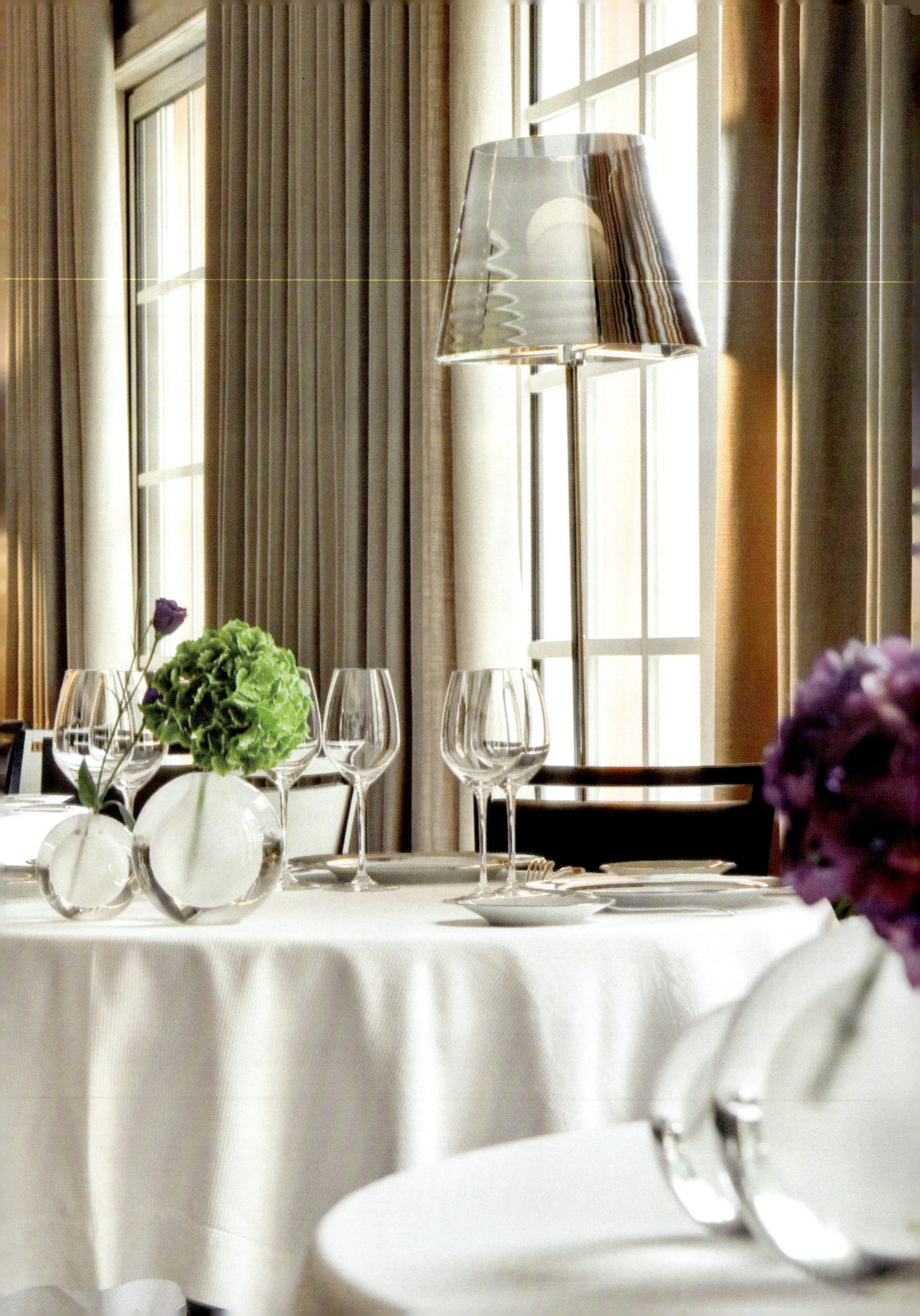

285 avenue Victor Hugo
26000 Valence
Tél. 00 33 04 75 44 15 32
Fax 00 33 04 75 40 96 03
contact@pic-valence.com
www.pic-valence.com

**Propriétaires : Anne-Sophie Pic
et David Sinapian
Chef : Anne-Sophie Pic**

PIC

→ France

✽✽✽ Incroyable destinée que celle de la maison Pic, couronnée par Michelin dès 1934 et capable de se perpétuer d'une génération à l'autre, en donnant toujours le sentiment d'être à la pointe de la création culinaire. André est le premier Pic à crever l'écran, en même temps que Fernand Point et Alexandre Dumaine, dont il partageait la truculence. Lorsqu'il obtint ses trois étoiles, il officiait encore à l'Auberge du Pin dans les Cévennes. Deux ans plus tard, il s'installa opportunément à Valence, sur la route des vacances, dans cette demeure tournée vers l'intérieur, dont le jardin abrite les foisonnants tilleuls qu'on aperçoit toujours, à travers les baies d'une salle à manger rajeunie. Comme son père, avec un naturel plus discret, Jacques marqua son temps en regagnant les trois étoiles perdues au lendemain de la guerre. Héritière naturelle de cette dynastie, Anne-Sophie a pourtant dû batailler ferme pour se faire une place dans « sa » maison. Après des études de gestion et quelques voyages, c'est au moment où elle décide d'embrasser la carrière de cuisinière que son père Jacques disparaît. Trop tôt. Dans un monde d'hommes et sans formation, Anne-Sophie devient « patronne apprentie », selon ses propres termes, et réinvente jour après jour une transmission manquée. C'est toute cette histoire qui imprègne les murs de la rue Victor-Hugo, du patronyme PIC en lettres majuscules, accroché à la façade, aux cent ans de guides Michelin exposés dans une longue vitrine s'étirant sous les voûtes de l'entrée, sans oublier les plats « hommages », le loup au caviar « Jacques Pic », ou « le bar de ligne au caviar d'Aquitaine comme l'aimait mon père », le « gratin de queues d'écrevisses de mon grand-père à la façon de sa mère Sophie – 1929 ». Une histoire qui s'inscrit pourtant bien dans la modernité, depuis qu'Anne-Sophie Pic et son mari David Sinapian ont entrepris… de tout changer. Le nouveau Pic s'enveloppe de lumière et d'élégance, un décor délicat et féminin fait pour servir la cuisine du chef. Une cuisine qui va droit au goût avec un souci obsessionnel de la perfection, comme en témoignent ces subtiles « langoustines de petite pêche marinées en tartare à l'oignon doux caramélisé, et rôties à la plancha, bouillon à l'agastache » ou ces somptueuses « Saint-Jacques de Normandie, les noix rôties, spaghettini à la truffe noire, mousse de lait aromatisée au rhum vieux agricole de la Martinique ». On y retrouve le goût des bons produits, la passion des voyages, une attirance pour le sucré-salé, et l'envie permanente de trouver de nouveaux assemblages. L'affirmation d'un regard neuf, la séduction à l'état pur.

PIC
→ France

« Pour des raisons de qualité et de praticité, j'ai créé avec mon équipe un répertoire des petits producteurs de la région avec qui je travaille désormais. J'ai établi un cahier des charges avant de tisser des relations au quotidien, nous avons enrichi ainsi nos métiers, fait évoluer les produits et les modes de culture. J'ai surtout rencontré des gens extraordinaires, des rencontres professionnelles et humaines. »

EXTRAIT DE LA CARTE

Le Ris de Veau de Velay, sa pomme rôtie au sautoir, transparence et fondant de carotte de Créances à la lavande

Le homard Bleu aux baies et fruits rouges, céleri branche au poivre vert, jus pressé des pinces

Le Bar de ligne meunière, oignons doux des Cévennes confits, coulant de caramel aux noix de pays, vin jaune

PIC
→ France

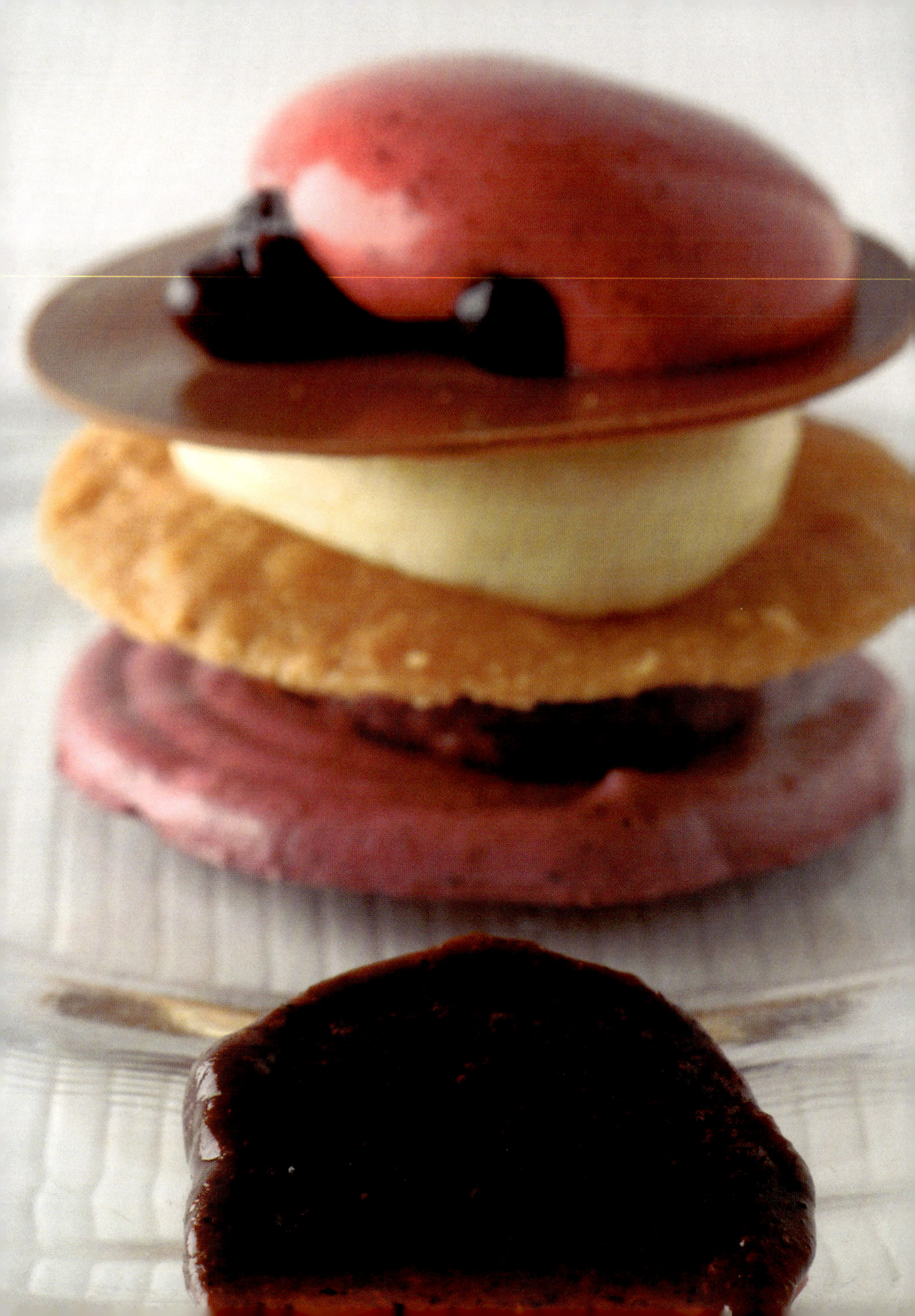

6, rue Balzac
75008 Paris
Tél. 00 33 01 58 36 12 50
Fax 00 33 01 58 36 12 51
info@pierregagnaire.com
www.pierre-gagnaire.com

Propriétaire et chef : Pierre Gagnaire

PIERRE GAGNAIRE

→ France

🏵🏵🏵 Pourrait-on dire de Pierre Gagnaire qu'il cuisine à l'oreille ? Assurément oui. Pas seulement parce que le chef de la rue Balzac cuisine juste, mais aussi parce que, comme il le dit lui-même, pour cuisiner juste il faut savoir « écouter » ses produits. Et cette écoute, cette attention très particulière vont bien au-delà des critères habituels de respect de la matière brute qui distinguent les bons cuisiniers. Elle concerne aussi l'aptitude à la rencontre, les mariages inattendus, les transformations géniales comme la chantilly de foie gras (pour accompagner les huîtres), le jus de framboise avec le thon rouge, et les dizaines d'autres qui ont fait de Pierre Gagnaire l'un des chefs les plus singuliers de la planète.
Artiste ou artisan ? Les assiettes de Pierre Gagnaire sont des œuvres d'art qu'on admire avant de déguster, des tableaux culinaires dont le souvenir s'imprime dans les mémoires gourmandes, réclamant souvent – trop souvent – une nouvelle visite rue Balzac… Le bar en tranche épaisse pochée dans une infusion jodhpur, riz noir, gnocchis de pois cassés enrobés d'une demi-glace de fenouil excite l'œil avant de combler le palais. Comme le canard façon Pékin rôti à l'étouffée aux

« *Ma cuisine est l'énumération analytique d'un périple gustatif qui ne cache rien de sa destination. Toutes les étapes du voyage y sont clairement définies, pourtant tout reste à découvrir…* »

PIERRE GAGNAIRE
→ France

aromatiques, les filets en dominos rosés et posés sur des feuilles de dattes sèches, jus onctueux chocolaté, croustade de choux, gelée de pétales de coquelicot, betterave rouge.

Le chef le dit lui-même : pour devenir un artiste, il faut commencer par être un artisan. Et Pierre Gagnaire appartient à cette catégorie de cuisiniers qui ne peuvent vivre longtemps loin de leurs pianos. Le chef stéphanois a beau ouvrir des antennes de l'autre côté de la Seine, à Londres, à Hong Kong, Tokyo, Courchevel, et bientôt Dubaï et Séoul, c'est presque toujours lui qui officie rue Balzac. Et ce sont ses disciples – ses apôtres, disent certains – qui portent sa parole auprès des gourmets du monde entier.

Car la cuisine de Pierre Gagnaire ne ressemble à aucune autre, ne se rattache à aucune école, ne participe d'aucune coterie. La cuisine de Pierre Gagnaire est, par ce biais aussi, une œuvre d'art : esthétique, cérébrale, magique. Il y a un goût Pierre Gagnaire. Qui vient moins de ses techniques que de ses audaces : celle d'associer foies blonds aux oreilles de judas et speck escorté de graines de quinoa au jus de sardine, ou d'assaisonner les concombres au campari, de marier, le temps d'un sorbet, l'endive et le saké, la chiffonnade de radiccio et la gelée de pétale de coquelicot, ou encore de farcir un camembert à la pulpe de framboise. Sa définition du plaisir gustatif reste pourtant simple : « le bon goût d'un plat, c'est ce qui vous charme, vous intrigue et vous amuse. » Une modestie qui honore l'un des plus grands chefs de tous les temps.

EXTRAIT DE LA CARTE

Crème de ratte aux fruits de la passion, oreille du diable et jeune pousse de carquerelle

Bar de ligne « fondant », caramel d'amande au poivre sarawak ; endive et racine de persil au gingembre

Le homard bleu… en 3 services : les pinces ensalpicon, mangues et enokis, le consommé pimenté agrémenté de bellota, la queue poêlée aux algues, semoule de blé dur à l'aubergine

PIERRE GAGNAIRE

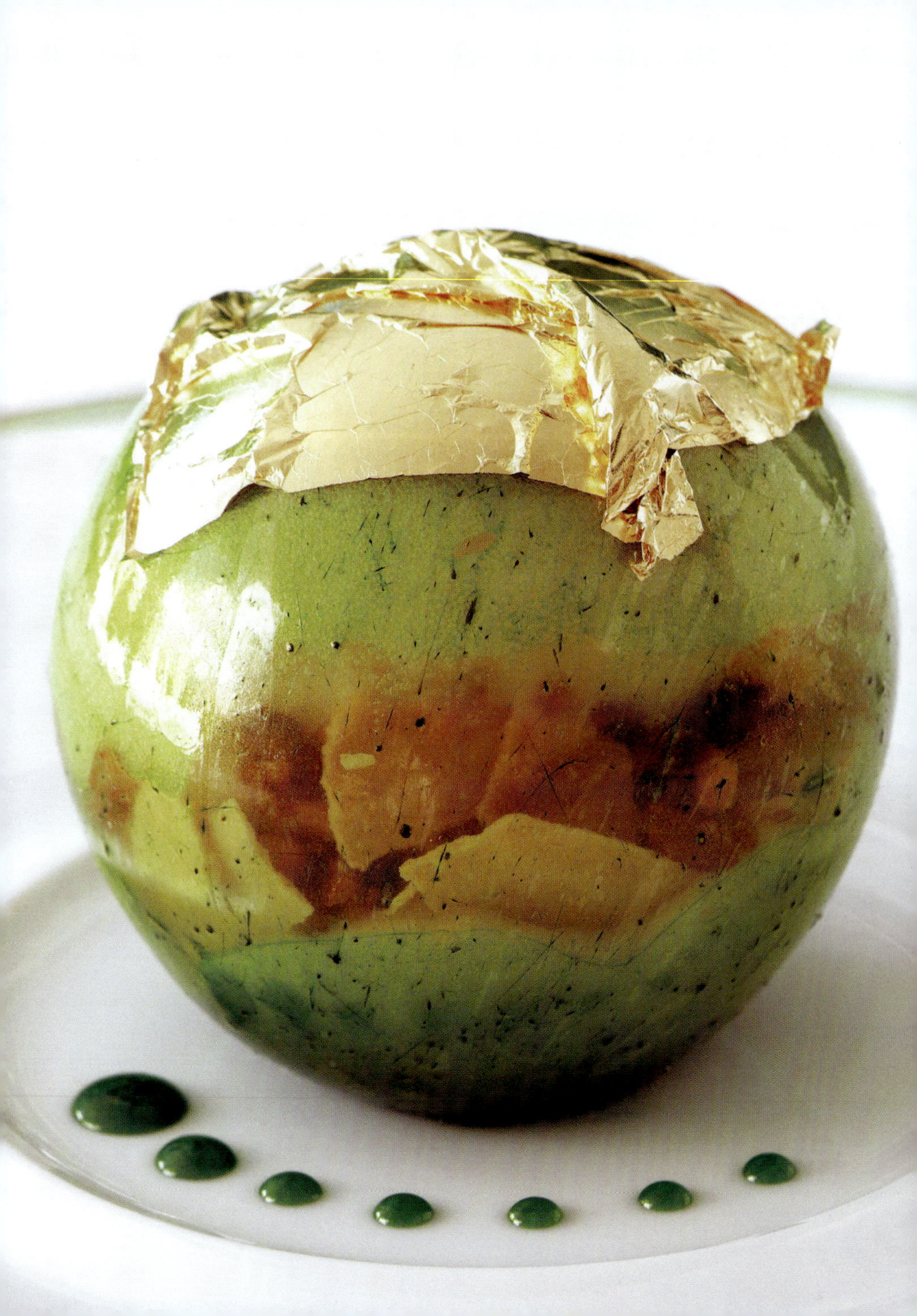

Route de Suresnes
Bois de Boulogne
75016 Paris
Tél. 00 33 01 44 14 41 14
Fax 00 33 01 45 24 43 25
www.precatelanparis.com

Propriétaire : Groupe Lenôtre
Chef : Frédéric Anton

PRÉ CATELAN

→ France

❦❦❦ Le Pré Catelan se cache au cœur du bois de Boulogne tel un bijou dans un écrin végétal. Le lieu est magique. Le décor intérieur, mis en scène par Pierre-Yves Rochon, propose une harmonie en vert, blanc et argent où les anges de Caran d'Ache jouent, rieurs, vêtus tout de blanc. Blanches aussi les orchidées, qui s'inclinent sur chaque table comme pour pleurer d'envie sur ces assiettes qu'elles ne peuvent que contempler. Blanc encore l'éclat de l'argenterie, qui répond aux subtiles déclinaisons de gris des tentures et des murs…

Aucune dorure, aucune note dorée si ce n'est celle du vin pâle aux reflets brillants dont le sommelier remplit les verres. Et dans les angles de la salle, ces grands fauteuils rappellent le vert profond des bois à la fin de l'été.

En cuisine, Frédéric Anton s'épanouit pleinement sous ses trois étoiles, décrochées du firmament depuis mars 2007. Jeune, il voulait devenir ébéniste. Il aurait sans doute réussi dans ce métier tant il fait preuve de méticulosité. Sa concentration, l'adresse et le soin avec lequel il applique chaque goutte de sauce ou la moindre graine de sésame, semblent, elles aussi, tenir de la magie. La plus petite pépite de goût compte à

PRÉ CATELAN
→ France

ses yeux et lorsqu'il travaille sur un plat, il adopte la posture des artisans de jadis : courbé, tout le corps tendu vers l'objet de sa création, comme si l'œil voulait pénétrer ce que touche le doigt. Tel l'horloger ou le luthier qui répare un Stradivarius. Car la cuisine d'Anton est un exercice de haute précision. À l'image d'une partition déclinant toutes sortes de variations sur un thème, elle livre aux papilles une symphonie de saveurs et de parfums d'une richesse aussi sûre que la simplicité du thème. La Saint-Jacques en quatre temps, par exemple : Allegro vivace sur pierre chaude, fumant et goûteux. Adagio affettuoso au jus de pomme à cidre. Presto à la crème de noix. Lento avec les lamelles de Saint-Jacques juste tièdes au caviar et citron vert…

Ancien disciple de Joël Robuchon, toujours fidèle aux préceptes de son maître – rigueur, précision, travail – Frédéric Anton perpétue la tradition des grands, en y apportant sensualité et modernité. Il mixe simplicité et complexité, finesse et audace. La texture, le goût et le parfum de ses créations se marient dans un équilibre si subtil que l'on retient son souffle de peur de tout faire basculer. Pour lui, seule compte la maxime : « Notre devoir est de donner du rêve. À tous ceux qui nous font l'honneur de franchir le seuil du restaurant ».

PRÉ CATELAN
→ France

« Notre devoir est de donner du rêve. À tous ceux qui nous font l'honneur de franchir le seuil du restaurant. Nous nous devons de vous donner autant de bonheur et de rêve que si vous partiez pour un long voyage, comme si vous alliez au Maroc, au Japon... Si mes plats se déclinent par trois, c'est parce que le premier, c'est celui que j'ai fait il y a longtemps, et que j'ai gardé parce que je l'aime. Le deuxième est un peu plus récent. Et le troisième est tout nouveau. Mes trios de plats, c'est tout simplement parce que j'ai du mal à abandonner les plats que j'aime lorsque je change la carte. Alors, ils restent. ».

EXTRAIT DE LA CARTE

L'étrille, préparée en coque, fine gelée de corail et caviar d'aquitaine, soupe au parfum de fenouil

L'oursin, Petit flan moelleux, fumet léger de céleri, fine gelée au paprika, servi dans son « test », zéphyr et avocat

La pomme, soufflée croustillante, crème glacée « carambar », cidre et sucre pétillant

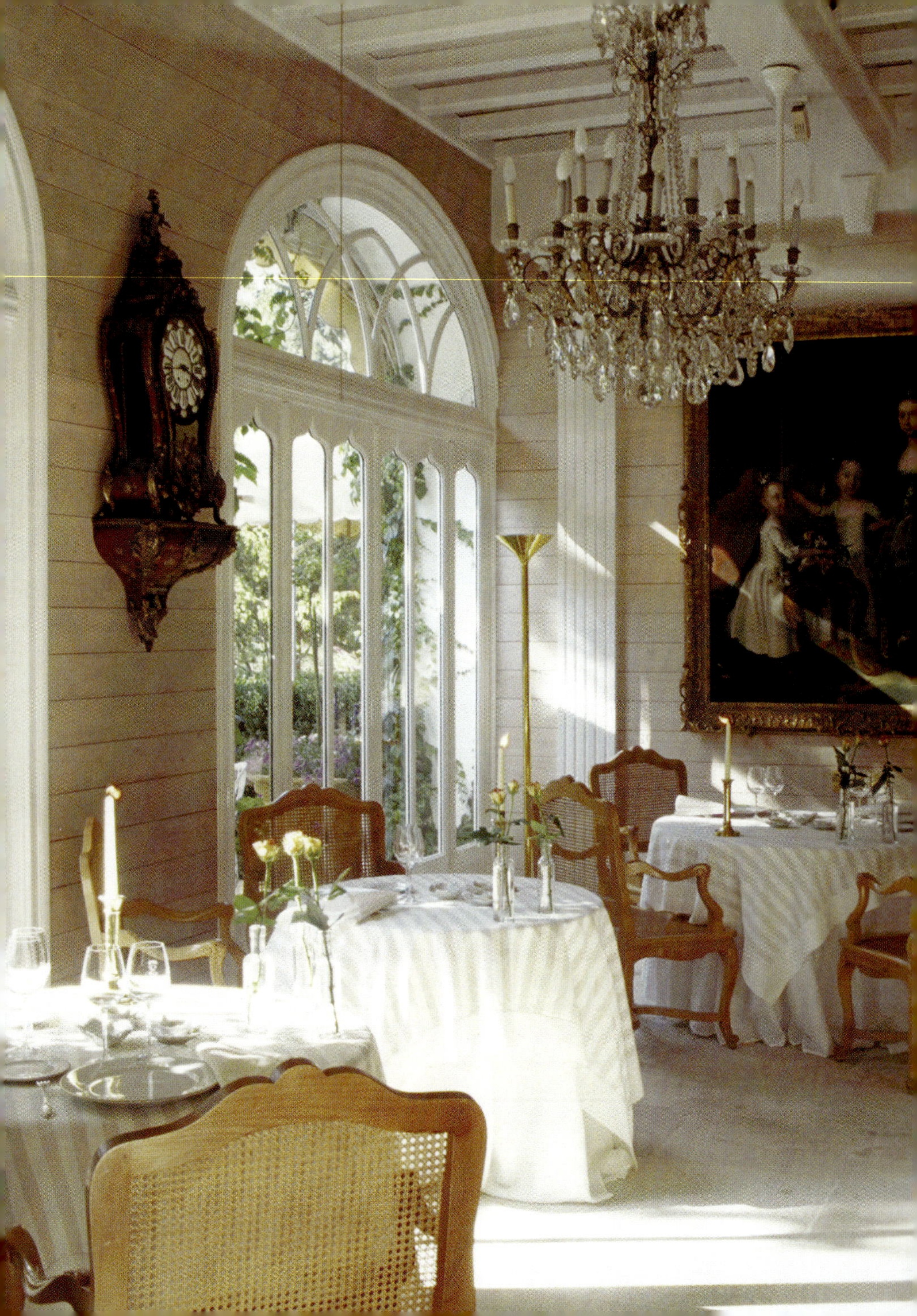

40320 Eugénie-les-Bains
Tél. 00 33 05 58 05 06 07
Fax 00 33 05 58 51 10 10
reservation@michelguerard.com
www.michelguerard.com

**Propriétaires : Christine
et Michel Guérard
Chef : Michel Guérard**

LES PRÉS D'EUGÉNIE

→ France

❀❀❀ Dehors, c'est le *Déjeuner sur l'herbe* de Claude Monet, la nappe blanche poudrée de soleil, des verres à pied, une cascade de fruits, du bon vin, le parfum frais du sous-bois, des hommes en redingote et des bruissements de taffetas de soie… D'une époque à l'autre, presque sans rupture, la suite se déroule entre les murs blancs d'une somptueuse demeure coloniale qu'affectionnait l'impératrice Eugénie. C'est dans ce monde irréel, ce refuge pastoral rousseauiste, tressé d'iris et de jasmin que Michel et Christine Guérard ont inventé une nouvelle façon de recevoir. Les Prés d'Eugénie n'ont pas d'équivalent, la cuisine de Michel Guérard non plus. Sa singularité apparaît au grand jour dans les années 70, quand le jeune Meilleur Ouvrier de France en pâtisserie décide d'ouvrir un bistrot à Asnières autour d'un plat simple : le pot au feu. Bousculant les conventions classiques, osant la présentation à l'assiette, bannissant les roux aux profits de jus courts, Michel Guérard apparaît vite comme l'un des créateurs de la nouvelle cuisine. Sa « salade folle », composée de haricots verts, asperges, truffes et copeaux de foie gras, fait le tour du monde. La rencontre avec sa future épouse Christine, qui l'incite à bâtir un empire dans les Landes,

« *Cuisiner fait appel à l'esprit de composition. Un plat réussi, c'est comme une petite chanson qui tombe juste et qu'on a envie de fredonner à tout moment. Pour donner du plaisir, il faut que la cuisine coule de source, qu'elle affiche une apparente simplicité. La nature est au centre. La mettre en avant suppose une connaissance très approfondie du produit. Ajouter trois ou quatre ingrédients peut tout gâcher. Il faut rester léger, subtil. Je dirais de la cuisine ce que Franck Sinatra disait à propos de son art : qu'il faut beaucoup de travail pour parvenir au naturel.* »

LES PRÉS D'EUGÉNIE
→ France

lui permettra d'affirmer sa ligne culinaire dans un environnement thermal propice à la cuisine saine. Vif, curieux, l'esprit aiguisé, Michel Guérard a toujours vingt ans sous sa toque. Il crée sans relâche comme si sa vie en dépendait. Des plats classiques aux associations éprouvées, comme la salade de truffes à la Belle de Fontenay ou l'oreiller moelleux de mousserons et de morilles aux pointes d'asperges imaginé en 1978 au retour d'un voyage en Chine, voisinent avec des inventions récentes comme ce « homard ivre des pêcheurs de lune en carpaccio ». Pour endurer une mort plus douce, le crustacé est plongé et littéralement enivré pendant deux heures dans un bocal d'eau-de-vie blanche d'Armagnac, les pinces sont pochées au court-bouillon et la chair est préparée en carpaccio sur une crème de corail. C'est sensible et délicat comme un poème de Verlaine. La cuisine « naturaliste », marque déposée du chef, ne saurait se priver de ses desserts empreints de douceur et de sensualité : le « gâteau mollet du marquis de Béchamel et sa glace fondue à la rhubarbe », la « pêche blanche brûlée au sucre candi en melba de fruits rouges », le « mille feuilles tout en dentelle, feuilletage arachnéen enrichi de crème légère à la vanille »... Et si d'aventure, l'on commettait quelque excès, il suffirait de s'immerger dans l'un de ces bains laiteux dispensés à la Ferme Thermale, au cœur d'un jardin chargé de fleurs et de fruits, où le murmure chatoyant de la source prédispose aux délices d'une sieste édénique.

EXTRAIT DE LA CARTE

| L'oreiller moelleux de mousserons et de morilles aux pointes d'asperges | Le demi homard rôti et légèrement fumé à la cheminée | Le gâteau mollet du marquis de béchamel et la glace fondue à la rhubarbe |

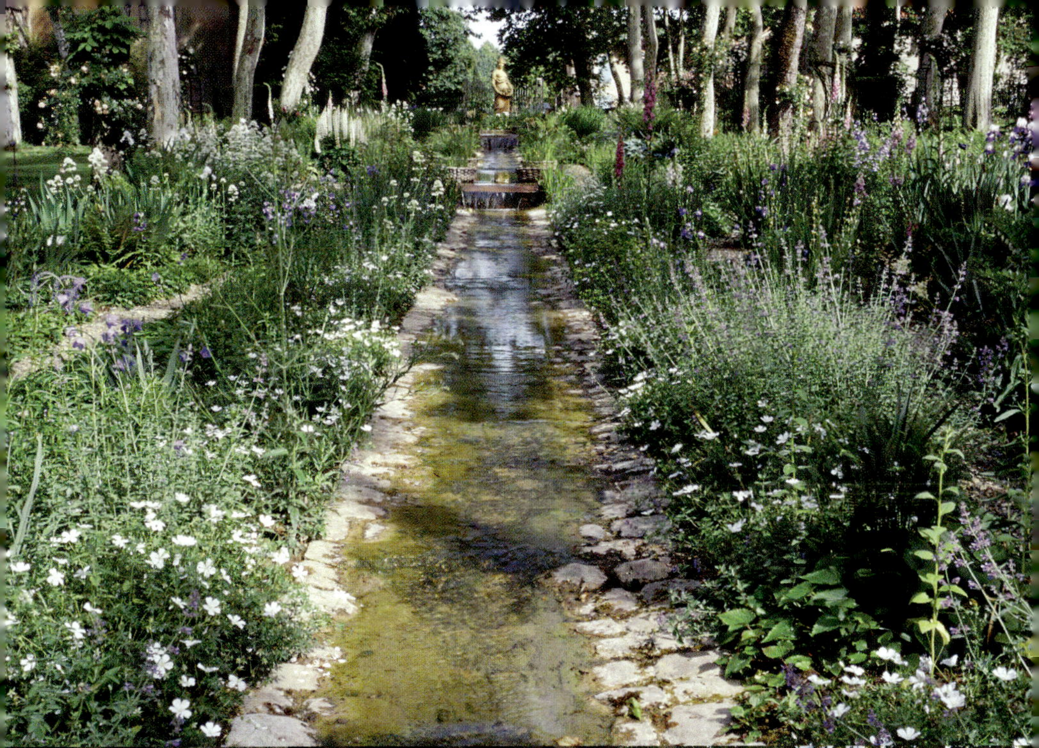

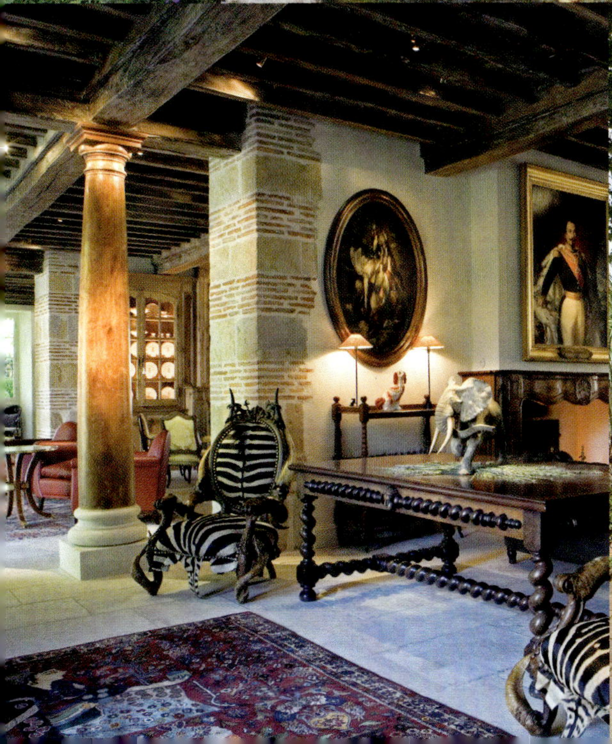

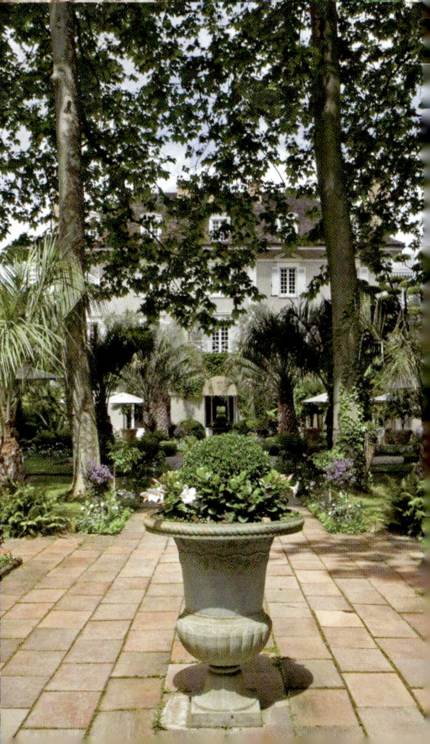

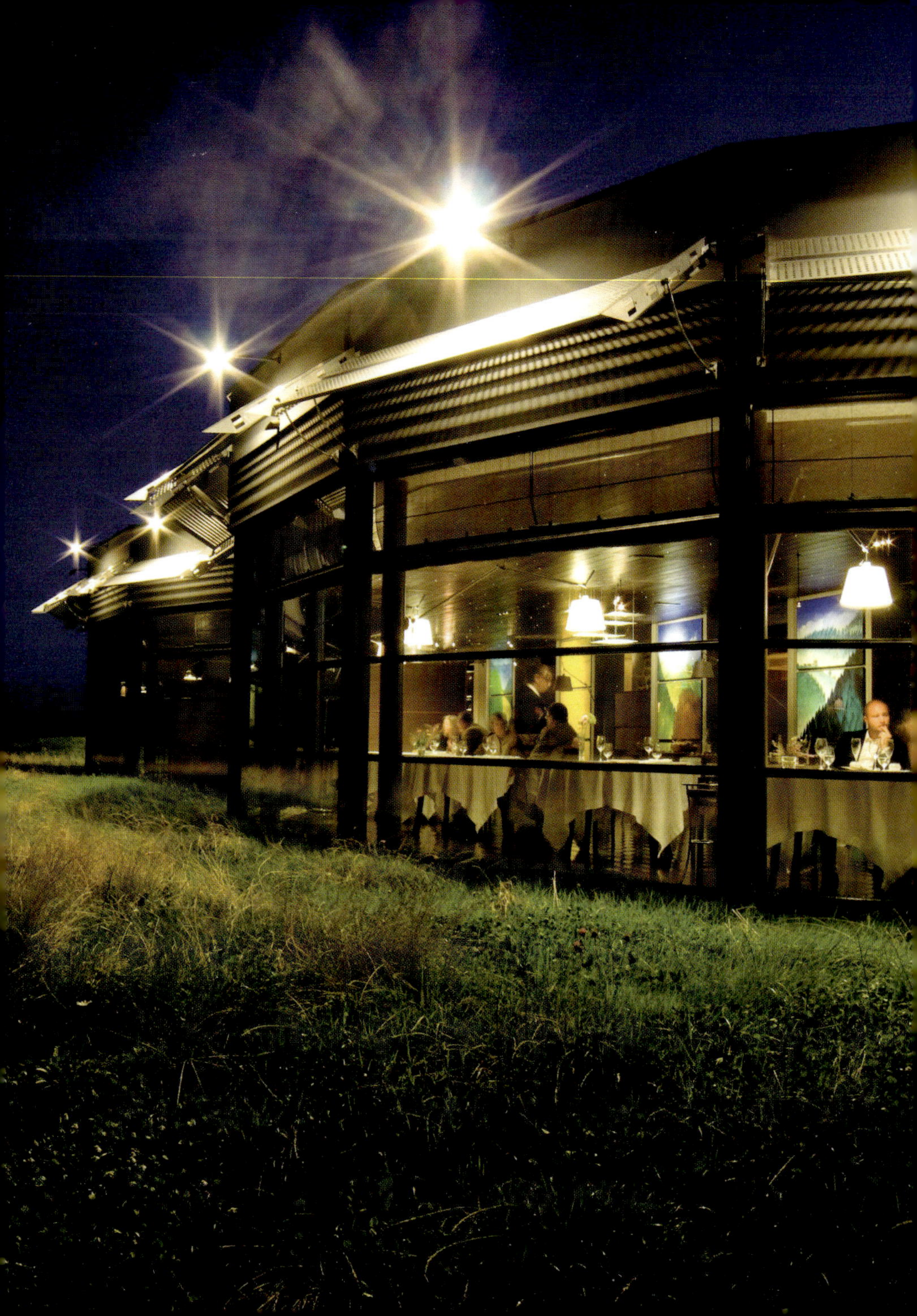

Larsiallas
43290 Saint-Bonnet-le-Froid
Tel 00 33 04 71 59 93 72
Fax 00 33 04 71 59 93 40
contact@regismarcon.fr
www.regismarcon.fr

Propriétaire : Régis Marcon
Chefs : Régis et Jacques Marcon

RÉGIS ET JACQUES MARCON

→ France

❃❃❃ L'automne est la saison de prédilection de Régis Marcon, le sous-bois, son jardin secret. C'est là, dans l'intimité des feuilles rougissantes, fragiles poussées traversant l'humus, que surgissent les précieux champignons qui donnent un sens à sa cuisine : chanterelles, cèpes, sparassis crépus, tricholomes portentosum… Régis Marcon est un arpenteur de sous-bois, il fait partie de ces hommes, rattachés par un fil à nos lointains ancêtres, qui pressentent l'éclosion du végétal avant de l'apercevoir. Cet instinct animal, ce sens inné de la nature s'exerce dans tous les domaines, de la cueillette des herbes sauvages – achillée millefeuille, ciste, oseille sauvage, etc. – au choix éclairé des produits du terroir : les volailles, les viandes d'élevage du Plateau, les lentilles vertes du Puy, les fromages d'Ardèche et d'Auvergne… Venir chez Régis Marcon, c'est partir à la rencontre de la nature, dont la salle répercute partout la présence, à travers les boiseries en noyer, les lustres-branches, le sol en pierre volcanique, les vastes baies fixant le Mont Mézenc… C'est découvrir dans l'assiette le jeu de ses multiples arômes déclinés en couleurs franches : le vert acide d'un jus d'herbes, l'ocre d'un velouté mousseux aux champignons, le caramel brun d'un praliné de cèpes.

RÉGIS ET JACQUES MARCON
→ France

« En 1956, la fameuse année du froid, mes parents durent quitter leur ferme pour des problèmes de fermage, et comme il fallait bien vivre, ma mère s'est mise à travailler au café du village le plus proche ; mon père était marchand de vins. Quelques années plus tard, ma mère reprit le café : elle commença à proposer des casse-croûte et aménagea quelques chambres. J'ai donc vécu dans cette ambiance. Ma mère n'était pas du tout du métier, mais elle avait cette générosité, ce sourire, ces qualités qu'elle manifestait déjà lorsque nous accueillions des étrangers à la ferme… Elle connaissait parfaitement tous ses clients et les considérait comme des amis. En 1979, j'ai repris l'hôtel familial et depuis, j'ai voulu perpétuer les traditions d'accueil que ma mère a attachées à cette maison… »

C'est déguster des saveurs nouvelles, insoupçonnées, qui dépassent largement les frontières de la Haute-Loire et de l'Ardèche. La force de Régis Marcon réside précisément dans cette capacité à convoquer les meilleurs produits de France, en particulier les produits de la mer, pour les marier dans un choc salutaire aux arômes de son terroir. Ainsi, « le chaud-froid de Saint-Jacques et tourteau au cresson, la noix poêlée à l'épice de sapin servie avec son bouillon de barbes » propose trois créations successives : la noix de Saint-Jacques à la chair fondante aux accents de sous-bois, le carpaccio de Saint-Jacques et tourteau d'une infinie délicatesse, rehaussé par la saveur piquante et acidulée du cresson, parsemé de quelques lamelles croquantes de courgettes crues pour la texture ; le bouillon de barbes enfin, consommé léger destiné à préparer le palais pour la suite. Par exemple, l'agneau rôti en croûte de foin de cistre, ou le ragoût de lentilles vertes du Puy, deux plats érigés désormais au rang de classiques et qui n'ont rien perdu de leur merveilleux. Ce cheminement gourmand s'effectue avec d'autant plus de plaisir que la maison de Régis Marcon fonctionne comme une grande famille. Le chef prend la peine de vous saluer au début et à la fin du repas, son épouse Michèle vous prodigue ses conseils, leur fils Jacques prend la relève en cuisine, et toute l'équipe, du maître d'hôtel au sommelier, veille avec une sollicitude discrète au bien-être de ses hôtes.

EXTRAIT DE LA CARTE

Menu « champignons »
Cassoulet de homard aux lentilles vertes

Agneau cuit en croûte de foin de cistre

Brochette « Margaridou »

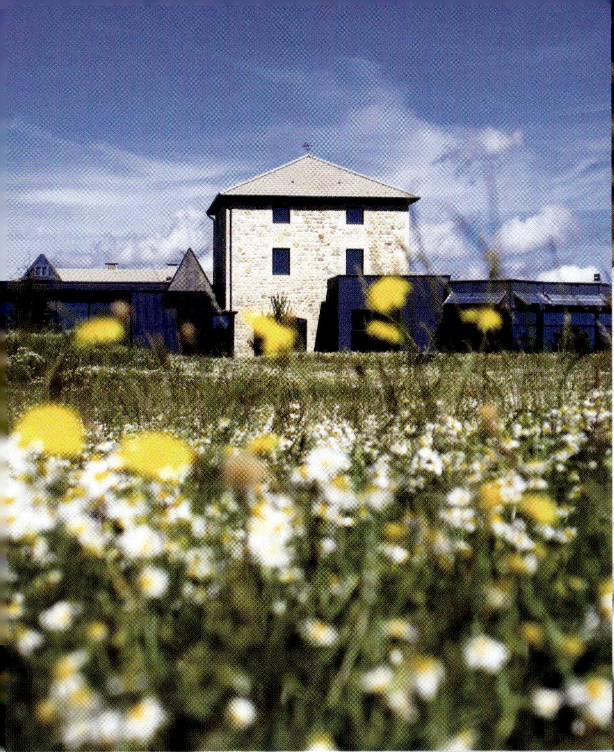
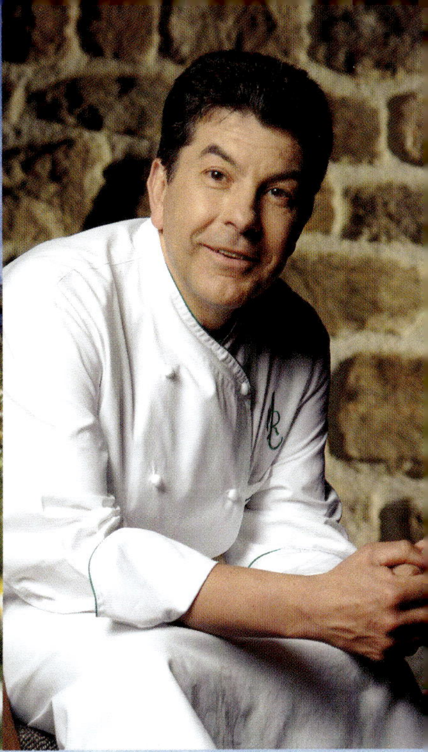
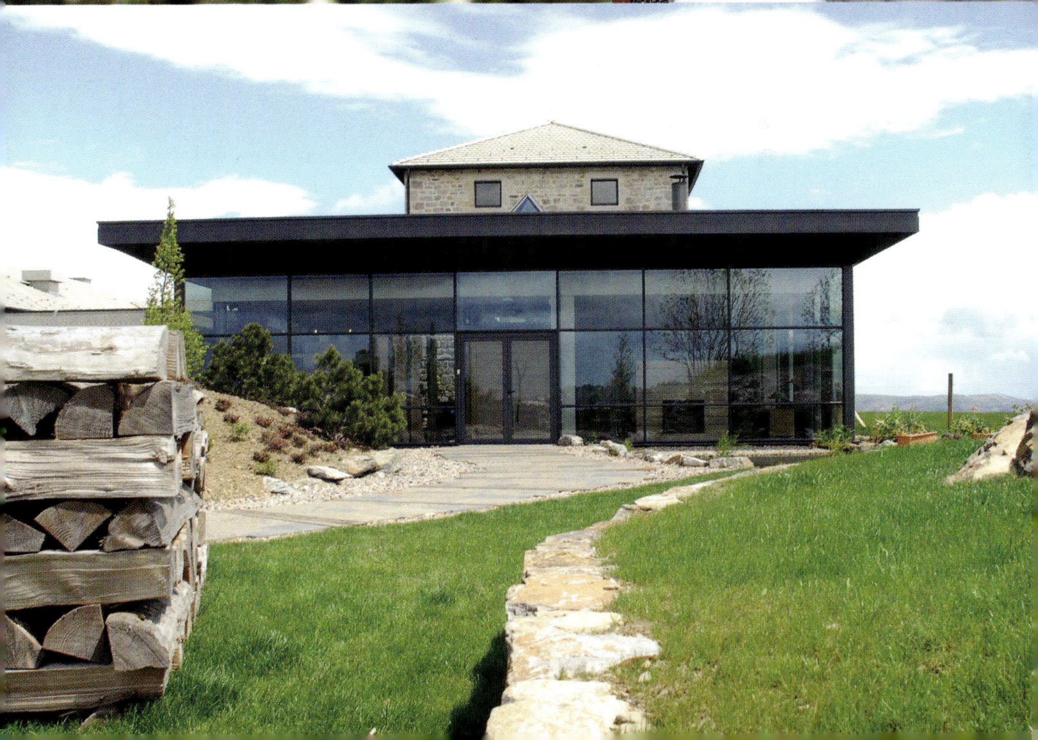

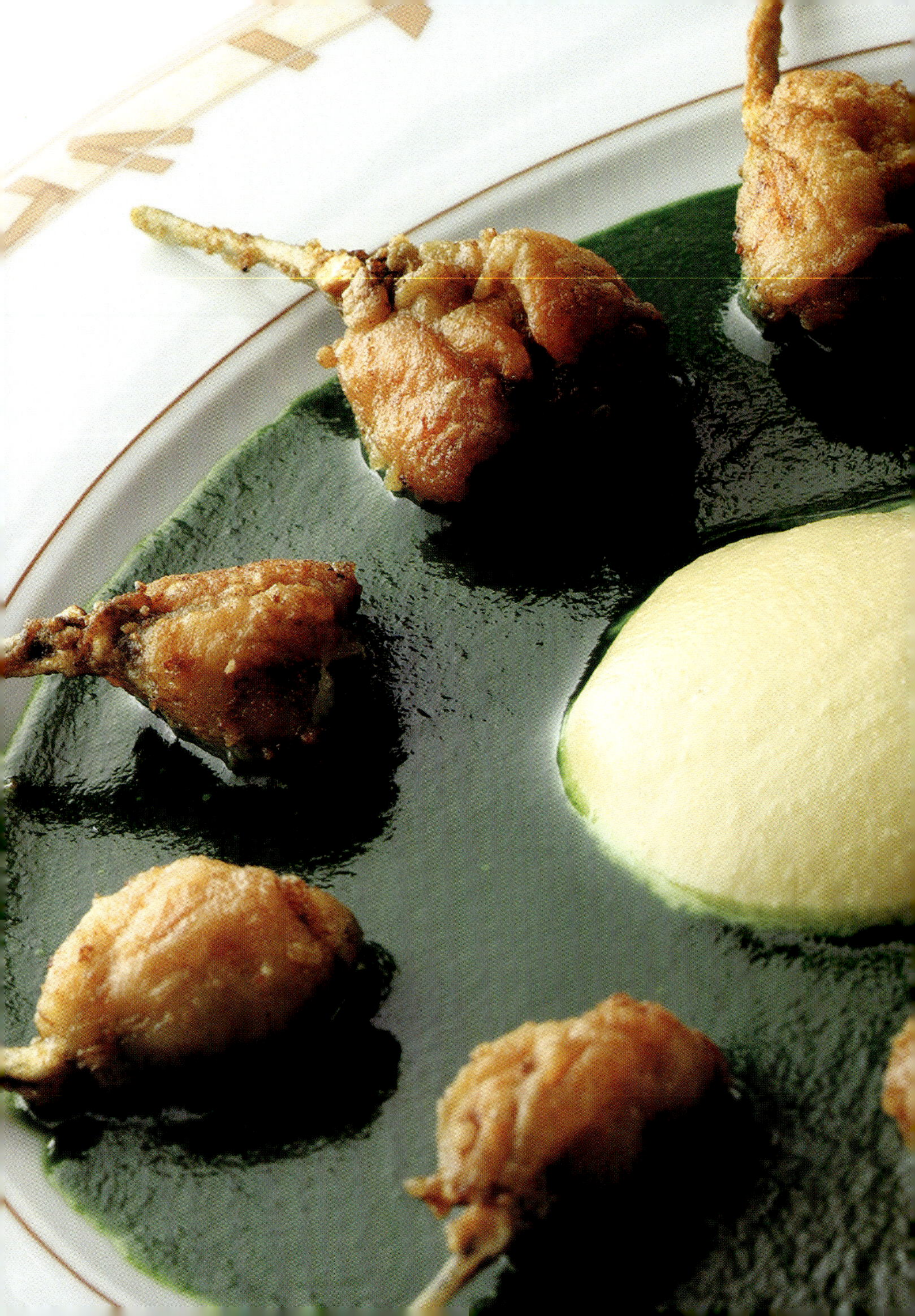

21210 Saulieu
Tél. 00 33 03 80 90 53 53
Fax 00 33 03 80 64 08 92
contact@bernard-loiseau.com
www.bernard-loiseau.com

Propriétaire : Dominique Loiseau
Chef : Patrick Bertron

LE RELAIS BERNARD LOISEAU

→ France

❂❂❂ Il est rare qu'une grande maison survive à son maître. C'est pourtant le cas du Relais Bernard Loiseau, à Saulieu, dont les étoiles n'ont en rien pâli depuis la disparition du génial chef bourguignon. Une performance rare à ce niveau de la gastronomie mondiale, à mettre au crédit d'un héritage et de deux héritiers. L'héritage tient au lieu même de cet exploit, la mythique « Côte d'Or » d'Alexandre Dumaine, grande maison bourgeoise où souffle depuis plus d'un siècle le vent de l'inspiration culinaire. Les héritiers, ensuite : Dominique Loiseau, moderne et talentueuse chef de l'entreprise que créa son mari, et Patrick Bertron qui apporte aux fourneaux une sensibilité nouvelle venant enrichir l'esprit « Loiseau ».

Les assiettes célèbrent cette heureuse alliance. Les plats les plus fameux du chef disparu, comme les célèbres jambonnettes de grenouille à la purée d'ail et au jus de persil – elles méritent à elles seules le voyage –, voisinent avec les créations de celui qui fut son second pendant plus de vingt ans et qui apporte aujourd'hui sa touche personnelle dans l'élaboration de recettes tout aussi magiques. Voyez le filet d'agneau fermier du Quercy et son jus à la truffe accompagné d'un artichaut

« *Mon but est de réaliser une cuisine gourmande, savoureuse, faite pour combler les sens. Pour créer, je me mets à la place du client, en tenant compte de la saison. De quoi ai-je envie à l'automne, au printemps ? À partir d'un produit phare, je cherche les correspondances, parfois aussi la rupture pour susciter des mélanges de saveurs étonnants.* »

« *Lors de la sortie du guide MICHELIN Tokyo, nous avons été conviés à une soirée digne du festival de Cannes. On ne demande pas autre chose que d'être reconnu dans l'assiette. Pourtant, quand notre travail fait l'objet d'une cérémonie comme celle-ci, c'est une belle récompense.* »

LE RELAIS BERNARD LOISEAU
→ France

poivrade apprêté comme un vol-au-vent, ou la queue de homard bleu rôtie au beurre de mélilot, étuvée de petits pois et jeunes légumes glacés au jus et au cumin.

De Bernard Loiseau, Patrick Bertron a gardé le goût des bons produits. Comme son ancien chef, il déglace à l'eau pour éviter que le vin ou la crème ne dénature l'authenticité gustative des aliments. Comme lui encore, il a fait sienne cette vérité que le talent pur (ou « l'authentique talent ») est de parvenir au sublime en empruntant les chemins de la simplicité. Comme lui enfin, ce Breton formé à l'école hôtelière de Saint-Nazaire aime les poissons justement présentés. Mais, Patrick Bertron les aime au point de faire de la plongée sous-marine, notamment dans les lacs du Morvan, du Jura ou des Alpes – son passe-temps favori.

Dominique Loiseau a, plus encore, fait fructifier l'héritage de son mari. Jusqu'à ce qu'elle en prenne les commandes, le Relais Bernard Loiseau comptait parmi les meilleures tables de France. Aujourd'hui et grâce à l'énergie formidable de cette femme, « Bernard Loiseau » désigne une entreprise prospère, forte de quatre restaurants à Saulieu, Beaune et Paris, d'une boutique et d'une ligne de produits. Un groupe dédié au luxe et aux plaisirs de la table que sa présidente conduit sans faillir sur les chemins du succès.

EXTRAIT DE LA CARTE

Jambonnettes de grenouilles à la purée d'ail et au jus de persil	Langoustine royale poêlée, sa raviole sur une tranche de fenouil, bouillon à l'huile de thym-citron	Filet de charolais cuit au foin en croûte d'argile, toast de moelle glacée au vin

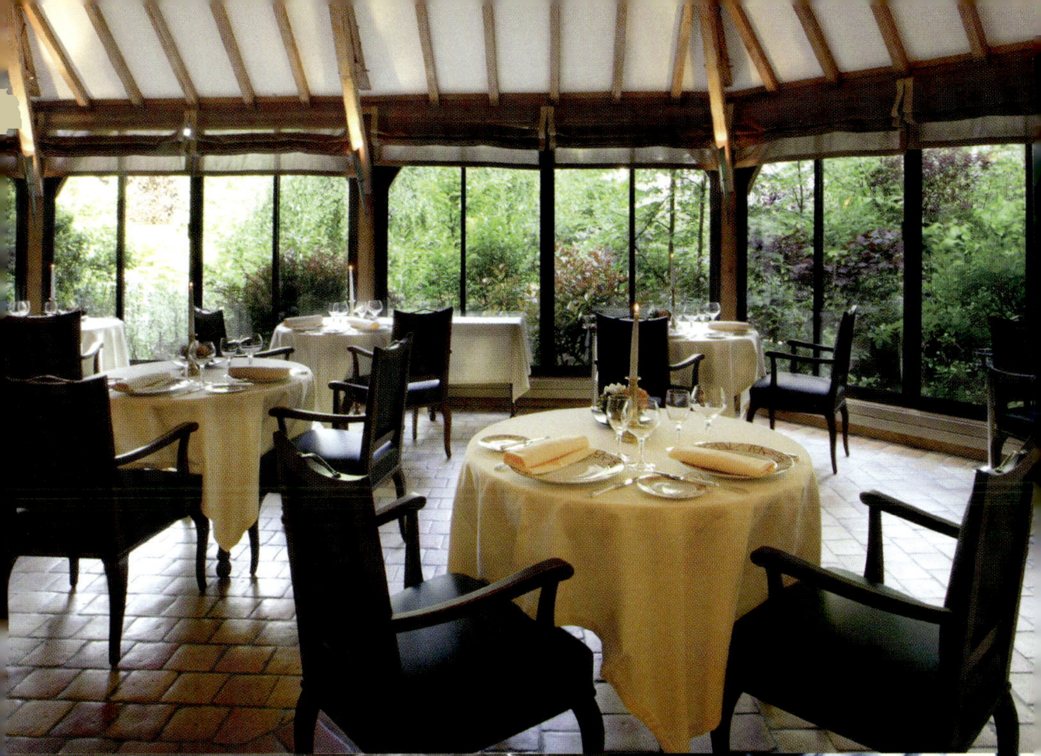

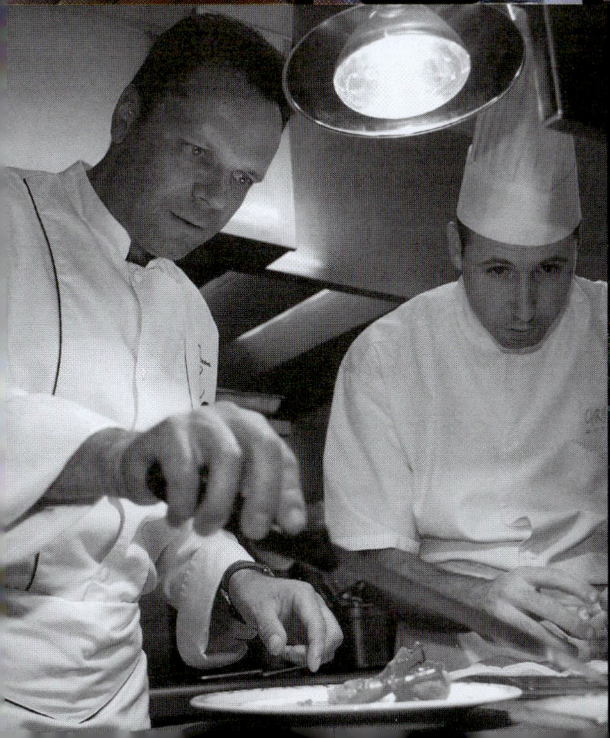

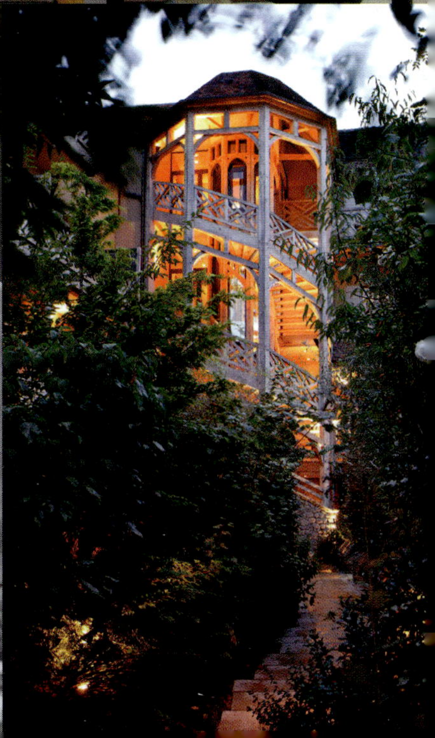

AMADOR
Langen

AQUA
Wolfsburg

GÄSTEHAUS
Saarbrücken

RESTAURANT
BAREISS
Baiersbronn-
Mitteltal

RESTAURANT
DIETER MÜLLER
Bergisch Gladbach

SCHLOSS BERG
Perl-Nennig

SCHWARZWALD-
STUBE
Baiersbronn

VENDÔME
Bergisch
Gladbach-
Bensberg

WALDHOTEL
SONNORA
Dreis bei Wittlich

→ ALLEMAGNE
✿✿✿

Belles demeures patriciennes, hôtels historiques, grands chalets noyés dans la verdure, paquebots de luxe immergés dans la forêt… L'Allemagne a un don pour associer les meilleures tables aux plus beaux écrins, comme s'il fallait goûter l'excellence en toutes choses. Avec neuf tables couronnées, elle se place elle aussi en tête des triples étoilés européens, hors France. Le secret de cette vitalité ? une implacable rigueur dans le choix des produits, la volonté d'exploiter les ressources d'un terroir injustement délaissé, une ouverture sur les cuisines du monde qui orchestre un choc de saveurs salutaire… L'arrivée massive et récente de jeunes étoilés signale que la relève est assurée. Le renouveau culinaire de l'Allemagne est au menu des prochaines années.

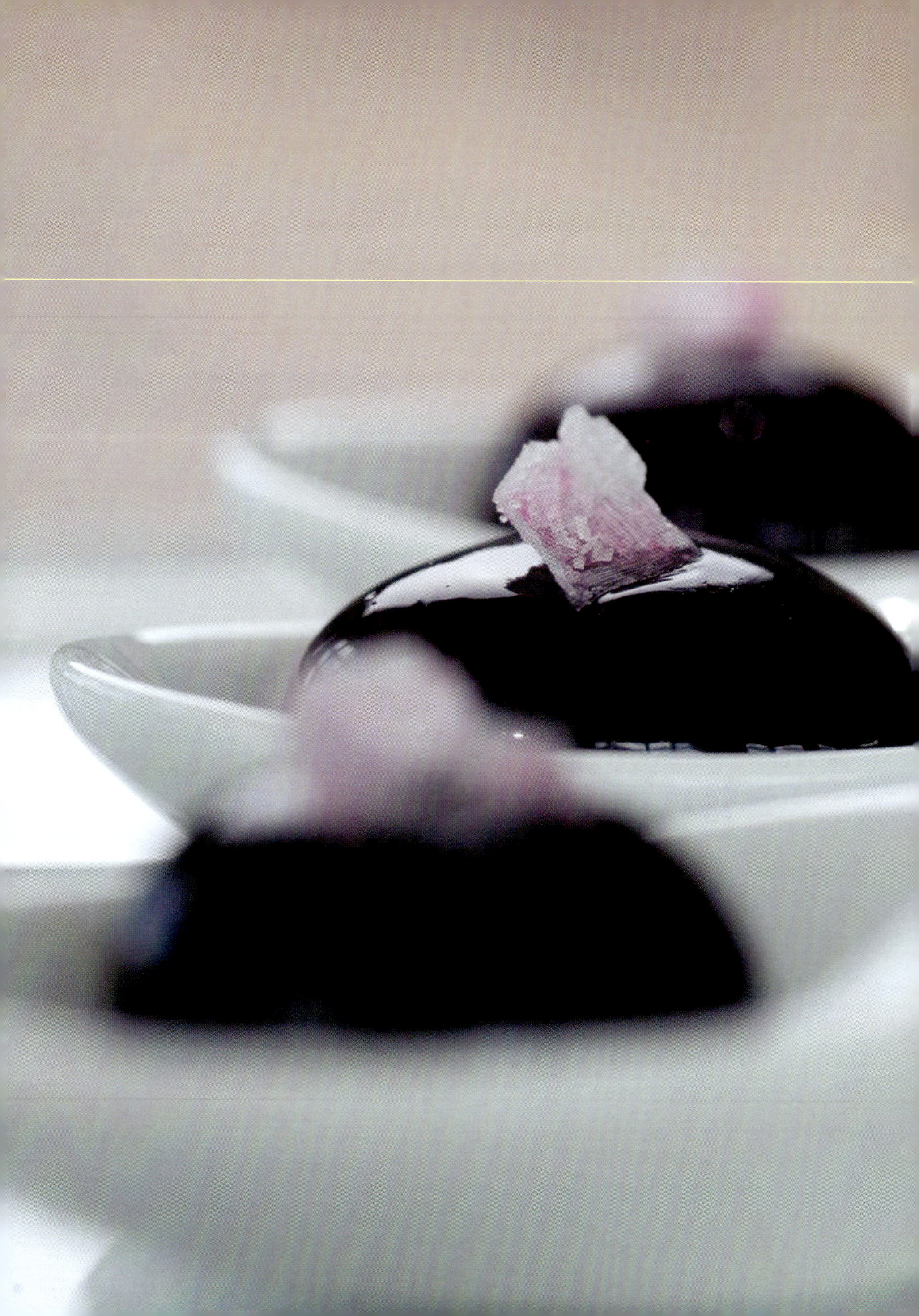

Vierhäusergasse 1
63225 Langen
Tél. 00 49 6103 502 713
Fax 00 49 6103 502 714
info@restaurant-amador.de
www.restaurant-amador.de

**Propriétaires : Eric Beuerle
et Juan Amador
Chef : Juan Amador**

AMADOR

→ Allemagne

❀❀❀ Cheveux gominés, sourcils inquiets, regard noir… Juan Amador met la dernière main à son impressionnante «verrine de parmesan *mit Holzkohleoel* (à l'huile de charbon de bois)». Geste d'artiste, composition de haute volée, travail millimétré… L'Allemagne bascule ici dans le monde de l'avant-garde avec son cortège de révélations esthétiques et de saveurs inattendues. Il faut beaucoup de talent pour réussir dans cet exercice périlleux que les chroniqueurs gastronomiques ont baptisé «cuisine moléculaire». Et Juan Amador n'en manque pas. Entre 1997 et 2002, il récolte les étoiles avec une facilité déconcertante (une et deux étoiles dans deux établissements successifs) avant d'ouvrir, en 2004, sous son patronyme, son propre restaurant à Langen, près de Francfort. C'est dans cette vénérable maison à colombages, sobrement décorée, qu'il dynamite les codes du classicisme gourmand. Juan Amador n'en fait pas mystère, sa rencontre avec Ferran Adria, en 1997, a été déterminante dans l'affirmation de son style. Un retour aux sources pour cet Allemand d'origine espagnole, en même temps qu'une voie à suivre pour mener à bien son projet de réinterpréter la «cuisine classique catalane-basque-française». Ainsi, le menu du jour, baptisé

« Les convives n'ont qu'à venir et à se laisser surprendre. Nos seules attentes : les émerveiller, les faire sourire et leur donner du plaisir. Je voudrais que ma cuisine reste dans les mémoires. »

AMADOR
→ Allemagne

« Mar y Montanya », revisite les spécialités de viande et de poisson dans un enchaînement virtuose de vingt-cinq portions (petites et grandes) : « Coquilles St-Jacques, Champignons sauvages et senteurs des bois », « Pigeon de Miéral, gelée de lait de coco, mangue et purple curry », etc. Les références aux fondamentaux de la cuisine française y sont bien présentes, mais les techniques modernes en donnent une nouvelle lecture. Par exemple, le foie pané est cuit sous-vide à la vapeur, pour exalter son moelleux et sa saveur. Les œufs de caille se dégustent dans une fine résine de caramel. L'azote liquide ou le chlorure de calcium se chargent d'accentuer les arômes. Même s'ils participent aussi à l'émotion que peut procurer une mousse de gin tonic miraculeusement transformée en glace rafraîchissante. Pour aller au bout de l'expérience, il faut se rendre à Francfort, à l'Atelier Amador, où l'on assiste aux performances des cuisiniers avant de déguster leurs créations dans une vaste cuisine restaurant, mi-galerie d'art, mi-bar à sushi. Le travail sur les textures, l'exaltation des arômes, les contrastes de température font partie du vocabulaire d'aujourd'hui. Mais la cuisine de Juan Amador reste unique. Comme celle de ses pairs, elle est avant tout l'expression d'une identité propre, l'exploration illimitée d'un terroir intérieur au croisement d'origines françaises, allemandes, espagnoles, asiatiques, universelles en somme. Le regard importe ici autant que le produit…

EXTRAIT DE LA CARTE

Noix de Saint-Jacques, champignons des bois et herbes des sous-bois	Pigeon Mieral à la mangue gelée au lait de coco et au curry pourpre	Carabinero au chou-fleur et nougat de sole avec persil, parmesan et bouillon

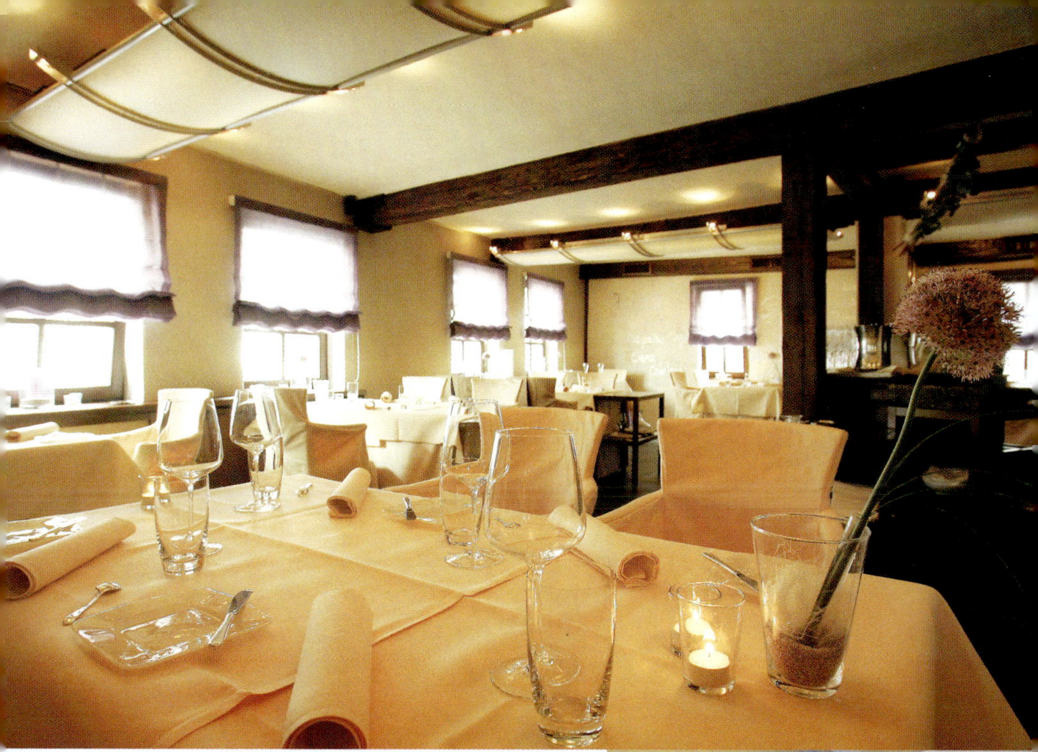
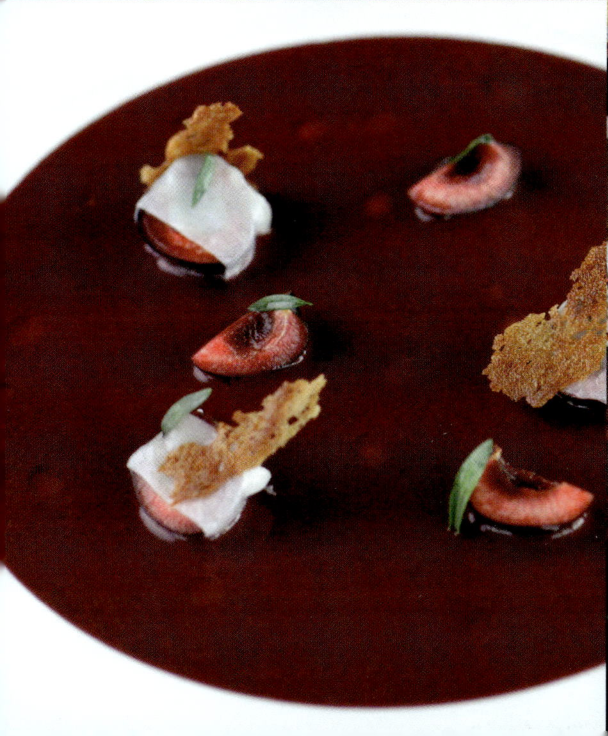
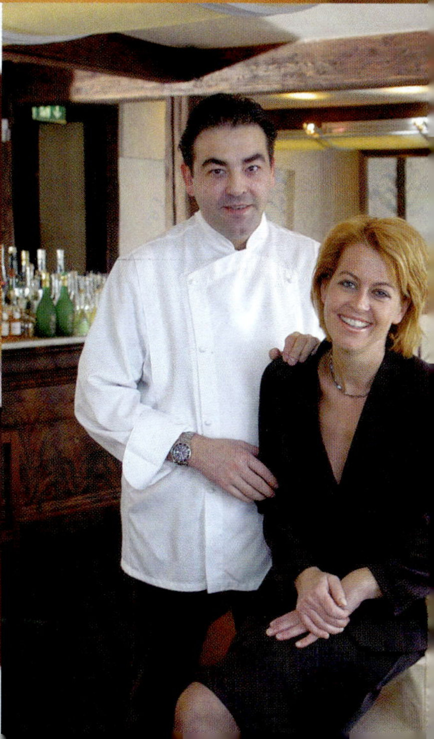

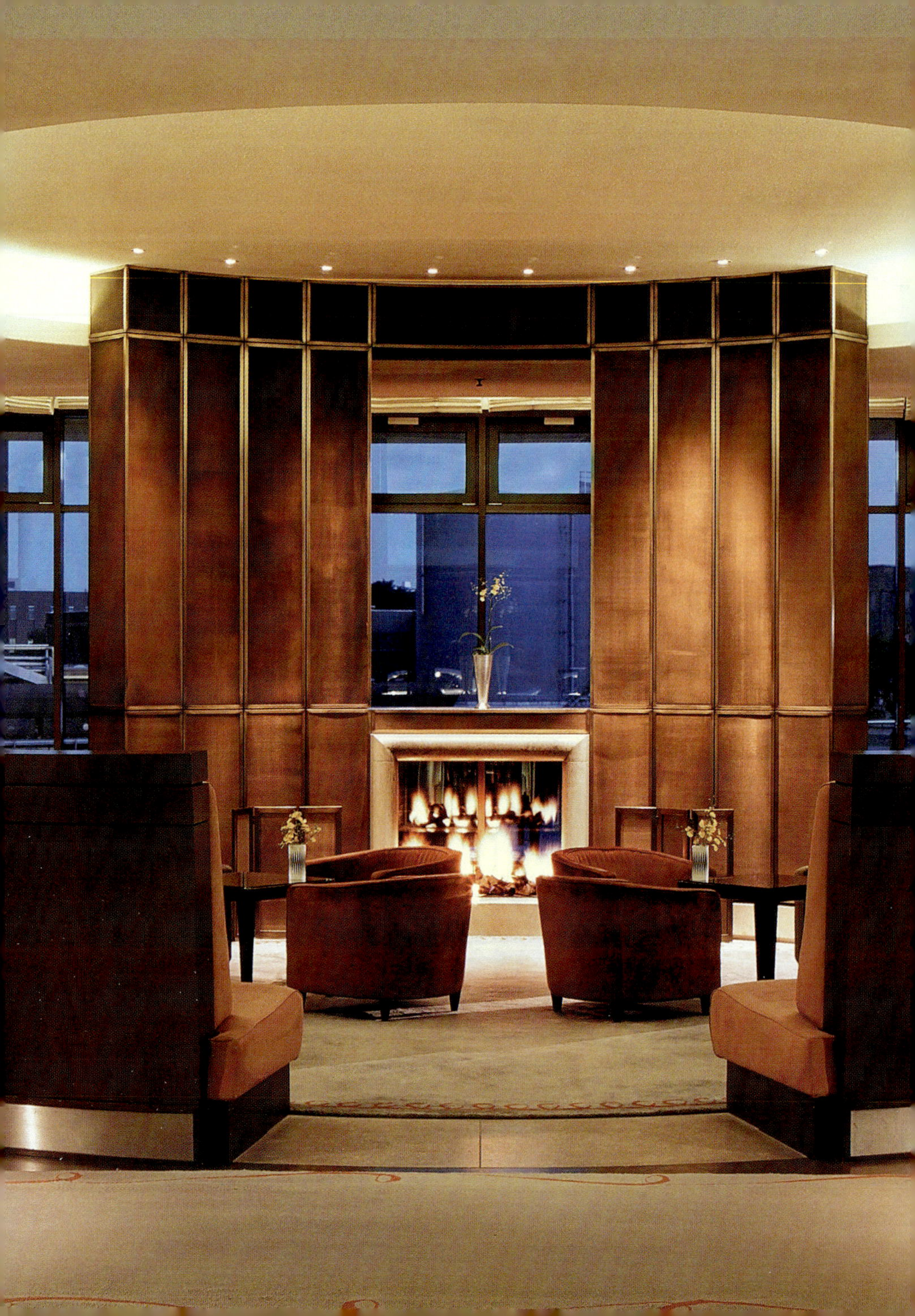

Stadtbrücke
38440 Wolfsburg
Tél. 00 49 5361 607091
Fax 00 49 5361 606158
Ccr.wolfsburg@ritzcarlton.com
www.restaurant-aqua.com

Propriétaire : Ritz Carlton
Chef : Sven Elverfeld

AQUA

→ Allemagne

❀❀❀ C'est dans l'environnement futuriste de la Cité de la voiture (Volkswagen), à Wolfsburg, qu'a surgi le plus récent triple étoilé d'Allemagne, promu en novembre 2008. De larges baies plongeant sur un parc verdoyant, un bel espace néo Art Déco tapissé de matériaux nobles signé André Putman, un service élégant et fluide, une cuisine lumineuse… le restaurant du Ritz Carlton séduit depuis longtemps déjà nos voisins allemands qui viennent régulièrement goûter les délices de Sven Elverfeld. La performance de ce chef de 39 ans se révèle en effet assez exceptionnelle. Arrivé aux commandes de l'Aqua pour son ouverture en 2000, il décroche sa première étoile l'année suivante, la deuxième en 2005 et, trois ans plus tard, la récompense suprême.
Fraîcheur, transparence, limpidité : la cuisine de l'Aqua est comme l'eau dont elle s'inspire. D'ailleurs, Sven Elverfeld ne cache pas sa passion pour les produits de la mer, dont la carte est truffée : huîtres Gillardeau, sardine marinée, caviar, sole de Bretagne, aile de raie de l'Atlantique… Les menus – certains renouvelés toutes les six semaines – sont pensés comme une symphonie où se succèdent différents mouvements : du registre marin subtil et léger aux accents aromatiques

D'où vient votre passion de cuisiner ?
« Quand j'étais enfant, j'aidais ma mère dans la préparation des gâteaux. J'ai toujours apprécié cette dimension créative et manuelle, ce travail minutieux qu'exigent la cuisine et la pâtisserie. »

Quel est le processus de création de vos plats ?
« Tout commence dans ma tête. J'essaye d'assembler deux ou trois produits en pensée, et j'imagine les saveurs qui s'en dégagent. Mon but est la recherche de l'harmonie aromatique. Les essais en cuisine viennent ensuite. »

AQUA
→ Allemagne

intenses des viandes rouges et des venaisons. L'une des passions de Sven Elverfeld est de faire du neuf avec de l'ancien, une sorte de jeu de l'esprit qui exalte les possibilités de la matière et révèle des harmonies de saveurs inattendues. La sole de Bretagne Finkenwerder « façon moderne » réinterprète une garniture classique d'Allemagne du Nord à base de bacon et d'oignons rouges. Le traitement et la découpe des ingrédients (croûtons de pain noir poêlés, dés de bacon, persil, purée d'oignons) en modifient la texture, les filets prélevés sur une sole de 1,5 kg offrent une belle épaisseur de chair pour une cuisson optimale. Même travail avec la sauce verte de Francfort, pommes de terre et œuf, ou la selle de biche de la région de l'Altmark et sa glaçure de bourgeons de sapin, salade chaude de chou rouge, salami de cerf et céleri. En toutes choses, Sven Elverfeld recherche les meilleurs ingrédients du terroir avec un souci louable de préserver les ressources naturelles, d'où son choix de proposer un caviar d'aquaculture.

Les merveilleux desserts de l'Aqua sont le fruit d'une association réussie entre un chef formé à la pâtisserie et une jeune pâtissière talentueuse : Nadja Hartl. Outre le voluptueux délice aux chocolats Amedei, banane et vinaigre de vanille, le chapitre de douceurs s'enrichit d'après-desserts, petites bouchées conçues comme autant d'explorations éclair dans les arcanes de la pâtisserie allemande, naturellement revisitée…

EXTRAIT DE LA CARTE

Sardine marinée à la poire Abate Fetel, aubergine et poivron fumé	Sole de Bretagne Finkenwerder « façon moderne »	Blanc de pigeon de Vendée à l'étouffée, crème aérienne à la truffe du Périgord et mousseline d'épinards

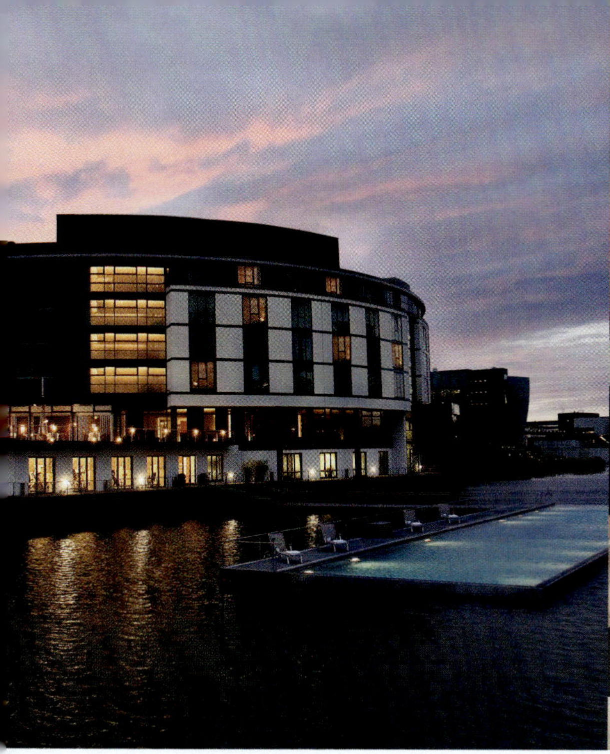

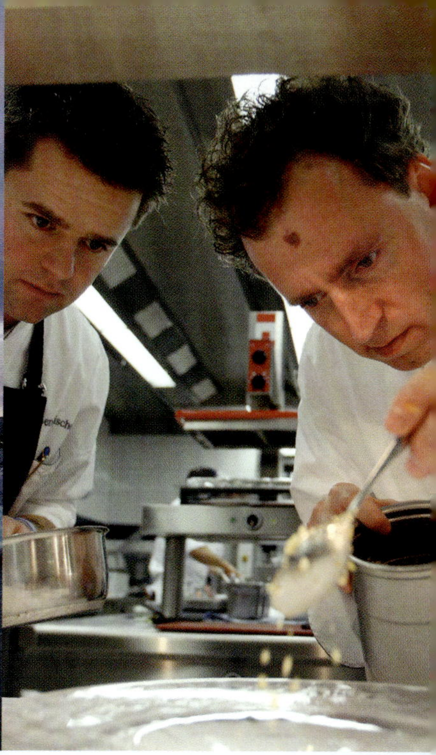

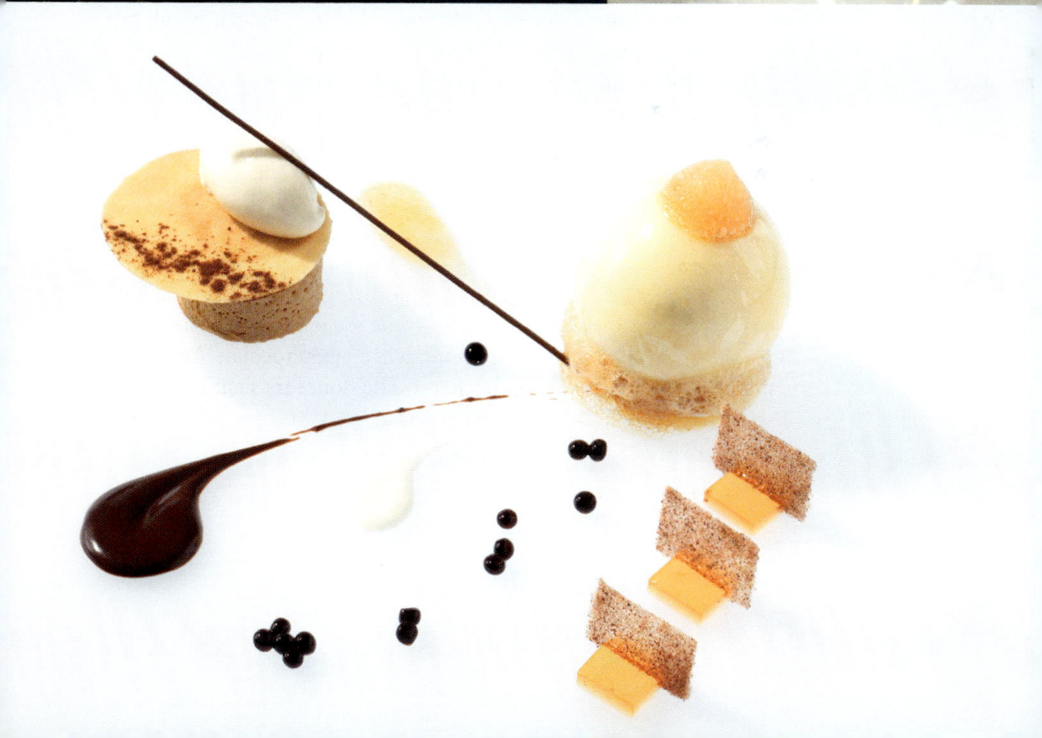

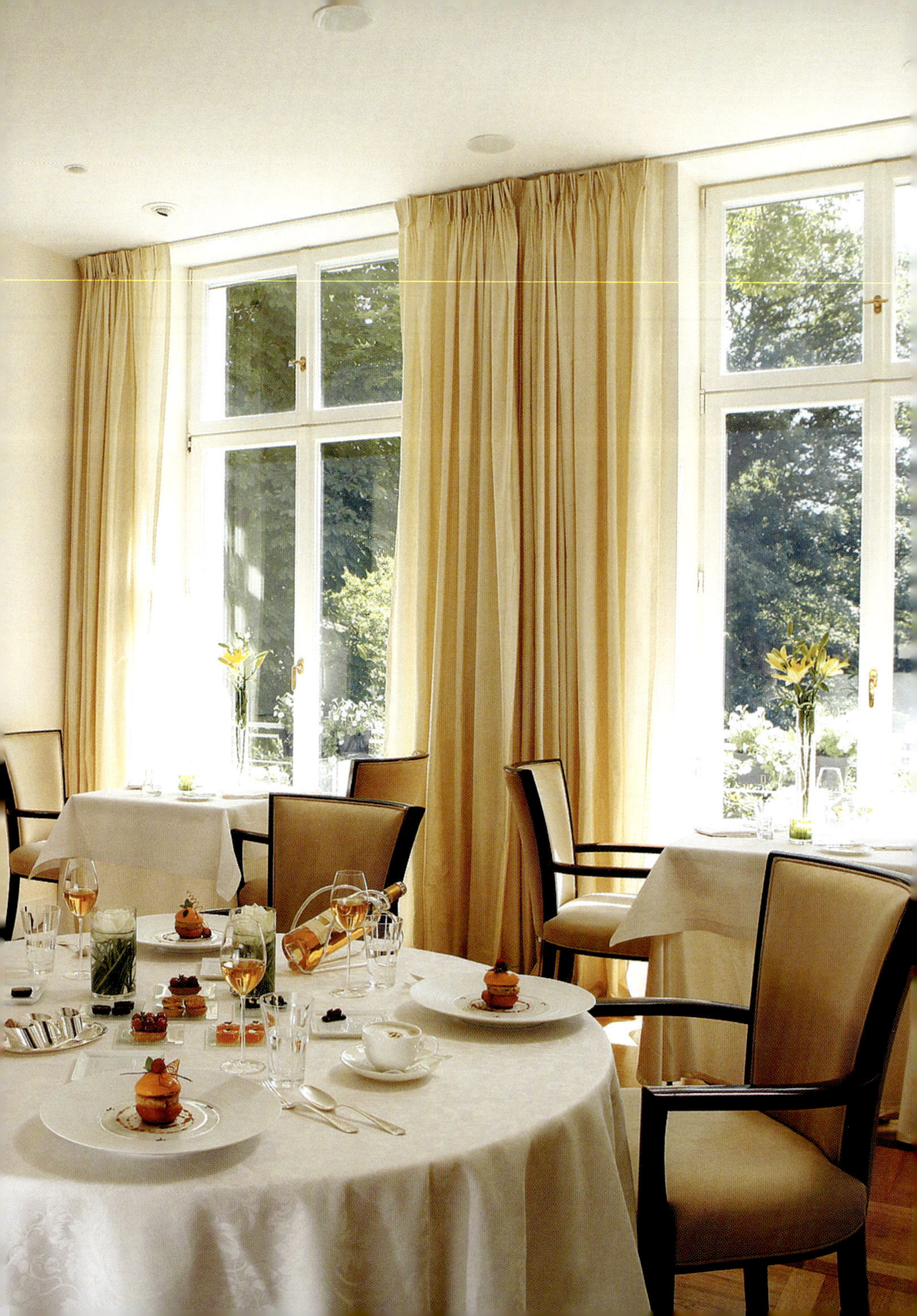

Mainzer Str. 95
66121 Saarbrücken
Tél. 00 49 681 95 82 682
Fax 00 49 681 95 82 684
kontakt@gaestehaus-erfort.de
www.gaestehaus-erfort.de

Propriétaire et chef: Klaus Erfort

GÄSTEHAUS

→ Allemagne

✤✤✤ Les prouesses de la grande vitesse mettent désormais Sarrebruck à 1 h 40 de Paris et à 1 h 30 de Strasbourg en train. Voilà un bon prétexte pour aller voir ce qui se passe de l'autre côté de la frontière, dans les cuisines de Klaus Erfort, l'un des derniers chefs promus au rang des trois étoiles en Allemagne. Au cœur de la capitale sarroise, c'est d'abord l'heureuse surprise d'une élégante demeure patricienne ouverte sur un beau jardin anglais. Dans une douce harmonie de tonalités ocres, la salle éclairée par de larges baies semble inviter les rayons du soleil à paresser sur les nappes blanches. La terrasse, les salons, les cuisines superbement équipées… tout semble vibrer d'un éclat particulier, propre aux maisons qui respirent la joie de vivre. Car, malgré sa réserve, Klaus Erfort ne peut masquer le plaisir qu'il a de cuisiner, un plaisir communicatif, largement partagé par la brigade qui l'entoure. Il se réjouit comme un enfant des saveurs d'un légume fraîchement retiré de la terre, souvenir du jardin de son grand-père où il allait chercher des carottes odorantes et croquantes qui donnaient du génie au moindre ragoût. Formé auprès de Harald Wolfahrt au Traube Tonbach, en même temps que Christian Bau, Klaus Erfort appartient à cette jeune

« *La cuisine est pour moi une vraie passion. J'adore les ingrédients frais – ils me donnent envie d'inventer de nouveaux plats et de créer de nouvelles saveurs délicieuses. Je crois en outre qu'il est important de s'améliorer constamment et de rester toujours curieux.* »

GÄSTEHAUS
→ Allemagne

génération de cuisiniers allemands qui proposent une nouvelle lecture d'un terroir franco-germanique conçu au sens large. La tradition se voit honorée de la meilleure des manières. Fondées sur des produits irréprochables, les préparations s'allègent, les goûts se concentrent à l'appui des techniques modernes : cuisson lente, infusions, bouillons, gelées aromatiques… En témoignent « le suprême et confit de perdrix, strudel aux prunes et tendre purée de céleris », « le râble et cuisse de lièvre, marrons, choux de Bruxelles et sauce au foie gras d'oie », ou le « Braisé de « Boton » de porc et betterave rouge, nuage de moutarde », qui se distinguent par un moelleux et une saveur rares.

D'autres plats témoignent d'un vrai don pour l'appariement des saveurs et des textures. Ainsi, cet incontournable pavé de foie gras d'oie, enveloppé dans une fine pellicule d'ananas poivré aux éclats d'amandes grillées, ou ce merveilleux raviolo de peau de lait et langoustine, gelée au concombre-wasabi et caviar impérial. Si les saveurs asiatiques sont parfois convoquées, c'est toujours sous la forme d'un léger contrepoint, destiné à révéler la puissance aromatique d'un produit d'exception. Comme un premier violon se montre capable de réinventer un quintette de Mozart dans la façon qu'il a de jouer des notes tracées depuis trois siècles, Klaus Erfort fait œuvre de création en associant des coquilles Saint-Jacques juste saisies et des truffes blanches d'Alba… Envolée de notes blanches pour symphonie de velours.

EXTRAIT DE LA CARTE

Pavé de foie gras d'oie, ananas, poivre et amandes vertes

Noix de ris de veau dorée et gelée de citron salée, crème d'oignon et roulades d'épinards

Homard de Bretagne poêlé au beurre demi-sel, girolles et pêche

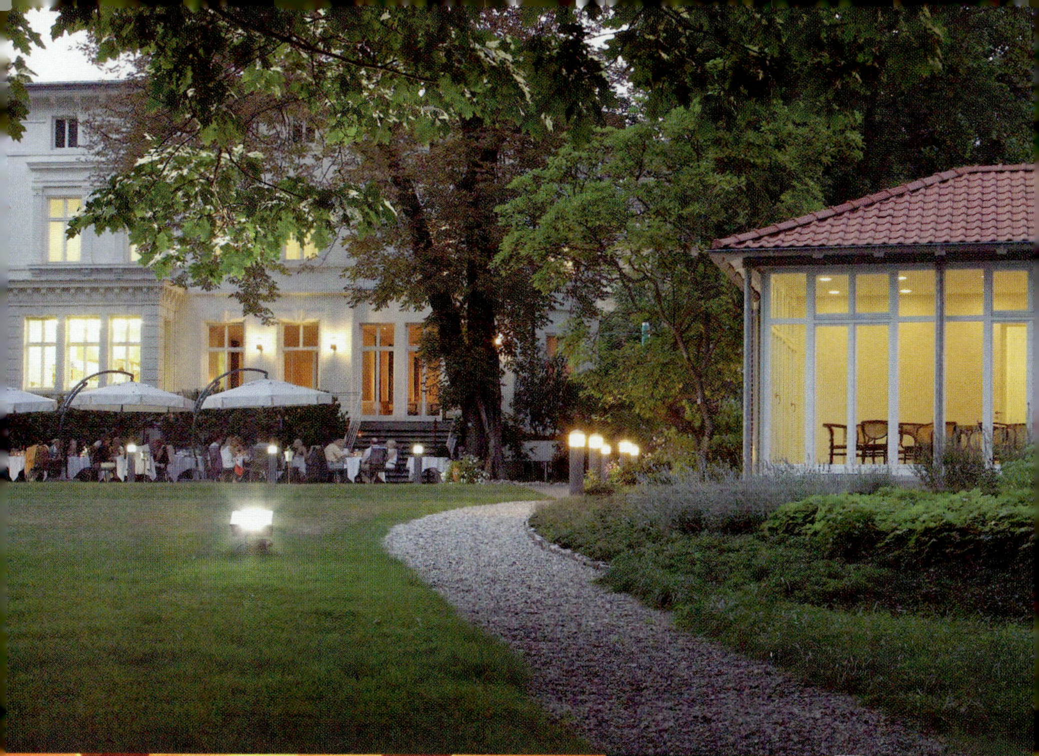

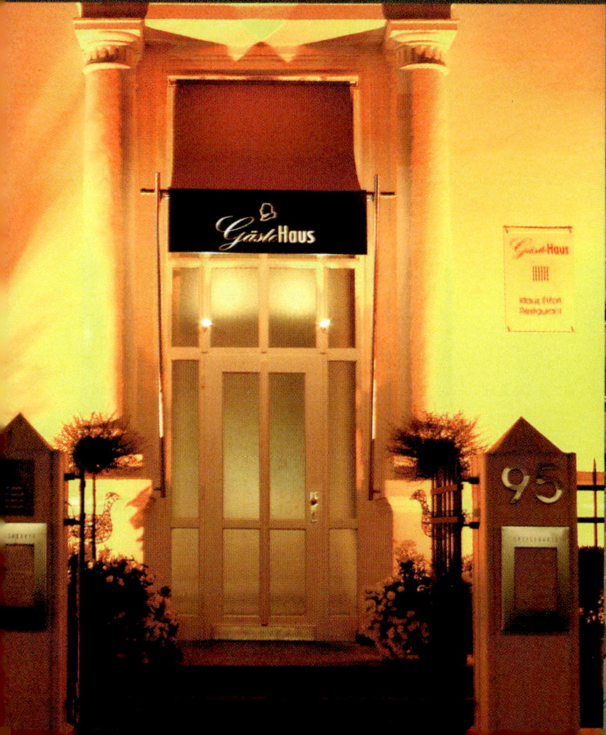
GästeHaus
95

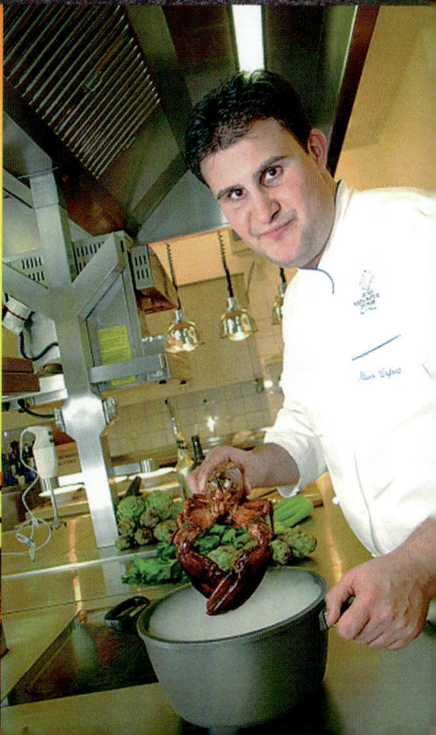

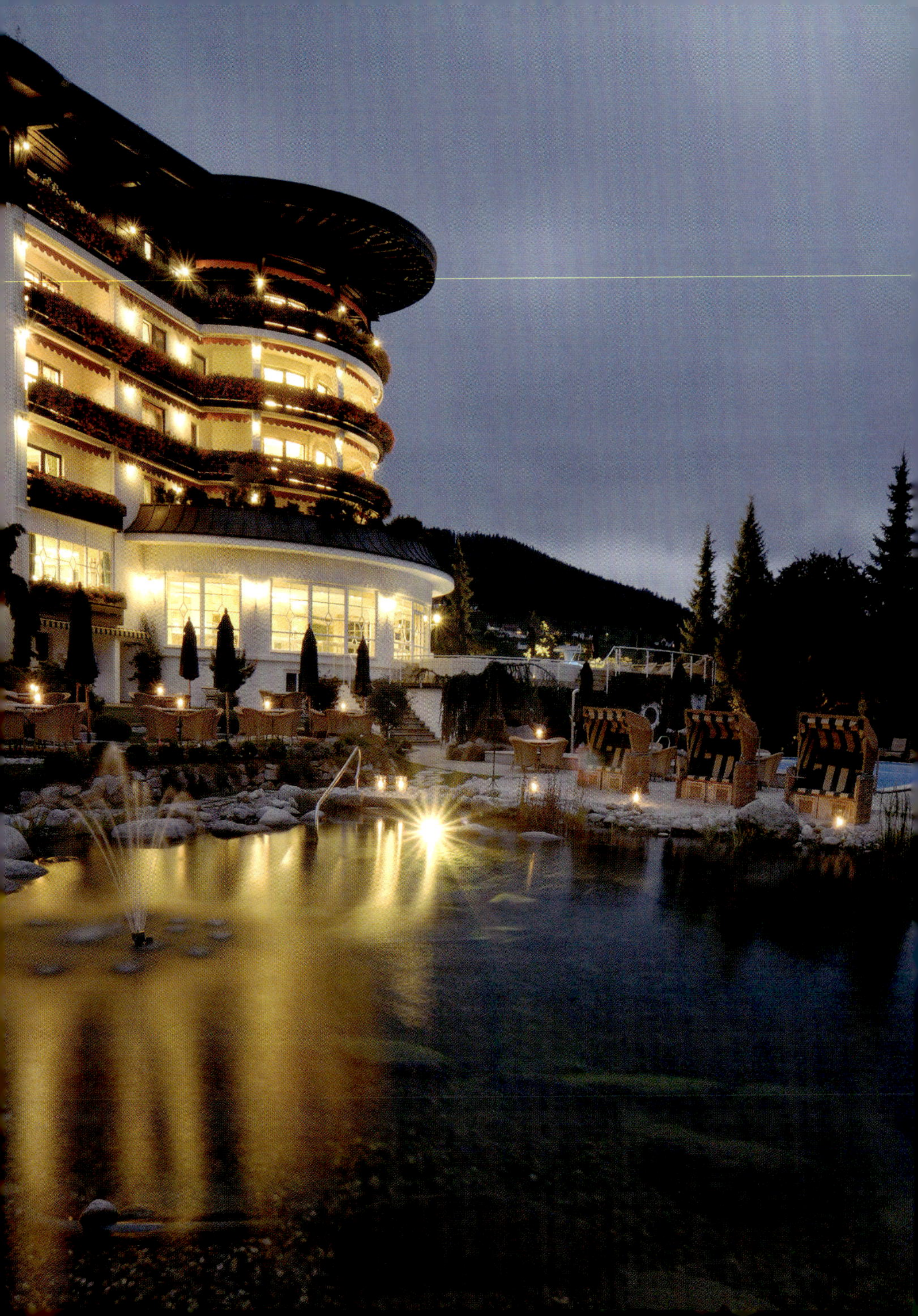

Gärtenbühlweg 14
72270 Baiersbronn-Mitteltal
Tél. 00 49 7442 470
Fax 00 49 7442 47320
info@bareiss.com
www.bareiss.com

Propriétaire : Hermann Bareiss
Chef : Claus-Peter Lumpp

RESTAURANT BAREISS

→ Allemagne

❀❀❀ 2008 a été une grande année pour le Bareiss : l'année des trois étoiles, celle de la reconnaissance suprême, après une patiente ascension entamée par Claus-Peter Lumpp, il y a seize ans. Au creux de la Forêt-Noire, dans cet hôtel modèle noyé sous les cascades de fleurs, la cuisine étoilée du chef apporte la dernière pierre au luxueux édifice bâti par Hermann Bareiss. Avec juste ce qu'il faut d'ouverture sur le monde, elle exprime brillamment l'authenticité du terroir, la vérité des produits, la nature triomphante. Et pour cause, une partie des matières premières qui entrent dans la préparation des plats sont issus des élevages de bœufs, d'agneaux et de cervidés qui paissent librement dans les 400 hectares du domaine de Bareiss. Un pavé de biche, un agneau de lait, une épaule de faon ? Il suffit, pour ainsi dire, de tendre la main, pour se servir… Les plantes et les herbes des pâturages donnent à la viande son goût inimitable, plus parfumé qu'ailleurs. Quant aux truites, elles sont pêchées toutes vives dans l'étang et les rivières voisines. La maestria de Claus-Peter Lumpp fait le reste. La concentration des saveurs, la parfaite maîtrise des cuissons, l'explosion aromatique qui se dégage à chaque bouchée délivrent aux gourmets un bonheur sans

RESTAURANT BAREISS
→ Allemagne

nuages, l'occasion rare et précieuse de goûter une cuisine qui vient du cœur. Dégustons religieusement : le délicat « consommé clair de queue de bœuf avec filet et raviole », le savoureux « loup de mer poché dans une nage de poulpe sur risotto de tapioca méditerranéen » ou le tendre « pigeon de Bresse rôti avec brioche au romarin dans une émulsion de Porto Blanc », à moins qu'on ne préfère la fondante « épaule de faon aux Marrons et Foie de faon, Sauce à la Crème »… Claus-Peter Lumpp tient de sa grand-mère sa passion pour la cuisine, en particulier souabe, dont il garde en mémoire les puissants effluves. Plus tard, Eckart Witzigmann lui a enseigné les subtilités du métier et Alain Ducasse l'a sensibilisé aux influences méditerranéennes. Lorsqu'il est arrivé au Bareiss, le maître des lieux lui a donné carte blanche, le laissant prendre possession à sa manière de cette salle intime de 32 couverts. Thomas Brandt, le directeur du restaurant, et Jürgen Fendt, qui compte parmi les meilleurs sommeliers d'Allemagne, font preuve d'un enthousiasme et d'un professionnalisme rares qui contribuent à faire du moindre repas un enchantement. Blotti au cœur d'un site de randonnées exceptionnel, pourvu d'un spa, de cinq piscines, de trois restaurants, dont le triple étoilé de Lumpp, l'hôtel Bareiss est décidément une sorte d'Abbaye de Thélème consacrée à l'épanouissement de tous les sens.

RESTAURANT BAREISS
→ Allemagne

« Chaque technique culinaire, qu'elle soit traditionnelle ou moderne, ne sert qu'une seule fonction. Il ne s'agit pas de la réalisation de soi dans une maîtrise purement artisanale. »
« En allemand, nous avons une devise : « das Auge ißt mit », qui signifie « nous mangeons aussi avec nos yeux ». L'accord et l'harmonie des produits et des arômes, que cette harmonie soit un contraste ou un complément, doit cadrer avec l'esthétique de la présentation sur l'assiette sans, bien sûr, que cela devienne un véritable spectacle qui flatterait plus la vanité du cuisinier que le simple fait de présenter une composition qui reflète le produit, sa préparation et son accompagnement. »
« Ma cuisine, en trois mots et en toute modestie, c'est celle de Claus-Peter Lumpp. »

EXTRAIT DE LA CARTE

Le loup de mer poché dans une nage de poulpe sur risotto de tapioca méditerranéen

La variation autour de l'agneau des prairies de l'Alb, sauce Crémolata

Le pigeon de Bresse rôti avec brioche au romarin dans une émulsion de Porto Blanc

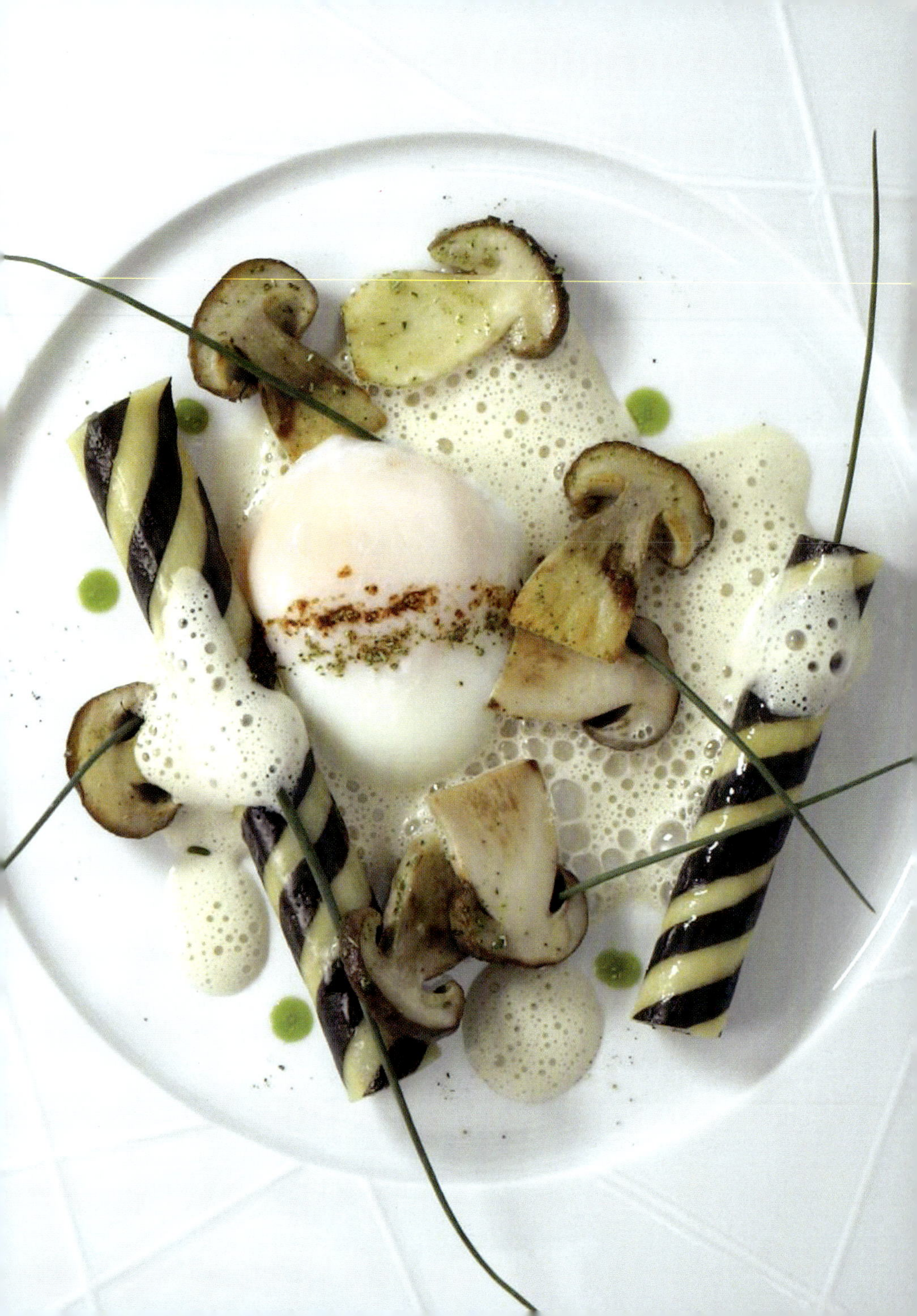

Lerbacher Weg
51465 Bergisch Gladbach
(Nordrhein-Westfalen)
Tél. 00 49 2202 2040
Fax 00 49 2202 204940
lerbach@relaischateaux.com
www.schlosshotel-lerbach.com

Propriétaire : Thomas Althoff
Chef : Nils Henkel

RESTAURANT DIETER MÜLLER

→ Allemagne

✿✿✿ Dieter Müller : si le restaurant a conservé le nom du chef qui a fait sa renommée, pourtant, depuis février 2008, c'est Nils Henkel, son second devenu son alter ego, qui a pris la tête de la brigade. Quoi de plus normal ? Les grands chefs français en font autant avec le même succès. Un restaurant trois étoiles – faut-il le rappeler – n'est jamais l'œuvre d'un seul homme, mais bien la rencontre d'une multiplicité de savoir-faire qui concourent à l'excellence sous l'impulsion d'un ou plusieurs grands talents.

C'est en 1992 que Dieter Müller prend les commandes du restaurant de cette élégante gentilhommière noyée sous la vigne vierge. Génétiquement programmé pour la cuisine, après une enfance passée dans la petite pension de famille que tenaient ses parents en forêt, il fait ses débuts en Suisse et en Allemagne, sans passer par la France – son grand regret. Il compensera en multipliant les voyages aux côtés de Bocuse, Ducasse, Troisgros, Guérard...

Nils Henkel, qui voulait être architecte avant de se découvrir une passion pour la cuisine, partage avec Dieter Müller son attrait pour la France et plus généralement pour la Méditerranée. Mais il pousse un

« Dès que mon métier m'en laisse l'occasion, je voyage, je pars en quête de nouveaux produits, j'écume les restaurants. C'est très important de déguster ce que font les autres chefs. »
« Je suis en effet dans une situation très particulière, puisque je suis arrivé aux commandes d'un restaurant qui détenait déjà trois étoiles. Le défi est d'autant plus difficile à relever. L'équipe et la qualité des produits constituent une base solide, Dieter Müller me fait confiance, je fais le maximum. »

RESTAURANT DIETER MÜLLER
→ Allemagne

peu plus loin l'exploration en accentuant les contrastes de saveur, recourant davantage aux épices et s'aventurant plus volontiers vers l'Asie. Il faut dire que les poissons et les fruits de mer s'harmonisent merveilleusement bien avec ces notes pointues et corsées venues d'ailleurs. Voyez le « cannellonno de crabes et noix de Saint-Jacques grillée, salade de coques, relish de papayes » ou le « filet de rouget gratiné et risotto de sèches, émulsion à l'anis vert, salade tiède de calamars ». À travers les gibiers et les viandes, le terroir allemand est là également, comme un soubassement solide aux échappées gourmandes de nos deux chefs. Le « dos de chevreuil et sauce cerise-laurier, petits pois aux lardons, ragoût au poivre et écume de beurre noisette » en est la parfaite illustration… Une autre caractéristique de la cuisine de Müller-Henkel réside dans l'attention portée à la légèreté des plats. Ainsi, Dieter Müller a mis au point une technique particulière de cuisson des poissons, roulés dans de l'aluminium et pochés à la vapeur, pour préserver leur côté sain et savoureux à la fois. La carte est l'exact reflet de cette double paternité, naturellement vécue comme une richesse. Selon l'humeur du jour, vous pourrez déguster le menu classique « Dieter Müller » ou le menu dégustation élaboré par Nils Henkel. À moins que vous ne préfériez le « homard breton sauté, vinaigrette de crustacés et peperoni, confit de petits pois », le plat préféré du chef. Lequel ? Devinez…

EXTRAIT DE LA CARTE

Cannelloni au tourteau et coquilles Saint-Jacques grillées, salade de coques, condiment à la papaye

Roulade de Saint-Pierre en feuille d'épinard, sauce Champagne-verveine

Tartelette aux cerises et au chocolat Nyangbo, coulis de cerises, glace cerise-pâte d'amande

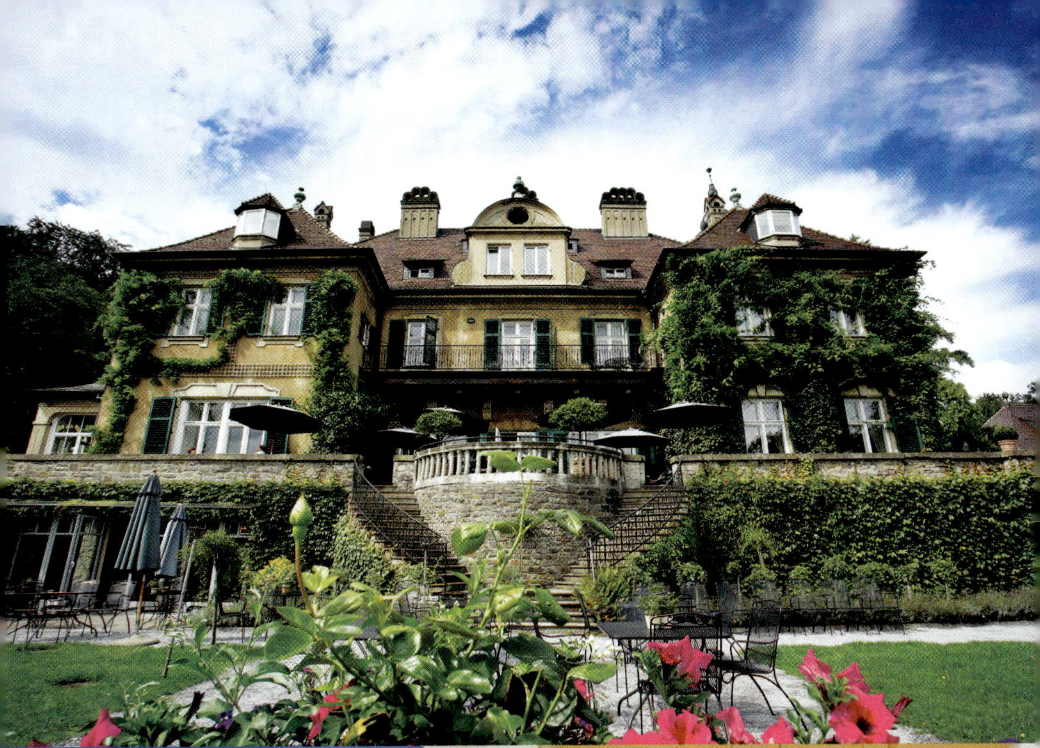

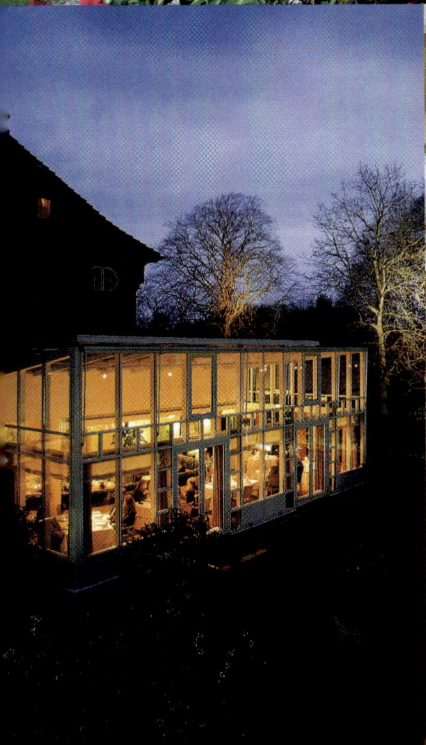

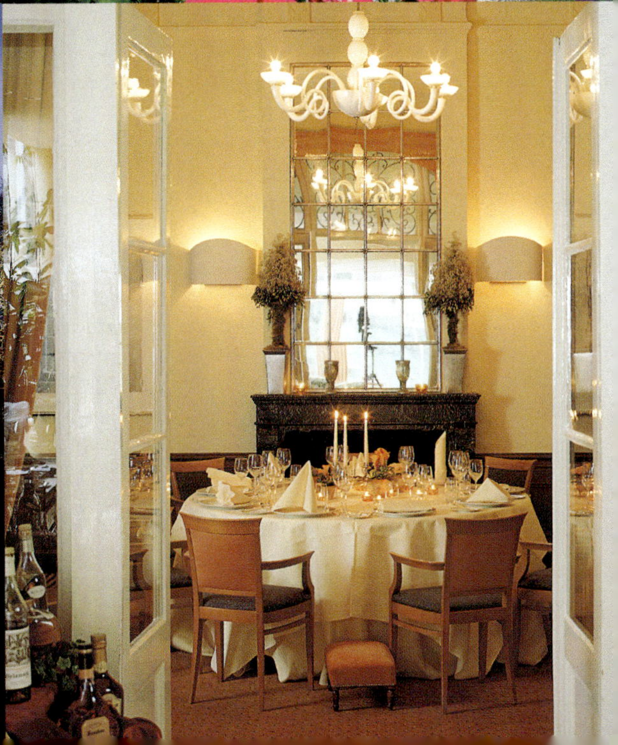

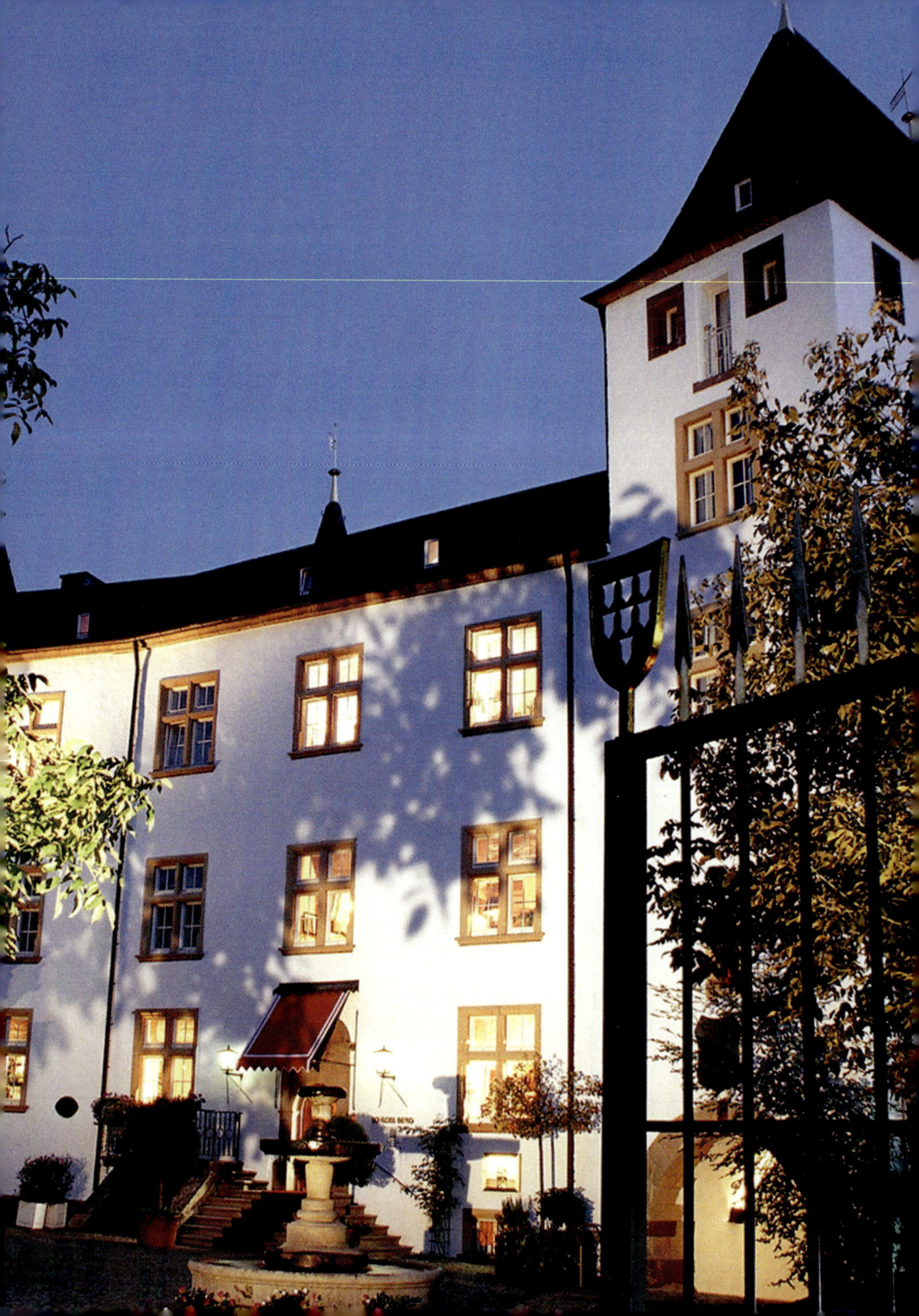

Schlossstraße 27
66706 Perl-Nennig
Tél : 00 49 6866 79118
Fax : 00 49 6866 79 458
info@victors-gourmet.de
www.victors-gourmet.de

**Propriétaires : Hartmut Ostermann
et Suzanne Kleehaas
Chef : Christian Bau**

SCHLOSS BERG

→ Allemagne

🕄🕄🕄 L'écrin de Christian Bau se niche à quelques kilomètres de Thionville, dans la somptueuse vallée de la Moselle. Cette région tapissée de vignes et de vergers, qu'on appelle aussi le Pays des Trois Frontières, constitue un petit morceau d'Europe à la lisière de la France et du Luxembourg. Un tissu d'influences cosmopolites qui agit naturellement sur la cuisine du Victor's Gourmet-Restaurant Schloss Berg. Dans ce château Renaissance posté sur une colline surplombant le village de Nennig, flotte une atmosphère romanesque faite de tournois chevaleresques et d'amour courtois. Chose rare et précieuse, le dîner aux chandelles, avec vue sur les jardins de buis taillés au cordeau, s'accompagne d'une table exquise. Formé notamment par Harald Wolfhart au Schwarzwaldstube, Christian Bau est un amoureux des bons produits, dont un bon nombre proviennent de France : pigeon Mieral, agneau de lait du Limousin, foie gras des Landes… D'une exigence maniaque, il aime à dire que « le meilleur est juste assez bon » et veille quotidiennement à la qualité et à la constance des approvisionnements. S'il pratique une cuisine d'inspiration française classique, Christian Bau fait aussi preuve d'une belle liberté d'esprit et d'une

« La haute cuisine, c'est une question de personnalité et d'investissement personnel. Il faut être prêt à tout donner. "Qualität kommt von quälen" est ma devise. Ce jeu de mots allemand suggère qu'il ne peut y avoir de qualité sans tourment. »

SCHLOSS BERG
→ Allemagne

grande audace dans ses associations. Le foie gras des Landes donne un bel exemple de ce travail sur la complémentarité des goûts : le croquant de la noisette perturbe joyeusement le fondant du foie gras, tandis que l'amertume du café Arabica tranche avec les notes sucrées acidulées de la griotte. Même recherche avec le « thon rouge et tartare de homard » qui regarde franchement vers le Japon, accompagné de concombre, yuzu miso, aïoli de sésame, saké wasabi et… Crème de pomme glacée. Un choc des terroirs révélateur de saveur. Que dire enfin de ce mariage osé entre les crevettes sauvages, le cochon et le caviar… une sorte de grand écart des goûts que seul un virtuose des fourneaux peut se permettre.

En quelques années, la cuisine de Christian Bau a pris de l'ampleur ; une évolution remarquée par les gourmets et les chroniqueurs gastronomiques, qui la jugent débarrassée d'éléments superflus et revenue à l'essentiel : le produit s'en trouve sublimé, le palais surpris, l'esprit conquis. Et comme un grand repas est nécessairement un enchaînement ininterrompu de plaisirs, la table du Schloss Berg fait une place de choix aux fromages, sélectionnés par maître Anthony. Le bouquet final revenant au cortège des desserts, recettes classiques dûment revisitées : « la poire Belle Hélène, nouvelle version » ou le Schwarzwalder kirsch revu et corrigé. Enfin, Christian Bau en personne et son épouse Yildiz raccompagnent leurs hôtes à la porte du château… Un coup de baguette magique supplémentaire dans ce conte de fée moderne.

EXTRAIT DE LA CARTE

Foie gras d'oie des Landes, noisette, café arabica, marasque	Tartare de thon rouge et de homard, concombre du jardin, yuzu, miso, aïoli au sésame, crème glacée pomme, sake, wasabi	Cerise de Forêt Noire en dessert, Poire Belle Hélène revisitée

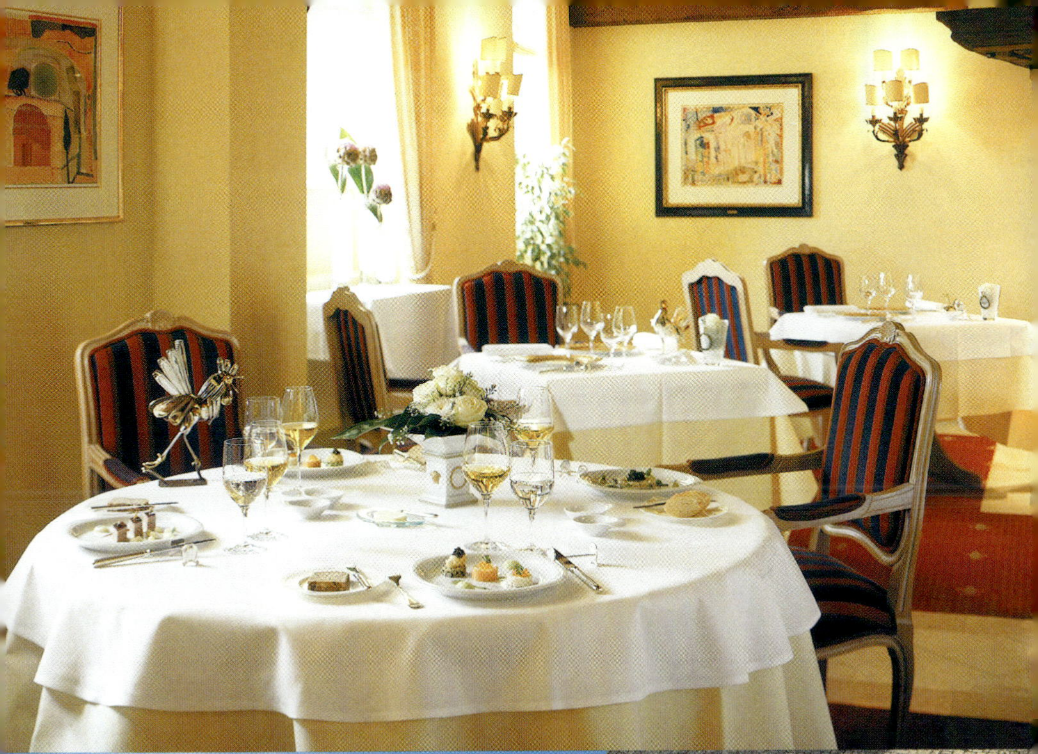
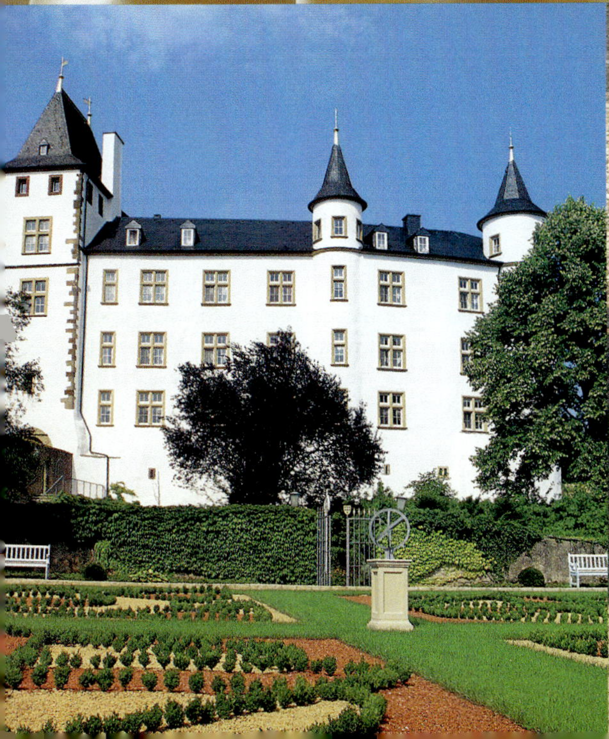
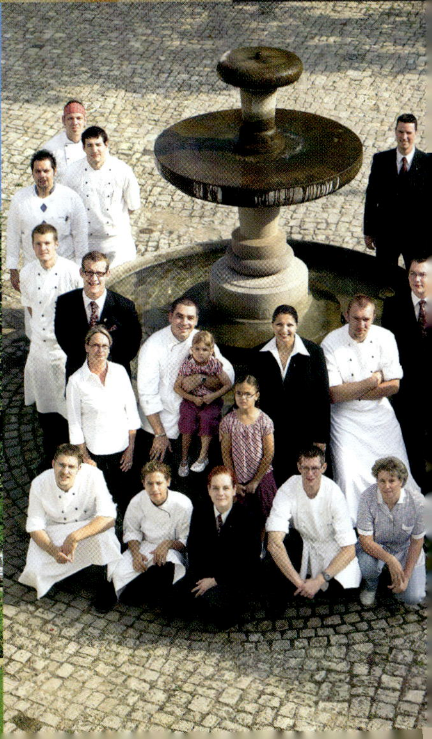

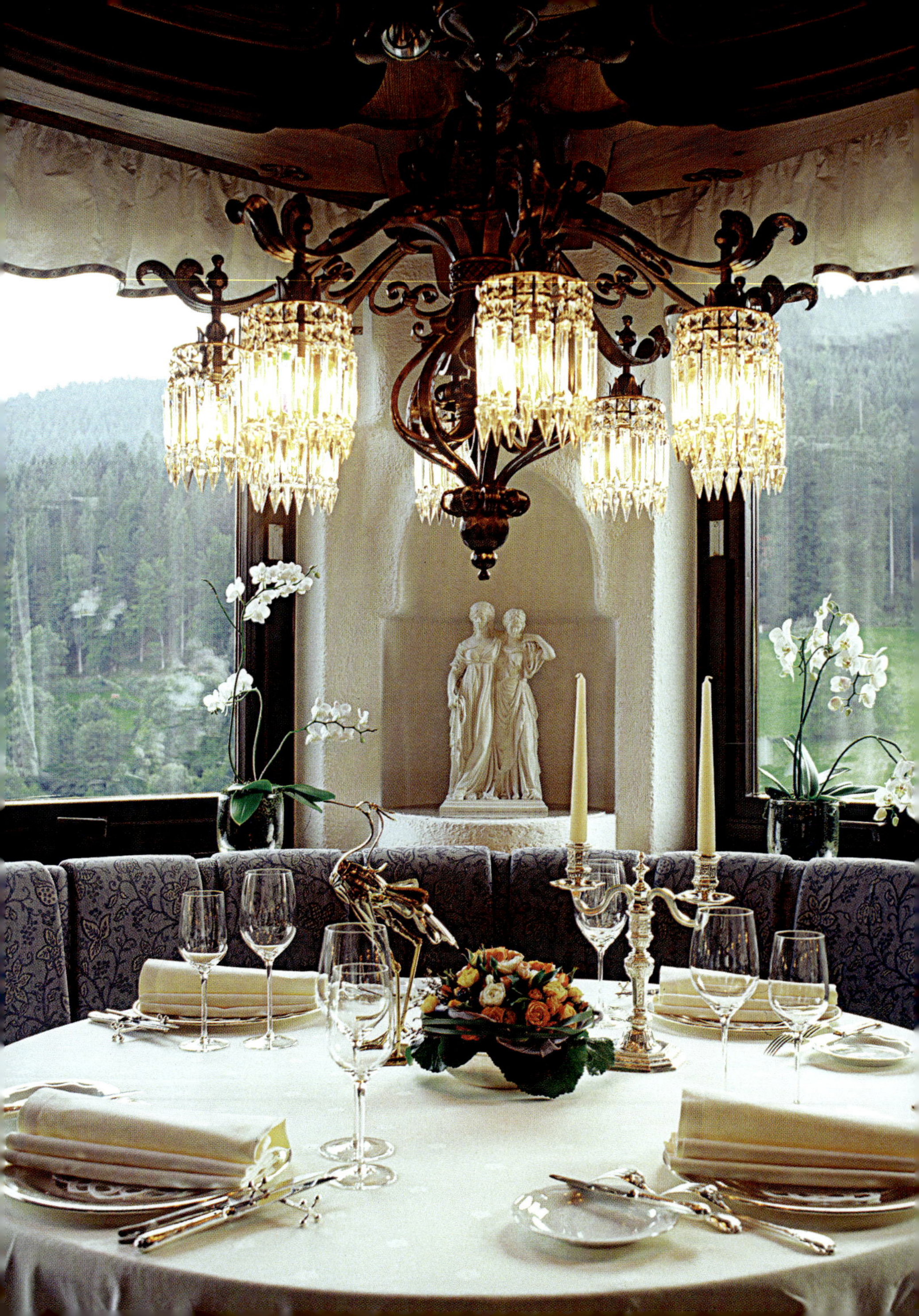

Tonbachstr. 237
72270 Baiersbronn
Tél. 00 49 7442 492604
Fax 00 49 7442 492692
info@dieschwarzwaldstube.de
www.traube-tonbach.de

Propriétaire : Heiner Finkbeiner
Chef : Harald Wohlfahrt

SCHWARZWALDSTUBE

→ Allemagne

❀❀❀ Si la Schwarzwaldstube n'appartient pas à Harald Wohlfahrt, cette maison est pourtant bien la sienne, puisqu'il y exerce ses talents de chef depuis l'ouverture du restaurant gastronomique en 1977. À cette époque, cet hôtel-restaurant familial en lisière de forêt n'a pas encore pris l'ampleur qu'on lui connaît aujourd'hui. Tout est à construire, à inventer, à défricher. Harald Wohlfahrt se souvient parfaitement du jour de l'inauguration du restaurant en présence de Paul Bocuse, de Michel Troisgros et d'Eckart Witzigmann, il se rappelle sa détermination à réussir, à atteindre les sommets après un court apprentissage chez Alain Chapel et Witzigmann. La première étoile s'impose dès la première année, la troisième brillera en 1992. Elle couronne une cuisine ample et aromatique, qui, tout en s'inspirant de la tradition classique, s'aventure hors des sentiers battus à la recherche d'alliances nouvelles. La carte d'Harald Wohlfahrt se révèle aussi un livre ouvert sur sa vie. Sa passion pour les produits raconte l'enfance d'un homme qui a grandi dans une ferme au contact direct de la terre. Le recours aux épices et aux herbes se fait l'écho de ses voyages, en Espagne, en Thaïlande, au Japon, en Polynésie française ; ceux accomplis et ceux dont il rêve… Ainsi voit-on coexister des plats régionaux typiques de la Forêt Noire – l'incomparable goût du terroir – avec des mets parés des voiles du Sud et de l'Orient, l'exquise saveur du dépaysement. Impossible de choisir entre « le filet de chevreuil poêlé dans un manteau de lard et son chou rouge caramélisé » ou la merveilleuse « essence de cèpes, petits raviolis de champignons des bois, croûton au foie d'oie », ou encore la « rosette de coquilles Saint-Jacques dans une nage à la noix de coco, noix de macadamia, feuilles de kafir et filaments de piment »… Ces dernières années, le travail du chef a encore gagné en finesse, se concentrant sur quelques ingrédients pour donner toute leur amplitude aux produits. Avec le concours de Pierre Lingelser, détenteur du titre de meilleur pâtissier d'Allemagne, dont il faut absolument goûter la glace à l'huile de graine de potiron, et Stéphane Gass, meilleur sommelier d'Allemagne, l'hôtel le Traube Tonbach est décidément l'endroit rêvé. Heiner Finkbeiner, héritier d'une famille qui possède l'établissement depuis le XVIIIe siècle, a transformé cette maison pimpante en grand paquebot de luxe conçu pour les voyages au long cours. Piscines, spa, bien-être du corps et de l'esprit… on vient pour les étoiles et l'on reste pour rompre les amarres et se ressourcer dans les doux replis de la Forêt Noire.

« Quand je suis arrivé au Schwarzwaldstube, je n'avais qu'une idée en tête, obtenir ma troisième étoile. J'ai tout fait pour ça, jusqu'à changer les menus entièrement tous les jours. Cette expérience m'a permis d'exercer ma créativité et d'atteindre le niveau d'aujourd'hui. Pourtant, rien n'est jamais acquis et tous les maillons de la chaîne sont importants, comme dans une équipe de foot. Le match se gagne à onze. »

EXTRAIT DE LA CARTE

Rosette de coquilles Saint-Jacques dans une nage à la noix de coco, noix de macadamia, feuilles de kafir et filaments de piment

Tourte de pommes de terre farcie aux joues de veau braisées, ris de veau et foie d'oie, sauce aux truffes

Pigeon grillé, laqué au miel de sapin et poivre noir, broccoli et jus au gingembre et citron vert

SCHWARZWALD STUBE
→ Allemagne

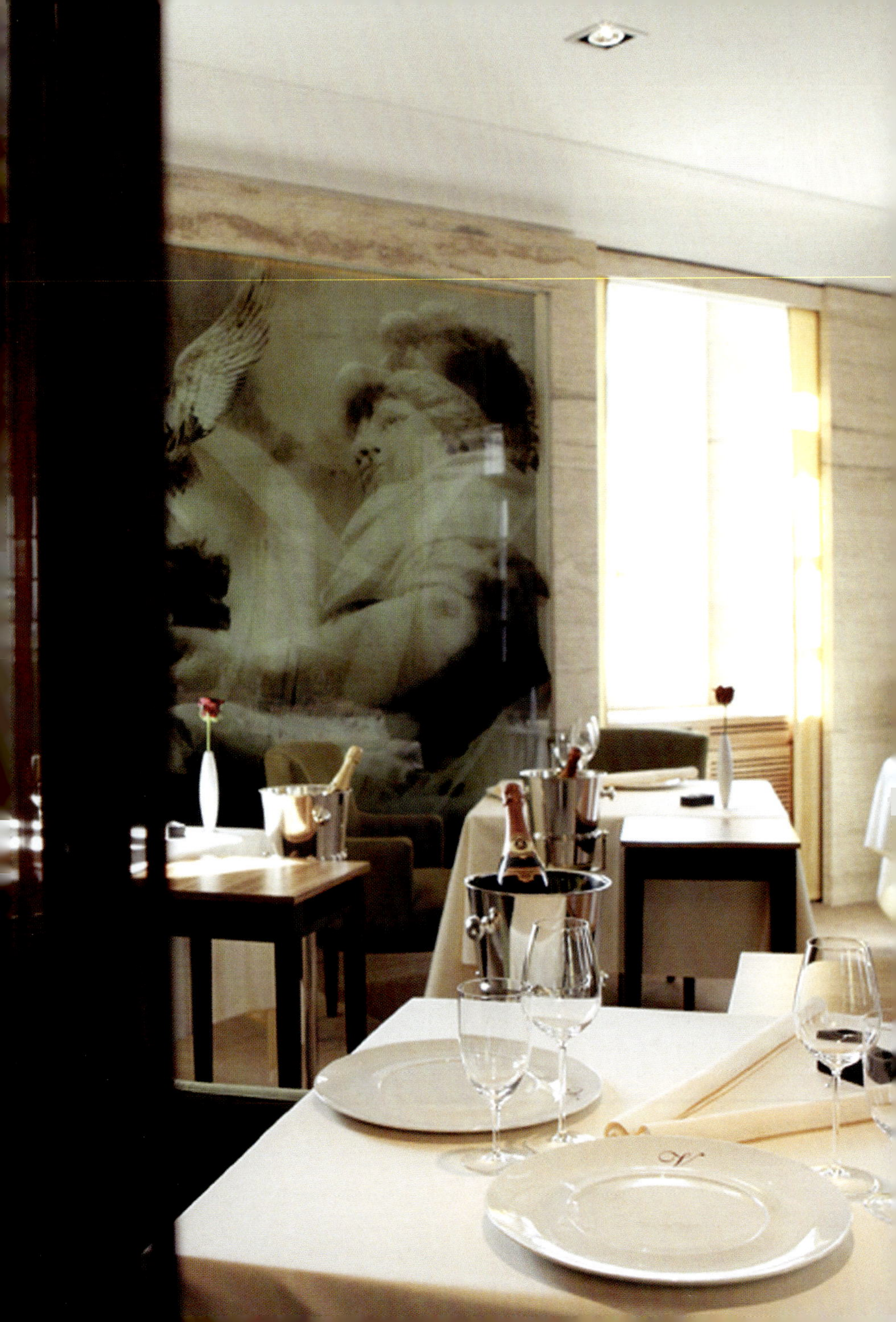

Kadettenstraße
51429 Bergisch Gladbach-Bensberg
Tél. 00 49 2204 420
Fax 00 49 2204 42 888
info@schlossbensberg.com
www.schlossbensberg.com

Propriétaire : Thomas Althoff
Chef : Joachim Wissler

VENDÔME

→ Allemagne

🕸🕸🕸 Avec sa vaste cour d'honneur, ses clochetons baroques, ses salons ornés de fresques, le Grand Hôtel Schloss Bensberg compte parmi les plus beaux palaces d'Europe. Et comme un bonheur n'arrive jamais seul, ce chef-d'œuvre de l'architecture baroque du Nord abrite aussi l'un des meilleurs restaurants du monde : le Vendôme, du nom de la célèbre place parisienne, hommage discret à la haute cuisine française. Joachim Wissler est aux commandes de ce somptueux vaisseau qui attire une clientèle dorée aux papilles affûtées. Fils de restaurateurs, l'homme confectionne ses premiers spätzle à dix ans à peine. Né dans les casseroles et naturellement doué, il n'aura qu'une idée en tête : cuisiner encore et encore jusqu'à atteindre les sommets. Son apprentissage commence dans l'une des meilleures fabriques d'étoilés d'Allemagne : le Traube Tonbach auprès de Harald Wohlfahrt. Plus tard, Joachim Wissler prendra les rênes de la cuisine du Brenner's Parkhotel à Baden Baden avant de s'installer au restaurant Marcobrunn, au château Reinhartshausen à Erbach, où il décrochera deux étoiles. L'entrée au Vendôme, en 2000, marque le début d'un triplé rare dans le monde de la gastronomie : la première étoile apparaît en 2001, la deuxième en 2002

« Je cuisine parce ce que c'est ce que je fais de mieux. D'après ma femme...
Qu'est-ce qui m'inspire ? Tout ce qui se mange m'inspire.
Votre produit préféré ? Tout ce qui vient du porc, de la tête jusqu'à la queue.
Comme on dit en France, dans le cochon, tout est bon.
Une définition de ma cuisine ? Pure, moderne, traditionnelle, et parfois très provocatrice. »

VENDÔME
→ Allemagne

et la troisième en 2004 ! Preuve, s'il en est, du talent hors norme de ce chef aux doigts d'or. Dans cette salle de restaurant du dernier chic, où le bois, le granit et le verre composent un ensemble harmonieux à la sobriété élégante, on pourrait se contenter d'une grande cuisine classique de bonne facture. La lecture de la carte apporte une première réponse : cette « Salade de langue et museau de boeuf, crème de wasabi et fontina » ou ce « Brochet de l'Atersee rôti, écrevisses et museau de porc, jus au laurier, gelée de pommes de terre » n'ont rien de conventionnel. Dans l'assiette, on franchit une étape supplémentaire : on est surpris par la fraîcheur éclatante d'éléments savamment disposés. La dégustation confirme l'intuition. Joachim Wissler est un maître es harmonies. Qu'il mette en scène quelques ingrédients simples ou échafaude des associations complexes, sa cuisine se révèle soyeuse, virtuose, tout simplement sublime. Aucune des techniques d'aujourd'hui ne lui est étrangère, aucun produit n'est tabou. Joachim Wissler compose, comme il l'entend, avec l'intuition et la rigueur des grands artistes. Les « spaghettis au bouillon de veau accompagnés d'une mousse de carbonara et de caviar », le « foie gras cru mariné et chocolat noir amer, gelée de banyuls, purée glacée de pomme et coriandre », « l'agneau aux poivrons sur braise et olives sphériques »… Entre ses doigts, tout semble neuf, exquis, glorieux.

EXTRAIT DE LA CARTE

Oreille et queue de cochon croustillantes chou blanc braisé et prunes salées caramélisées

Ventre de thon à l'eucalyptus et au cassis amandes fraîches et glace de foie gras

Tête de veau rôtie à la vinaigrette persil-raifort céleri-rave et aïoli aux câpres

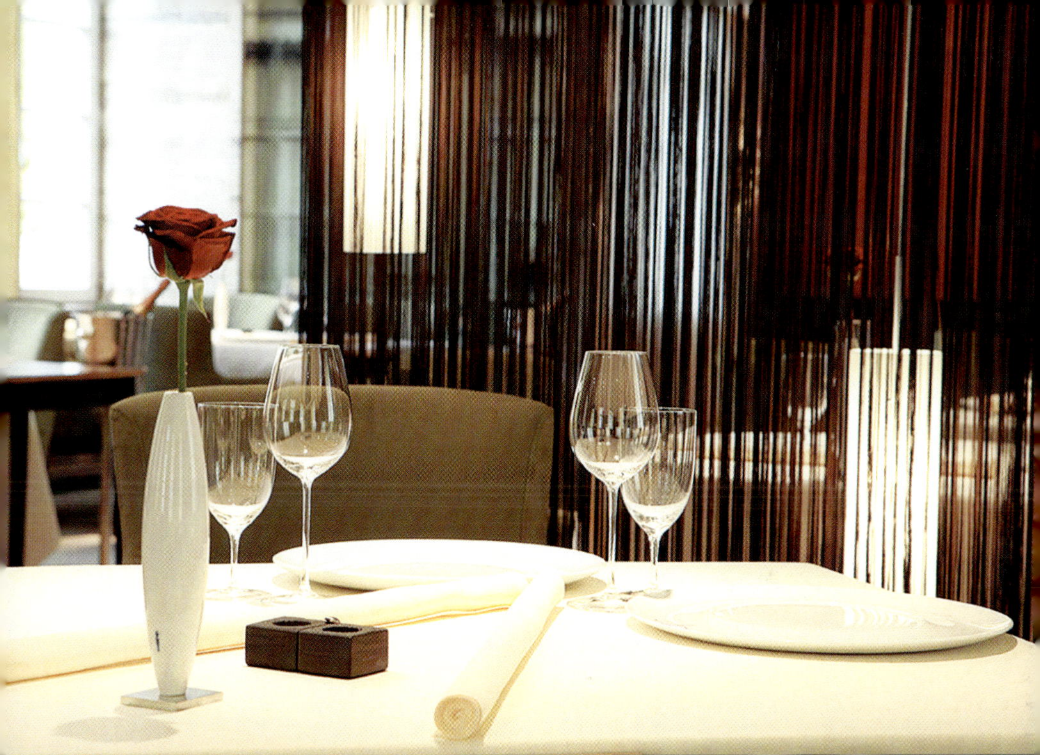
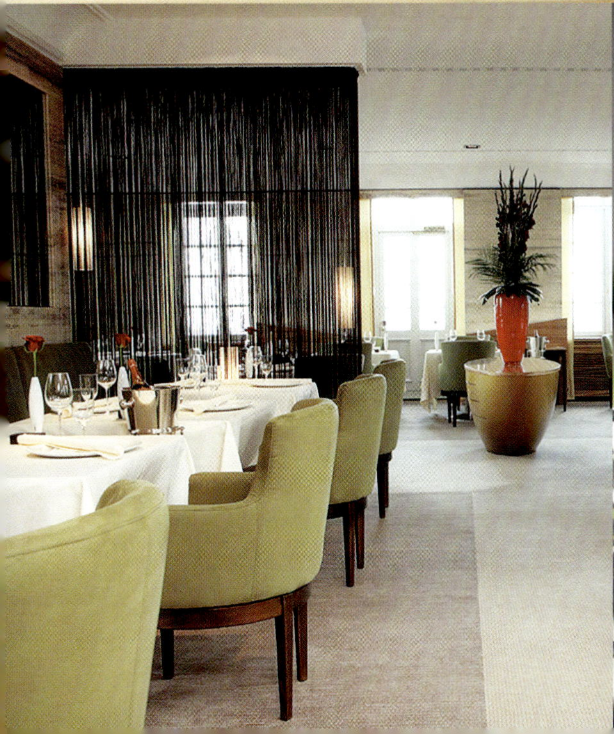
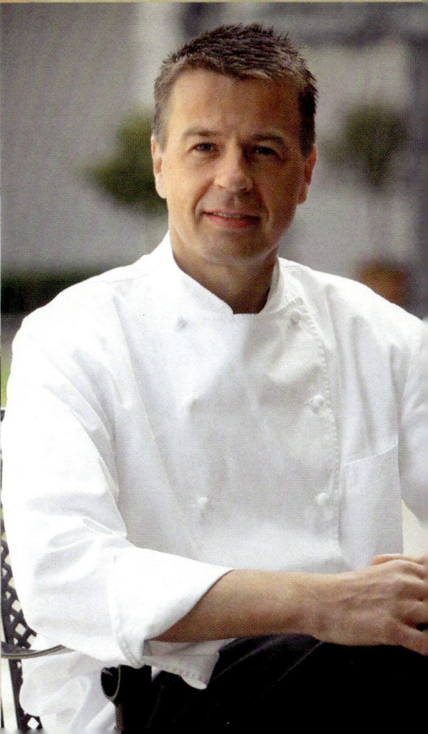

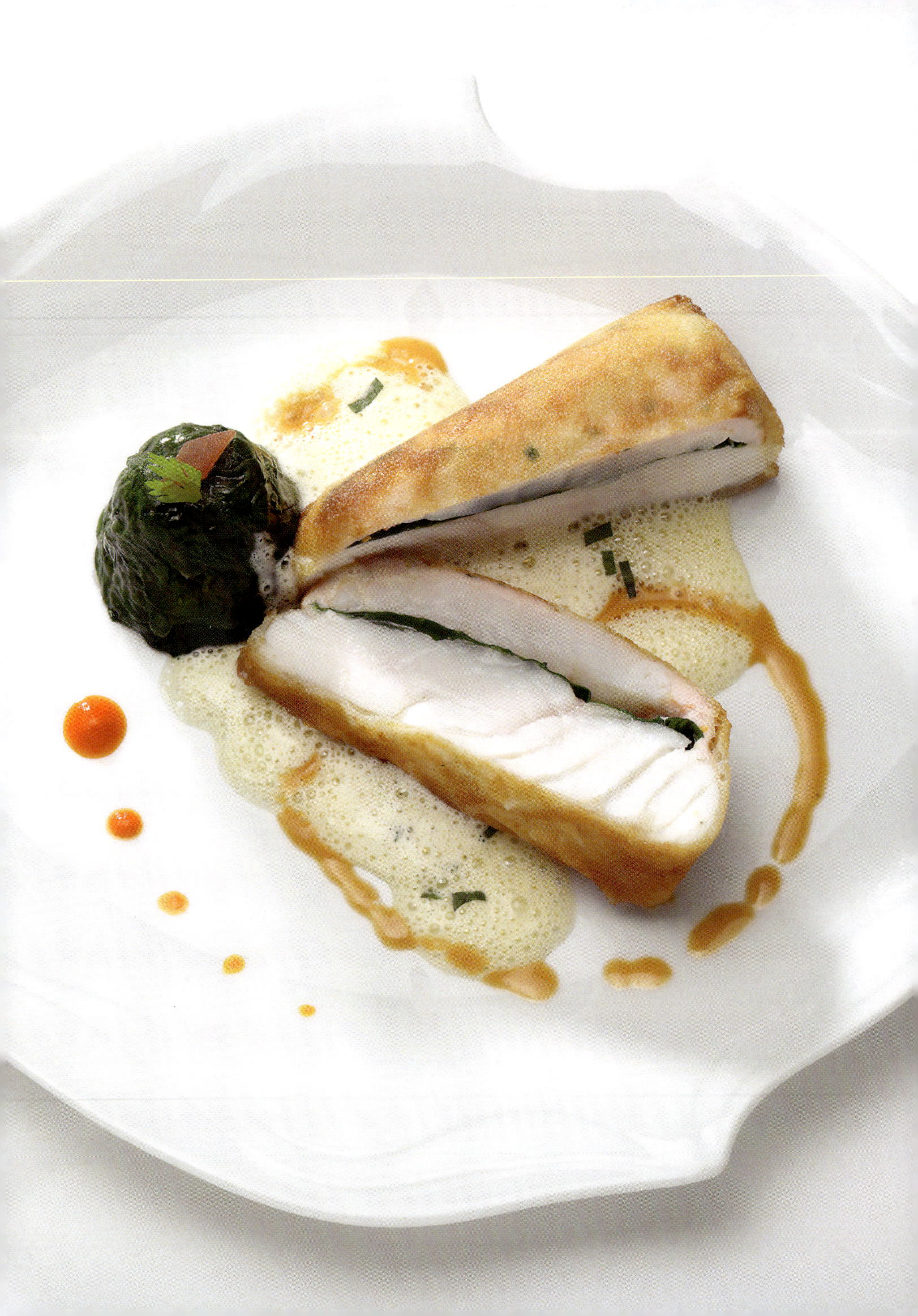

Auf dem Eichelfeld 1
54518 Dreis bei Wittlich
Tél. 00 49 6578 98 220
Fax 00 49 6578 1402
info@hotel-sonnora.de
www.hotel-sonnora.de

Propriétaire et chef : Helmut Thieltges

WALDHOTEL SONNORA

→ Allemagne

❁❁❁ Plongée en eaux profondes, dans la forêt mosellane et son écume de sapins. Au bout du monde, entre Trève et Coblence, la route étroite qui mène au Waldhotel Sonnora s'étire dans la fraîcheur des arbres. Quelques lacets plus tard, un grand chalet blanc surgit au creux de son écrin vert émeraude. Construit dans les années 70 par la famille Thieltges, cette belle demeure largement ouverte sur la nature succède à une première auberge, plus modeste, où Helmut Thieltges a grandi, bercé par le bruit des casseroles et le cliquetis des couverts. La cuisine sera sa vie, naturellement. Après quelques années d'apprentissage en Allemagne et en Suisse dans des palaces réputés, il reprend l'affaire familiale avec l'unique souci de bien faire ; ce qui, pour un perfectionniste comme lui, signifie beaucoup plus. Admirateur de Paul Bocuse, amateur de cuisine française, il part en quête de produits d'exception et découvre l'univers de la mer. Les étoiles suivent, avec régularité, couronnant un travail d'orfèvre, plébiscité par les gourmets de tous horizons.

Contrairement à ses pairs, Helmut Thieltges réserve toute son énergie à la cuisine, il n'accorde que très peu d'interviews, il n'a jamais publié

WALDHOTEL SONNORA
→ Allemagne

de livre. Retiré dans son chalet blanc au milieu d'une forêt que l'on imagine peuplée d'elfes, il se concentre sur son art, avec une façon de s'abstraire du monde qui le préserve des excès de la mode. Sa créativité n'en est pas altérée. Jugez plutôt : « poitrine de canard de Challans en croûte d'épices, nectarines glacées, sauce au gingembre », « filets de sole, crème de polenta truffée, jeune poireau et croûtons au foie gras », « poêlée de rognon, ris et tête de veau à l'échalote douce, sauce au vinaigre balsamique », « tartelettes de filet de bœuf et caviar d'Iran sur pommes de terre rôties »... Le menu dégustation, renouvelé chaque jour, est assorti d'un ballet d'amuse-bouche d'une infinie délicatesse.

Goût des bons produits, souci du détail, esprit d'invention, générosité... il ne manque aucune qualité à la cuisine d'Helmut Thieltges, qui trouve un cadre à sa mesure dans l'élégante salle de restaurant du Waldhotel Sonnora. La rotonde, les vastes baies vitrées, les colonnes, l'accent Napoléon III du décor donnent au lieu un petit air parisien qui s'harmonise parfaitement avec l'inspiration française du chef.

« Vivre comme Dieu en France », aime à dire le maître des lieux, citant un proverbe allemand. « Vivre heureux au divin Sonnora » pourrait être la devise des gourmets en quête d'un nouveau paradis du goût.

WALDHOTEL SONNORA
→ Allemagne

« …La cuisine, c'était toujours mon travail de rêve et il me rend toujours heureux et satisfait. Je suis inspiré par les bons produits et l'attention de mon invité. Mes produits préférés sont les langoustines et les fruits de mer. Ma cuisine est une cuisine française classique avec une interprétation moderne. »

EXTRAIT DE LA CARTE

Loup de mer grillé sur lit de fenouil, vinaigrette méditerranéenne

Magret de canard de Challans au sang et sa peau épicée, nectarines glacées et sauce au gingembre.

Filets de sole sur crème de polenta truffée aux jeunes poireaux et croûtons au foie gras d'oie.

DE KARMELIET   HOF VAN CLEVE
Brugge   Kruishoutem

→ BELGIQUE
❀❀❀

Le plat pays ne manque pas de relief culinaire. Deux des meilleurs représentants de l'Europe gourmande y cultivent un jardin de délices. Geert Von Hecke, amateur de saveurs métissées, cueille un peu partout dans le monde les épices et les herbes qui viennent donner grâce et musicalité à sa cuisine. Peter Goossens trouve l'harmonie dans la rencontre des goûts, des couleurs et des textures. La terre flamande et la mer du Nord constituent la toile de fond de ces chefs aux palais affûtés, arpenteurs de saveurs. À Bruges, dans l'intimité douce d'un ancien couvent ou à Kruishoutem, entre ciel et terre, la Belgique dévoile un autre de ses talents : ce goût naturel pour les belles choses, ce don d'éclairer la scène d'une lumière spéciale, intérieure, presque sacrée, hérité des grands peintres flamands.

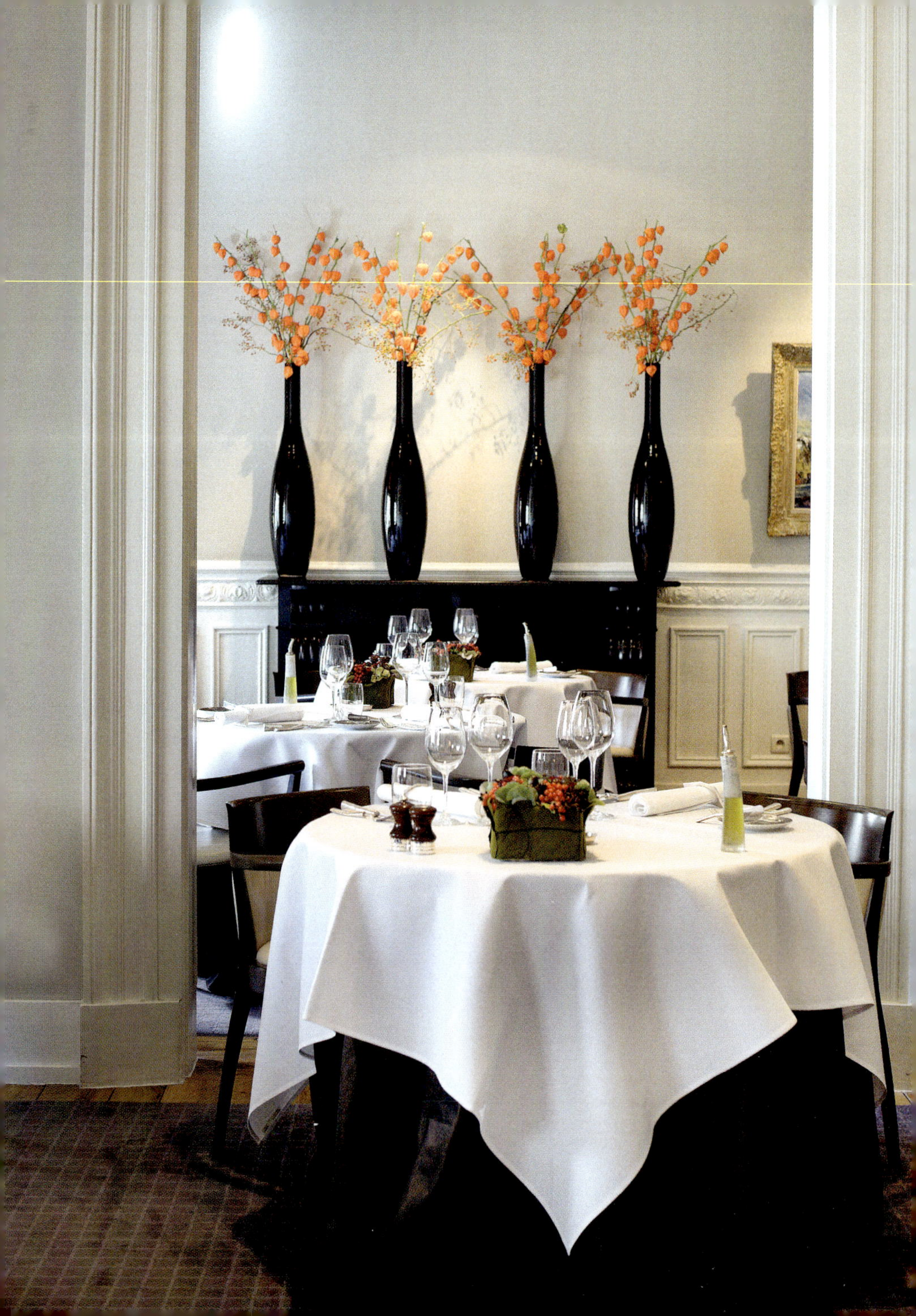

Langestraat 19
8000 Brugge
Tél. 0032 50 33 82 59
Fax 0032 50 33 10 11
karmeliet@resto.be
www.dekarmeliet.de

Propriétaire et chef: Geert Van Hecke

DE KARMELIET

→ Belgique

❀❀❀ À Bruges, au cœur de la Venise du Nord, De Karmeliet s'annonce comme un lieu bénit des dieux, une chapelle de délices où la première règle est de lire et de relire pieusement la carte comme un missel. « Omelette provençale à la tapenade de crevettes, tartare de tomate cœur de bœuf, chantilly au fenouil et soupe glacée, sardine marinée ». Dès les premiers mots, la magie opère. On y lit authenticité et métissage, la promesse d'un chef capable d'évangéliser les foules à travers une heureuse composition de goûts. Ensuite, on se laisse aller au bonheur d'être là, en terrasse avec vue sur un ravissant jardin de curé ou bien confortablement installé dans l'une des deux salles du restaurant élégamment décorées : des nappes blanches jetées sur un drapé noir, des parquets cirés aux reflets châtains, des tableaux de maître, des vases longilignes d'où s'échappent des bouquets graphiques. Le pain, ici plus encore qu'ailleurs, est un ambassadeur de choix, car Geert Van Hecke est petit-fils de boulanger. Il achète sa farine à 300 kilomètres de là et la tamise lui-même. Une bouchée de ce pain cuit à point, croustillant et moelleux à souhait, s'impose en préambule à la dégustation des spécialités de la maison. Plusieurs orientations possibles pour le gourmet : la

« *Je réalise une cuisine de saison franco-belge, dans laquelle j'introduis quelques épices asiatiques. Je suis un instinctif, je travaille sans recette, en reprenant mes plats jusqu'à trouver la forme adéquate. Je fais ce que j'ai envie de faire avec les meilleurs produits.* »
« *La région m'inspire. Je suis un fidèle d'Alain Chapel, qui savait si bien mettre en valeur son terroir. Ici, on n'a ni les grenouilles, ni les tripes (dont je garde un souvenir très précis). On exploite les richesses de notre terre.* »

DE KARMELIET
→ Belgique

carte, qui propose une brillante interprétation du répertoire classique, ou les menus avec des balades inspirées du « plat pays » et « Brugge die Scone ». La première emprunte largement à la grande tradition culinaire française : marbré de foie d'oie, perdreau et marrons confits, noisette de chevreuil rôti... Les seconds s'aventurent dans des contrées imaginaires où le mariage des ingrédients abroge les frontières, depuis « l'épeautre comme un risotto au fromage et anguille fumée » aux « noisettes de thon rôties à la plancha, pommes vertes et crabe, sauce yaourt au curry de Madras, beignets de moules de bouchots ». Geert Van Hecke, qui pourtant voyage peu, aime le choc des cultures, les confrontations de textures et de saveurs : un zeste d'Italie, un doigt d'Espagne, une belle pincée d'Asie... Et il ne transige pas sur les matières premières. Sa cuisine est un carrefour où se télescopent les appellations d'origine contrôlées : le pigeon de la Dombes, les oignons roses de Roscoff, les volailles de Bresse – poularde pattes noires et pintadeau –, les rattes du Touquet, les crevettes grises de Zeebrugge... La plupart de ses produits, sélectionnés avec un soin jaloux, proviennent de France. Quant au plateau de fromages fermiers, il rassemble meilleurs échantillons du plat pays, accompagnés de fruits confits en croûte de pain – une création originale du chef. Et dire qu'à l'ouverture, De Karmeliet était un petit restaurant de dix couverts, réservé à quelques fidèles...

EXTRAIT DE LA CARTE

Œuf fermier frit en croûte de pain, mousseline de petits pois et truffe noire de Richerenche

Langoustine Royale ventrèche de porc « Duke of Berckshire » laquée aux épices, vinaigrette de jeune poireau

Gibier en saison

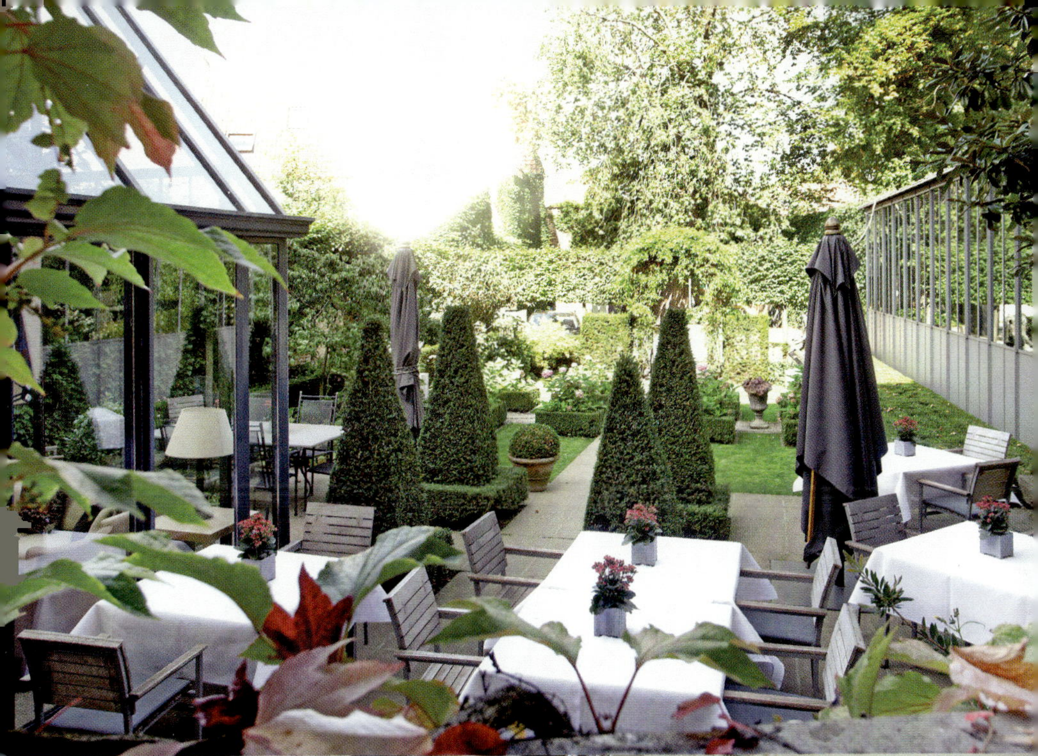
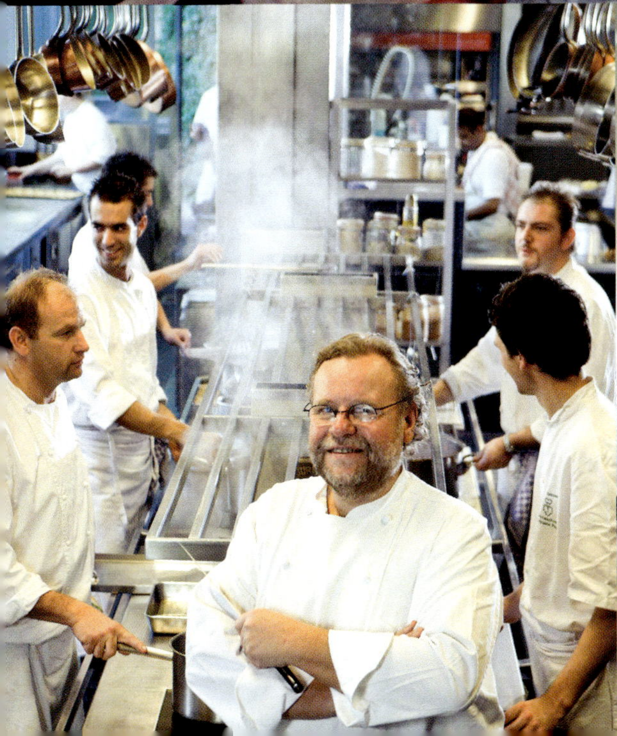
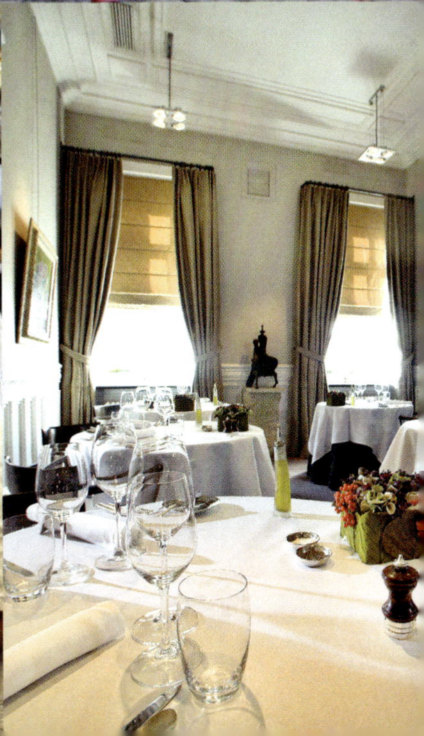

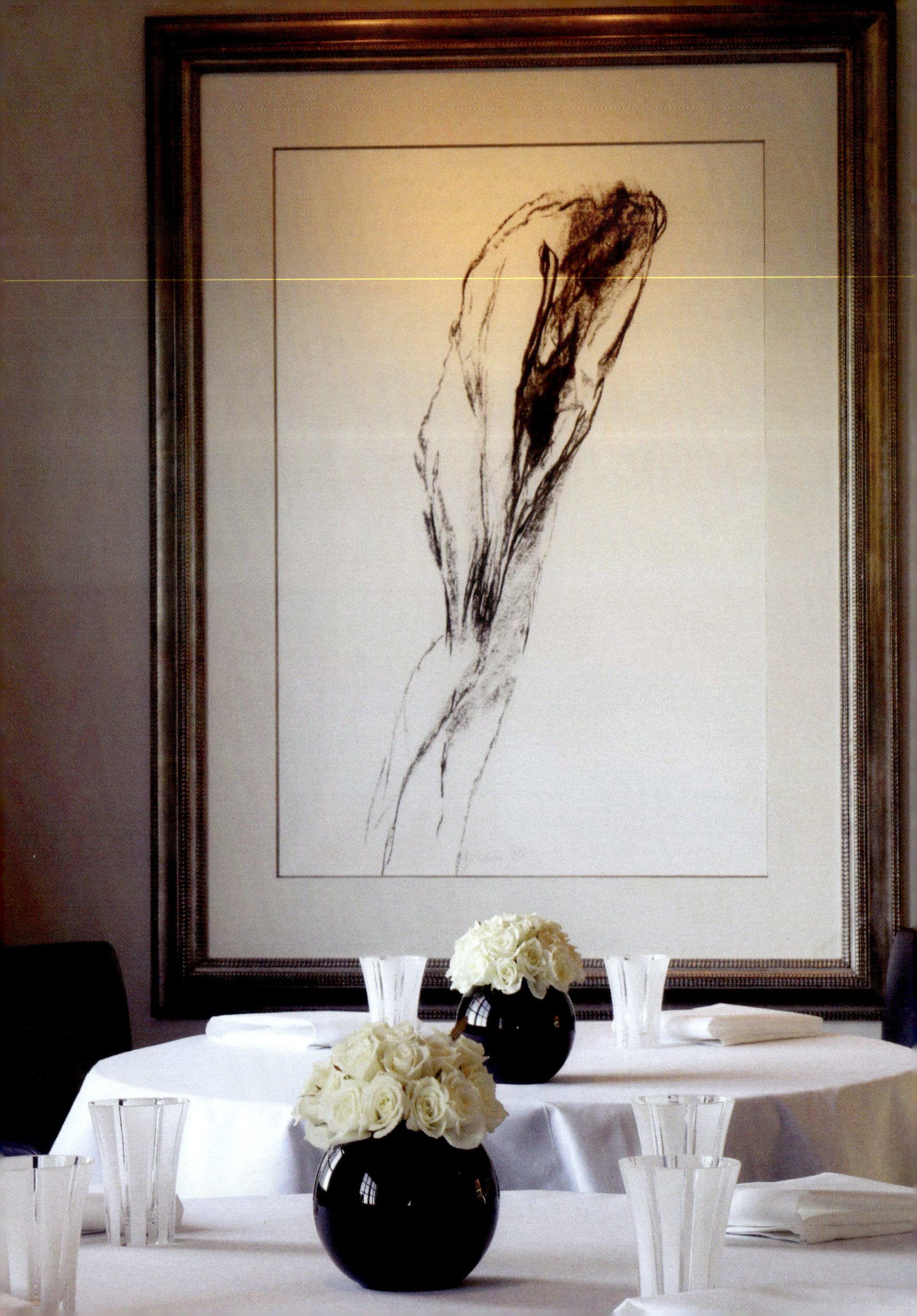

Riemegemstraat 1
9770 Kruishoutem
Tél. 00 32 09 383 5848
Fax 00 32 09 383 7725
info@hofvancleve.com
www.hofvancleve.com

Propriétaire et chef : Peter Goossens

HOF VAN CLEVE

→ Belgique

✿✿✿ Et dire que Peter Goossens a dû attendre plusieurs années avant de pouvoir s'exprimer en cuisine comme il l'entend. Quand il achète cette ravissante ferme, assise sur la crête d'une petite colline entre ciel et terre, il signe avec l'ancien propriétaire, alors détenteur d'une étoile, une clause de non-concurrence qui l'engage à servir une cuisine simple, sans aucune prétention gastronomique. Mais… chassez le naturel, il revient au galop. Dès qu'il en a le droit, Peter Goossens déploie ses ailes et rejoint vite les sommets étoilés. Très attaché à la terre flamande qui l'a vu naître, il tisse une relation charnelle avec les produits de son terroir, en particulier les poissons de la mer du Nord dont il nous fait toucher du doigt l'excellence. Cette passion pour les fruits de la nature dépasse naturellement les frontières de la Belgique, englobant les provinces françaises, où il s'approvisionne en agneau des Pyrénées, homard breton, pigeonneau d'Anjou ou langoustine du Guilvinec…, sans oublier le Japon et l'Orient, deux sources d'inspiration récurrentes.

Harmonie est sans doute le mot qui décrit le mieux la cuisine de Peter Goossens. Harmonie des couleurs, des saveurs, des textures, équilibre

HOF VAN CLEVE
→ Belgique

parfait dans la gamme chromatique des goûts à travers l'usage intelligent des herbes et des épices, l'association d'ingrédients qui trouvent miraculeusement leur opposé ou leur complémentaire. Ne vous y trompez pas, derrière la simplicité apparente de la carte, l'expression culinaire se révèle très sophistiquée et la mise en scène époustouflante. Voyez le thon bleufin, coquillages, citronnelle et concombre, surmonté d'un savant négligé de pousses champêtres, le pigeonneau d'Anjou, champignons, sauge, maïs, disposé sur l'assiette comme une toile de Miro, la coquille Saint-Jacques de Dieppe, marrons, salsifis, foie d'oie, nappés d'une émulsion rose pâle…

A Kruishoutem, dans cette maison blanche baignée de lumière que Lieve Goossens enveloppe de sa sensibilité féminine, tout est fait pour le contentement absolu des sens : le choix des tableaux contemporains en écho aux compositions colorées du chef, la vaisselle d'une blancheur immaculée, le ballet bien orchestré du service dont les gestes semblent anticiper, mystérieusement et sans ostentation, le moindre de vos désirs, la fête des saveurs enfin, où chaque bouchée prépare la suivante – croquante, fondante, mousseuse, veloutée – dans un merveilleux crescendo sensuel et gourmand.

HOF VAN CLEVE
→ Belgique

« J'aurais préféré qu'au mot gastronomie, le langage en substitue un autre, plus proche de l'essence de la cuisine. Ma conquête personnelle a d'abord été celle du goût. A l'image de ceux qui pratiquent intensément ce métier, je me vois comme un compositeur de saveurs. Mais je suis loin d'être seul. La sophistication de notre cuisine requiert des constructions élaborées. Chacun y a sa part. C'est ainsi que de nouvelles générations de cuisiniers entrent dans la connivence de nos passions. »

EXTRAIT DE LA CARTE

Le pigeonneau d'Anjou   Le tronçon de gros turbot grillé   Le ris de veau croquant

164   LUNG KING HEEN   ROBUCHON A GALERA
      Hong Kong   Macao

→ CHINE
❀❀❀

La cuisine chinoise révèle une incroyable palette de techniques culinaires et de produits : poissons de mer et d'eau douce, fruits de mer, viandes, volailles, reptiles, œufs de toutes les espèces, légumes, racines, fruits, herbes et épices…

Parler d'une cuisine chinoise, c'est donc commettre une hérésie. Elle n'existe pas en tant que telle : parlons plutôt de la cuisine de Canton, de Pékin, de Shanghai, du Sichuan, du Wenzhou, du Yunnan, du Fujien… L'étendue géographique de l'« Empire du Milieu » est le territoire d'une mosaïque infinie de cuisines, toutes différentes les unes des autres.

Une multitude bien peu connue en Occident, car la cuisine chinoise qui a été la plus exportée est celle de Canton. Parce qu'elle est la meilleure ? Certains exemples du contraire, comme les raviolis de Shanghai, le tofu sichuanais, le canard pékinois, se sont faits une place de choix sur toutes les tables chinoises du globe. Mais il faut reconnaître à la cuisine cantonaise un raffinement particulier, une recherche approfondie dans les techniques culinaires, les parfums et les textures. Et ce n'est peut-être pas un hasard si les meilleures tables de la Chine elle-même réservent toutes et toujours sur leurs cartes une place de choix à la cuisine de Canton.

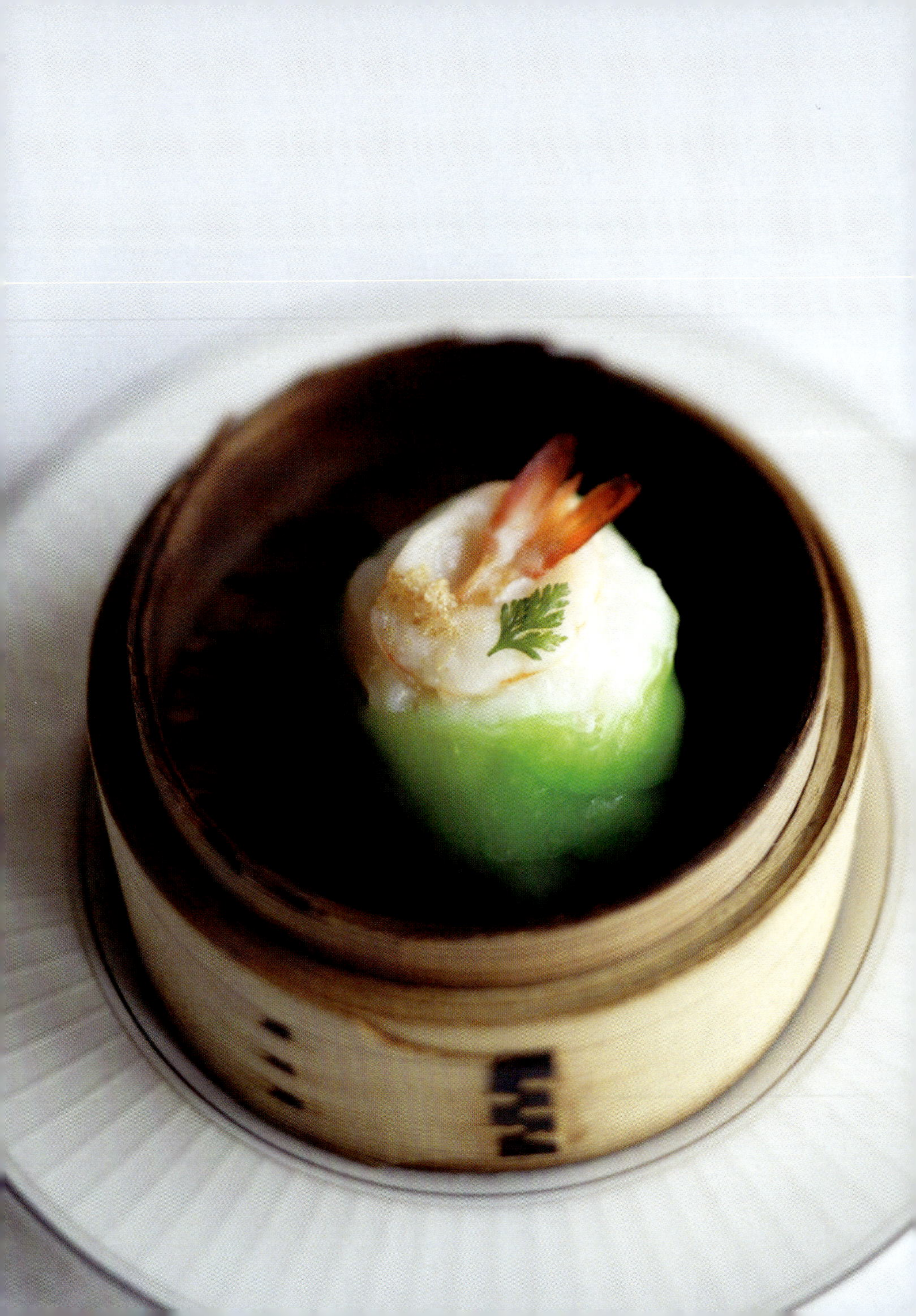

Four Seasons Hotel
8 Finance Street, Central
Hong Kong
Tél. 00 852 3196 8888
Fax 00 852 3196 8899
www.fourseasons.com/hongkong/dining

Propriétaire : Four Seasons Hotel
Chef : Chan Yan Tak

LUNG KING HEEN

→ Chine

❃❃❃ Depuis son rattachement à la Chine, Hong Kong n'a rien perdu de sa vitalité. Elle reste ce frénétique carrefour d'affaires international, et dans ses rues éclairées de milliers d'enseignes aux néons, on entend toujours parler l'anglais, le cantonais, le mandarin, le japonais et cent autres langues d'Europe et d'ailleurs.
Pas étonnant, donc, d'y trouver aussi quelques-unes des meilleures tables du monde. Notamment celle de Lung King Heen, le restaurant de l'hôtel Four Seasons. A cuisine d'exception, panorama d'exception : de ses grandes baies vitrées, le Lung King Heen, littéralement « la vue du dragon », ouvre une fenêtre sans pareille sur Kowloon, la rive des « Neuf dragons ». D'où son nom… et une cuisine à faire rugir de plaisir le mythique animal.
Car ici, on travaille le meilleur produit, avec la plus grande exigence de qualité, mais aussi de diversité – ne sommes-nous pas à Hong Kong ? En véritable enfant du pays, le chef Chan Yan Tak est le premier défenseur de cette mixité des saveurs, des textures et des tendances. Comme s'il n'était lié à aucun préjugé de goût ni de parfum, il marie sans complexe la tradition de la cuisine cantonaise – la plus prisée des

« *Pour moi, le produit est ce qu'il y a de plus important. J'ai la chance d'être dans un grand hôtel qui me donne les moyens de faire venir les meilleurs produits du monde entier. Mais ma cuisine est incontestablement cantonaise. La différence entre la cuisine chinoise et française, desquelles on dit que ce sont les grandes cuisines du monde, est surtout dans l'utilisation du feu. En Chine, le feu est fort et court. En France, il est doux et long. L'un n'est pas meilleur que l'autre, il faut juste savoir les maîtriser.* »

LUNG KING HEEN
→ Chine

Chinois et la plus réputée des cuisines de Chine – avec des concepts européens, asiatiques et océaniques. En témoignent ces classiques raviolis à la vapeur, farcis de homard, de coquilles Saint-Jacques, de crabe, de garoupe et de crevettes, qui côtoient sur la carte un foie gras d'oie à la vapeur venu de France, couronné de copeaux d'orange confite et accompagné d'un ormeau frais d'Afrique du Sud, champignons shiitaké japonais et de légume vert chinois. Témoin encore ces coquilles Saint-Jacques croustillantes aux poires fraîches d'Australie, crevettes émincées, le tout fariné et frit dans une légèreté exquise dont le chef seul détient le secret.

Aussi, dès le petit-déjeuner, n'hésite-t'on pas à mettre de côté son café au lait et ses croissants pour les délices de cet Orient extrême : dim sum à la vapeur, fins et délicats, rouleaux frits incroyablement aériens, congees goûteux et si souples qu'ils glissent en bouche comme une caresse… Autant de douceurs que l'on apprécie avec encore plus de plaisir, dans l'atmosphère ouatée de la salle, en regardant le ballet incessant des ferries dans la baie.

EXTRAIT DE LA CARTE

Soupe d'aileron de requin Hoi Fu mijoté à la crème de crabe et aux feuilles d'or	Ventrèche de cochon à la Dong Po	Canard rôti pékinois (dîner seulement)

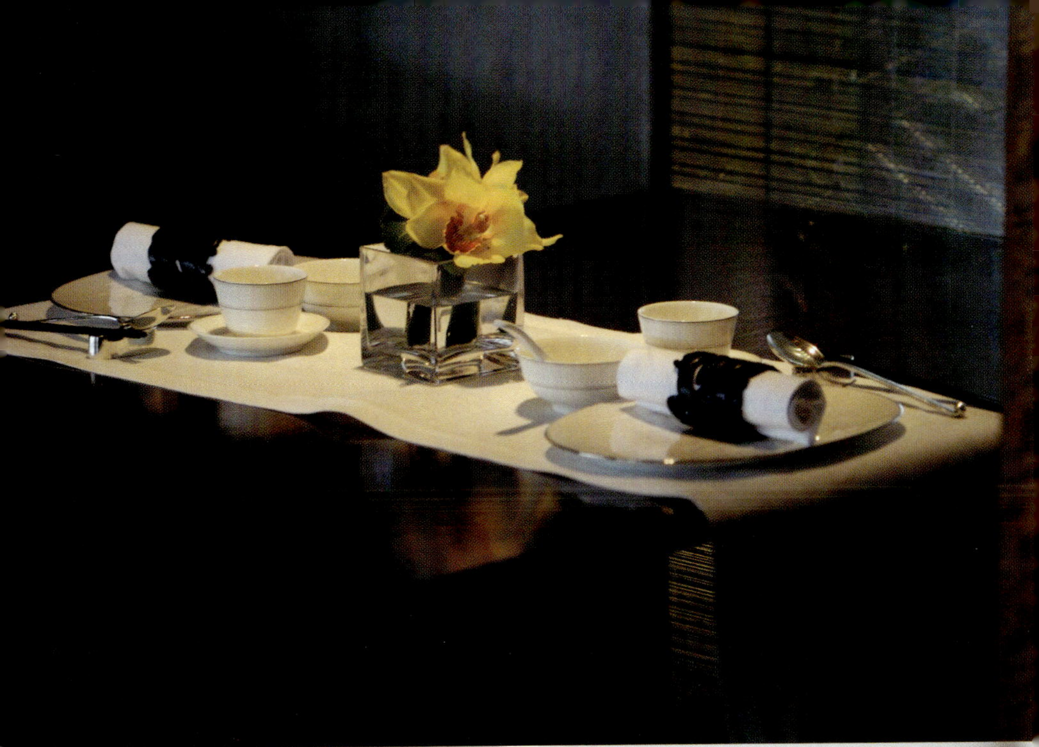

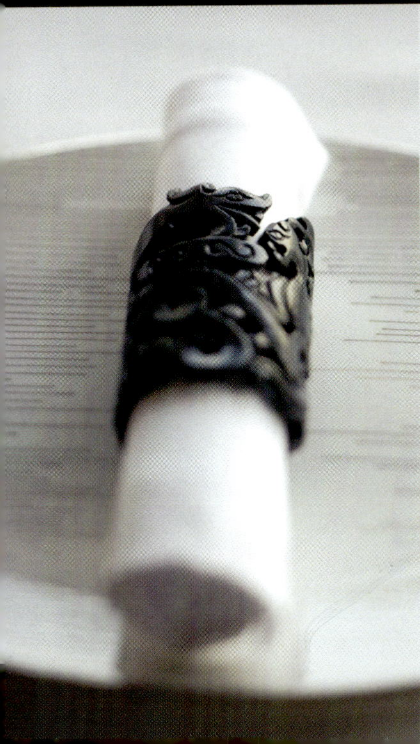

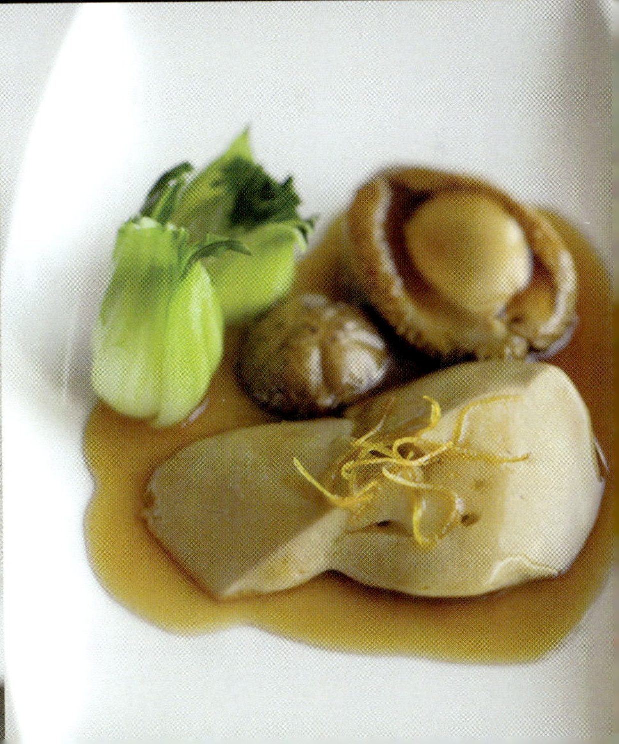

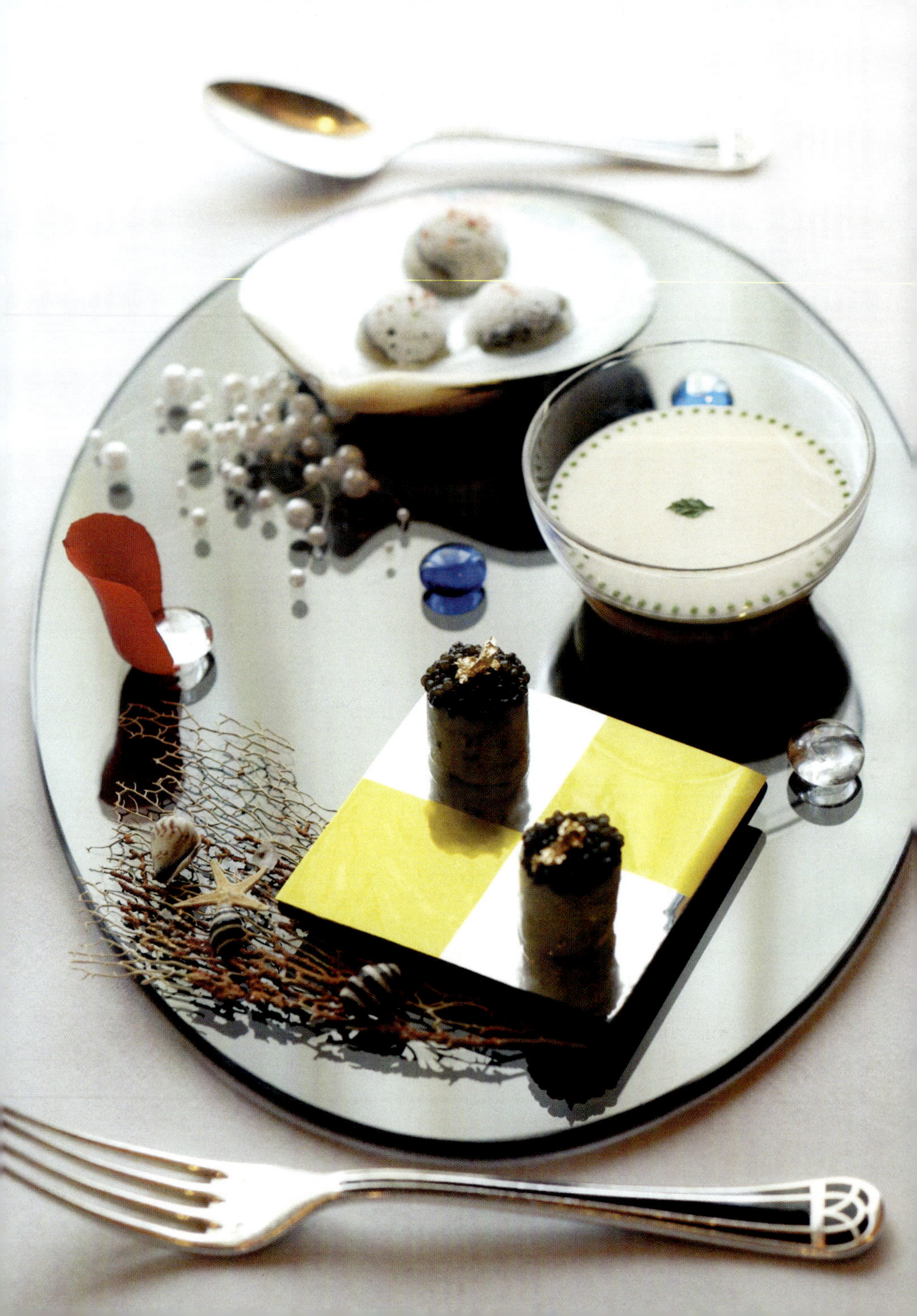

Hotel Grand Lisboa
2-4 Avenue de Lisboa
Macao
Tél. 00 853 2888 3888
Fax : 00 853 8803 3310
www.hotelisboa.com

Propriétaire : Hotel Grand Lisboa
Chefs : Joël Robuchon et Francky Semblat

ROBUCHON A GALERA

→ Chine

✿✿✿ Un hall traversé par un dragon doré, de grands miroirs reflétant chaque lumière, des fontaines suspendues… Bienvenue au « Las Vegas » de l'Orient ! Sauf qu'ici, le jeu consiste en un parcours gastronomique et les figures de chaque carte sont autant de prestigieuses assiettes.
Avec ses 25 étoiles (à ce jour), Joël Robuchon est l'homme le plus « étoilé » du monde. Le génie de ce grand monsieur de la cuisine française est d'avoir su exporter la gastronomie de l'Hexagone en y incorporant les goûts et les saveurs de ses rencontres, pour les faire siennes. Du Nouveau Monde à l'Asie, l'exploit vaut qu'on le vante, d'autant qu'ici, dans ce coin somme toute reculé de la Chine, le visiteur ne vient pas par hasard…
Mais la cuisine que l'on exécute ici ne peut mieux illustrer la définition de ses trois étoiles : elle vaut le voyage. Que ce soient l'amadaï au matsutaké grillé et son jus aromatique – note toute japonaise sur cette carte où figure toujours le nom du compagnon de Joël Robuchon –, ou le carré d'agneau aux saveurs orientales, méli-mélo de samossas et pesto à la coriandre, le chef français ne nous laisse

« *Les Chinois ont exploré les textures comme nulle autre culture, je pense encore plus que les Japonais. Par exemple, il y a une texture que nous, Occidentaux, nous ne connaissons pas, c'est le gluant. Il y en a d'autres. L'étendue de notre connaissance en textures est très limitée. Nous avons beaucoup à apprendre des Asiatiques en général, et surtout des Chinois* ».

ROBUCHON
A GALERA
→ Chine

jamais oublier que nous sommes loin, très loin de tout sur cette péninsule regardant la Chine, et près de tous les exotismes. Avec, pourtant, cette évocation intense et perpétuelle du terroir français, tel ce champignon de Paris et fines ravioles mitonnées dans un bouillon au jarret de veau, ou ce chevreuil en mignonnettes poêlées, poire fondante et sauce civet.

Le chef, Francky Semblat, est un ancien de l'avenue Raymond Poincaré. Voilà huit ans qu'il défend fidèlement le bastion de son maître, à l'avant-garde de l'Asie, et à 32 ans il se sent apte à tenter la conquête de l'Empire du Milieu et de sa grande culture culinaire.

Joël Robuchon ne craint rien, sauf peut-être l'ouverture prochaine de son restaurant, au 42e étage du nouvel hôtel Grand Lisboa, une tour flanquée d'une boule de verre scintillant de mille facettes sous le soleil. Mais non, il en parle avec l'enthousiasme d'un petit garçon, anticipant son plaisir : « Une vue à 360° sur la Chine et l'océan ! Quel bonheur ! ».

EXTRAIT DE LA CARTE

La pomme rafraîchie d'un granité de yuzu et d'une chutney

La langouste en duo de homard en marmite dans un bouillon épicé relevé d'une rouille

La pièce de boeuf « Kagoshima » millefeuille de légumes aux échalotes confites et pommes soufflées

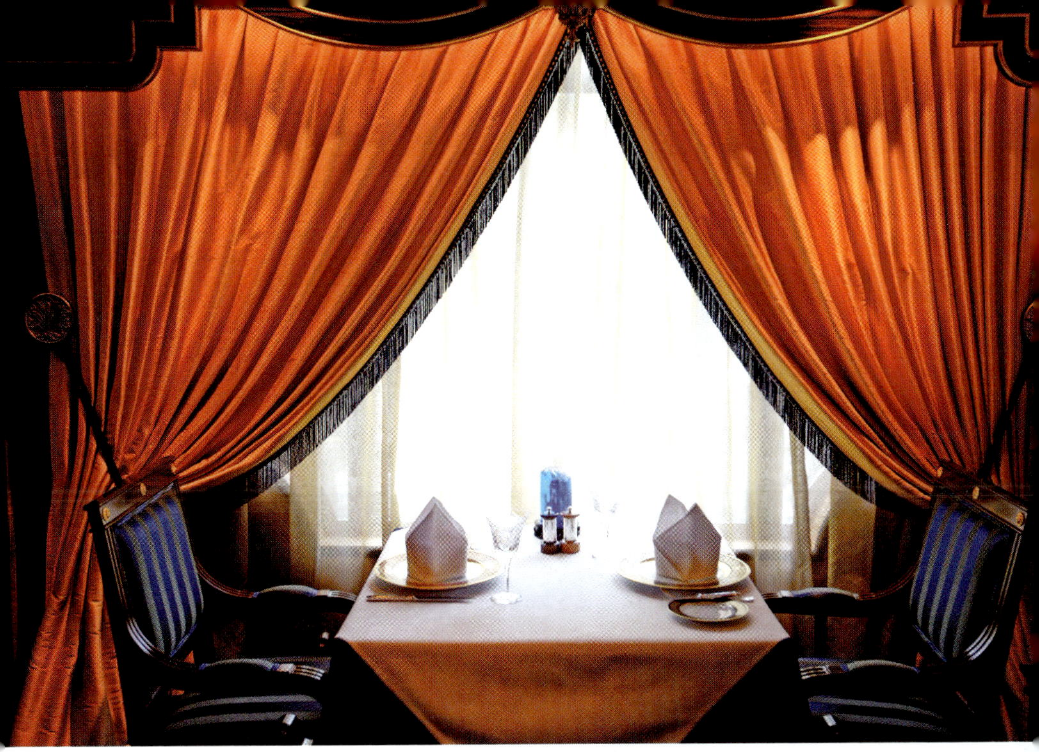

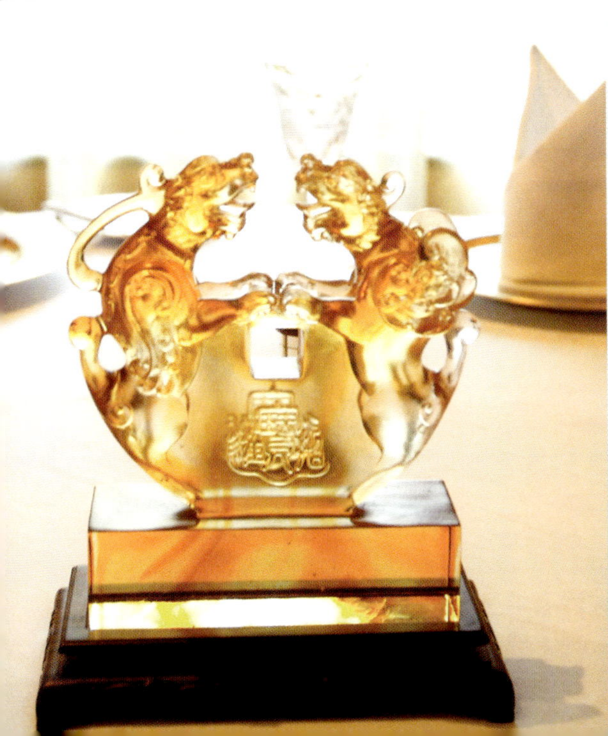

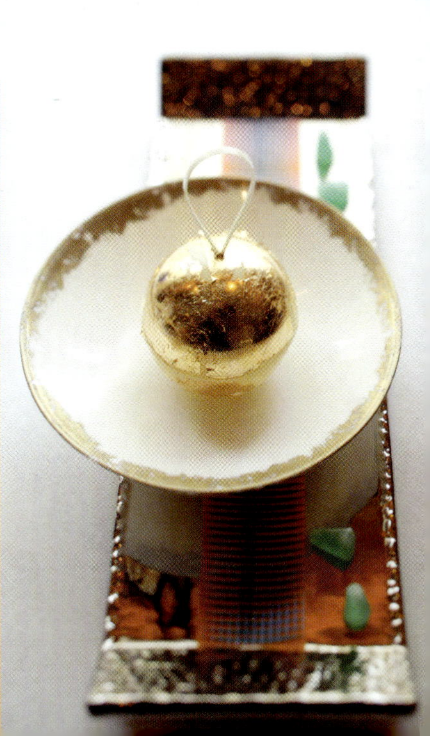

AKELARRE Donostia-San Sebastián	**CAN FABES** Sant Celoni	**EL BULLI** Roses
ARZAK Donostia-San Sebastián	**CARME RUSCALLEDA - SANT PAU** Sant Pol de Mar	**MARTIN BERASATEGUI** Lasarte

→ ESPAGNE
❀❀❀

Naturellement, les gourmets du monde entier ont les yeux braqués sur Roses, la petite ville de Catalogne où Ferran Adrià a posé les bases de l'art culinaire contemporain. Les chefs avides de nouveauté viennent puiser leur inspiration dans sa cuisine-laboratoire, royaume de la cuisson à l'azote et de la sphérification. Fougueuses inventions, impensables délices, que l'on retrouve avec la même maestria chez les Arzak à San Sebastian. Que dire alors de Santi Santamaria, de Martin Berasategui, de Carme Ruscalleda ou de Pedro Subijana ? Revendiquant un attachement plus marqué au terroir, tous révèlent une personnalité et un talent hors du commun, un don pour faire surgir l'inattendu au cœur des plats les plus simples. L'Espagne, c'est le feu et la glace, l'ombre et la lumière, un beau charivari d'émotions gustatives.

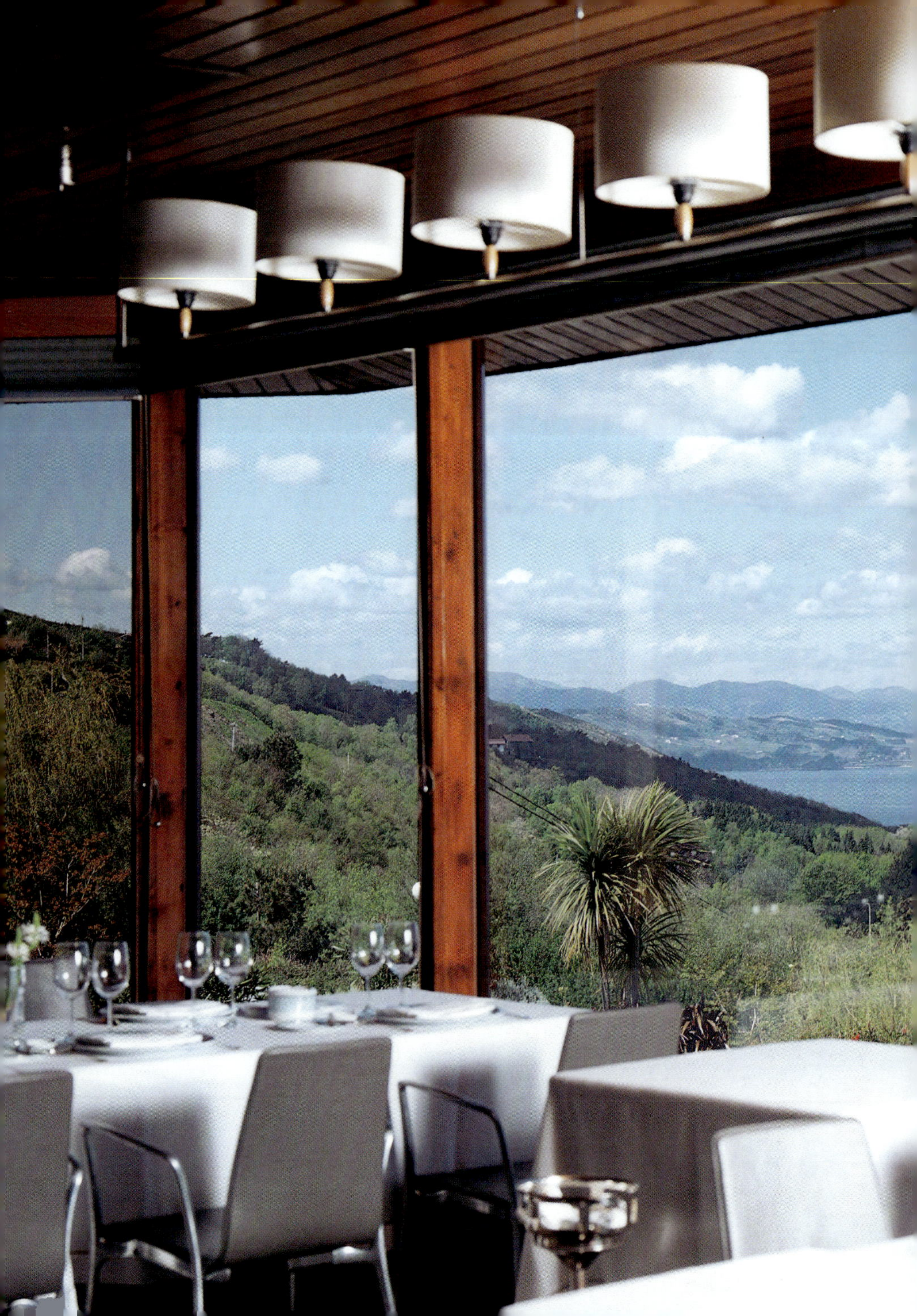

Paseo del padre Orcolaga 56
20008 Donostia-San Sebastián
Tél. 00 34 943 31 12 09 — 943 21 40 86
Fax 00 34 943 21 92 68
restaurante@akelarre.net
www.akelarre.net

Propriétaire et chef : Pedro Subijana Reza

AKELARRE

→ Espagne

❀❀❀ La belle terrasse d'Akelarre observe l'Atlantique… Comme on surveille un garde-manger ! C'est en effet de cette mer nourricière, si chère au cœur des Basques, que proviennent quelques-uns des trésors que Pedro Subijana propose à ses clients : le calmar au caillé de parmesan, l'escabèche de thon rouge, les chipirons farcis à l'encre – l'une de ses recettes favorites – et les colins servis avec joues et palourdes, tous en provenance directe des ports du golfe de Biscaye.
Aux délices de la mer s'ajoutent ceux de la montagne, qui n'est jamais très loin du rivage – agneaux, porcelets et merveilleux légumes ; autant de richesses qui font dire à ce père fondateur de la nouvelle cuisine espagnole, à propos de ceux qui viennent goûter les fruits de son art : « ce sont des clients quand ils arrivent, mais nous faisons tout pour qu'ils soient des amis quand ils repartent ».
Car Pedro Subijana, qui a gardé en mémoire le souvenir des repas gargantuesques préparés par son père lors des grandes fêtes de famille, est un amoureux des produits régionaux et de la cuisine basque. À partir de ce socle traditionnel, structure de ses plats, il invente, il brode, il s'amuse, cherchant l'étincelle, s'aventurant hors des sentiers battus

« Pour créer, il faut travailler avec les meilleurs produits, aborder un nouveau plat avec l'audace d'un jeune chef, l'expérience d'un homme mature et la sagesse de l'ancien. »

AKELARRE
→ Espagne

du goût. Ainsi, la salade de haricots rouges en surprendra plus d'un, tout comme l'étonnant foie gras poêlé et son caramel au Txacoli – un cépage local dont le vin nouveau arrose les tapas de tous les bars de Guipuzcoa – ou le somptueux agnelet « churro » désossé et rôti dans les tisons de la braise.

Pedro Subijana parle comme un livre et agit avec une espièglerie de jeune homme. La preuve ? Ces amuse-bouches emballés comme des bonbons en entrée et, pour clore le repas, ces petits saucissons de chocolat offerts avec le café.

Enfin, on ne saurait passer sous silence la splendide cave de l'Akelarre. Outre les plus grands Rioja, elle recèle une sélection remarquable des meilleures bouteilles de la planète. De quoi se sentir bien, très bien même, au point de souhaiter s'installer plus longtemps dans ce lieu d'exception.

EXTRAIT DE LA CARTE

Loup aux pouces-pieds, perles d'huile et roquette

Agneau de lait Churro désossé et rôti, amarante et peau de trois poivrons

Pigeonneau sur la braise avec ses plumes

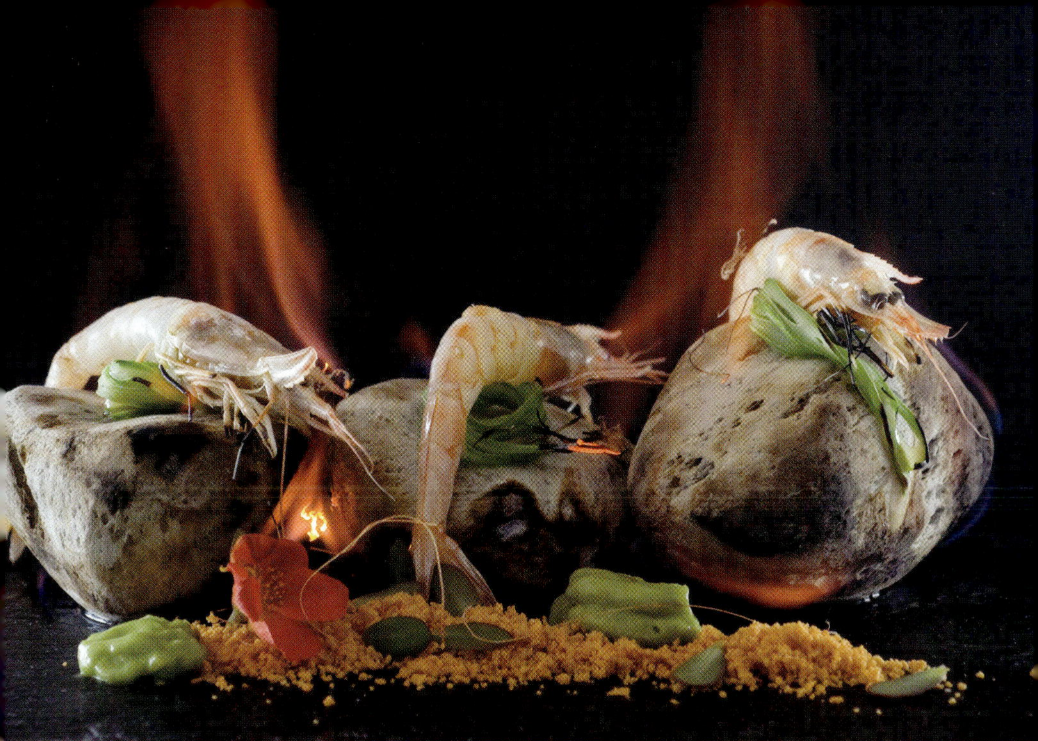

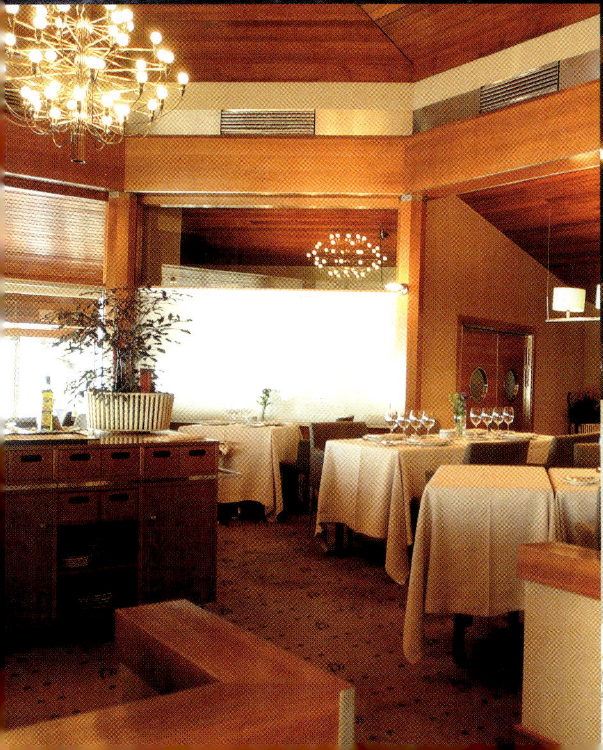

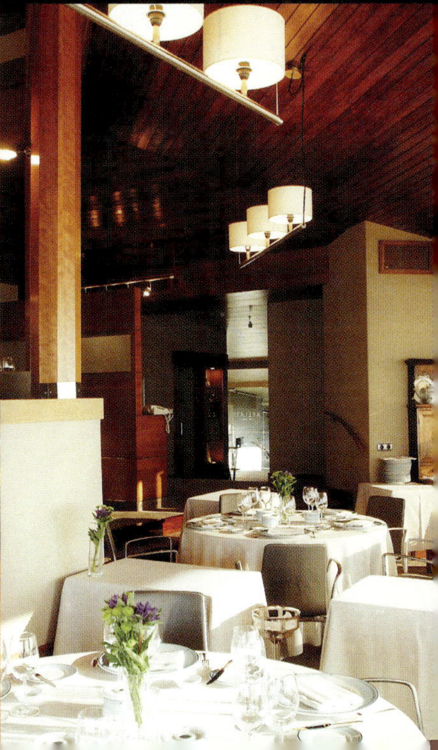

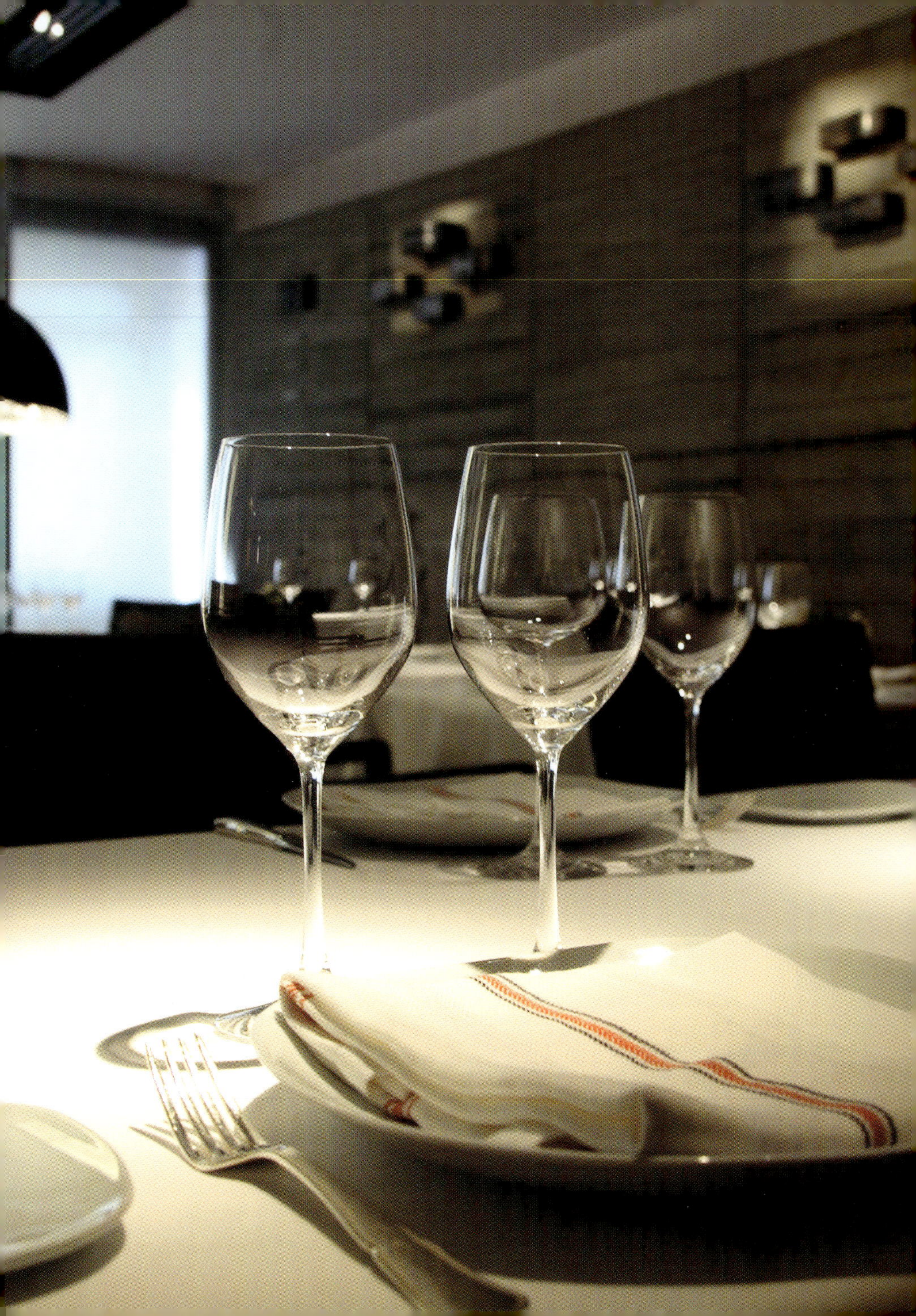

Avda Alcalde José Elosegui 273
ò Alto de Miracruz, 21
20015 Donostia-San Sebastián
Tél. 00 34 943 27 84 65 — 943 28 55 93
Fax 00 34 943 27 27 53
restaurante@arzak.es
www.arzak.es

**Propriétaires : Juan Mari Arzak
et Maite Espina
Chefs : Juan Mari et Elena Arzak**

ARZAK

→ Espagne

🙦🙦🙦 Le classicisme des Arzak s'arrête à la façade jaune de leur restaurant de San Sebastian. Passé la porte, on entre dans le monde de l'expérimentation. La nudité des murs où s'absorbent çà et là quelques couverts coulés dans le béton, la sobriété affichée du nappage et de la vaisselle, les grandes serviettes imitant sciemment les torchons de cuisine… Tout semble converger vers un seul but : ménager un espace vierge pour la découverte. Privé de ses repères gastronomiques traditionnels, le gourmet doit accepter ce « lâcher prise » qui commence dès la lecture de la carte aux intitulés volontiers poétiques. « Cristal de lard et soufflé de fraise », « produits de saison en quatre lignes », « de l'œuf à la poule », « viande sous une gelée blanche de glace », « bonite parterre »… Le menu dégustation, bien plus allusif encore, ouvre la voie à tous les possibles : poisson du jour, œuf du moment, viande ou oiseau… Seuls Juan Mari Arzak et sa fille Elena savent ce qui se cache derrière ces termes génériques. Et ils sont là pour en expliquer toutes les subtilités à leurs hôtes ; ils offrent même la possibilité aux fidèles de s'attabler dans la cuisine pour en capter l'effervescence créatrice. Poussées verticales, lignes brisées, anneaux de jus, reliefs satinés…

ARZAK
→ Espagne

l'assiette est un nouveau monde, une œuvre architecturale d'abord, où les ingrédients semblent défier les lois de l'apesanteur. Une œuvre picturale, ensuite, où le jeu des couleurs et des textures flatte l'œil avant de réjouir le palais. Car les principes fondamentaux de la cuisine demeurent : saveur, fraîcheur et justesse des cuissons ne sont jamais sacrifiés sur l'autel de la créativité.

Prenons le fameux « Cristal de lard et soufflé de fraise » : le lard ibérique et la *cococha* de merlu (partie inférieure de la tête), deux ingrédients traditionnels de la cuisine basque. Leur goût se trouve sublimé par la fusion de leur composante – graisse et gélatine – passées sous la salamandre ; des bulles de fraise aériennes apportant un heureux contrepoint à la sensation de gras. Autre exemple, « de l'œuf à la poule » né d'une réflexion légitime sur les saveurs d'une « filiation ». Le jaune et le blanc, qui ont pris une texture similaire par la magie d'une cuisson millimétrée, sont assaisonnés d'une poudre de poule (naturellement faite maison), d'un bouillon de même origine, et surmontés d'une feuille de jaune d'œuf cristallisé. Autant de territoires nouveaux, explorés avec beaucoup de discernement par le père et la fille. Car il faut savoir qu'au-dessus de la cuisine du restaurant, un laboratoire expérimental, riche de 1 500 ingrédients, propose une matière de recherche culinaire inépuisable. Mais seules les plus belles trouvailles verront le jour…

ARZAK
→ Espagne

Avec ma fille, je fais une cuisine d'auteur, une cuisine d'avant-garde qui prend ses racines dans la cuisine basque. Un cuisinier se nourrit du monde qui l'entoure. Tout peut être source d'inspiration : un bonbon, du coca-cola, un graffiti aperçu dans la rue qui va me donner une idée graphique. Nous devons toujours conserver notre capacité d'étonnement, notre fraîcheur, penser comme un enfant.

C'est une cuisine complètement indépendante du restaurant, c'est un lieu d'ébullition créatrice, où la plupart des cuisiniers du restaurant ne viennent jamais. Ici tout est possible, nous cherchons des associations à partir de banques de données. Nous travaillons en collaboration avec d'autres cuisiniers comme Ferran Adrià, des scientifiques. Nos recherches préparent la cuisine de demain.

EXTRAIT DE LA CARTE

Homard à l'huile d'olive extra blanche

Agneau au gâteau d'algues

Dessert lunatique

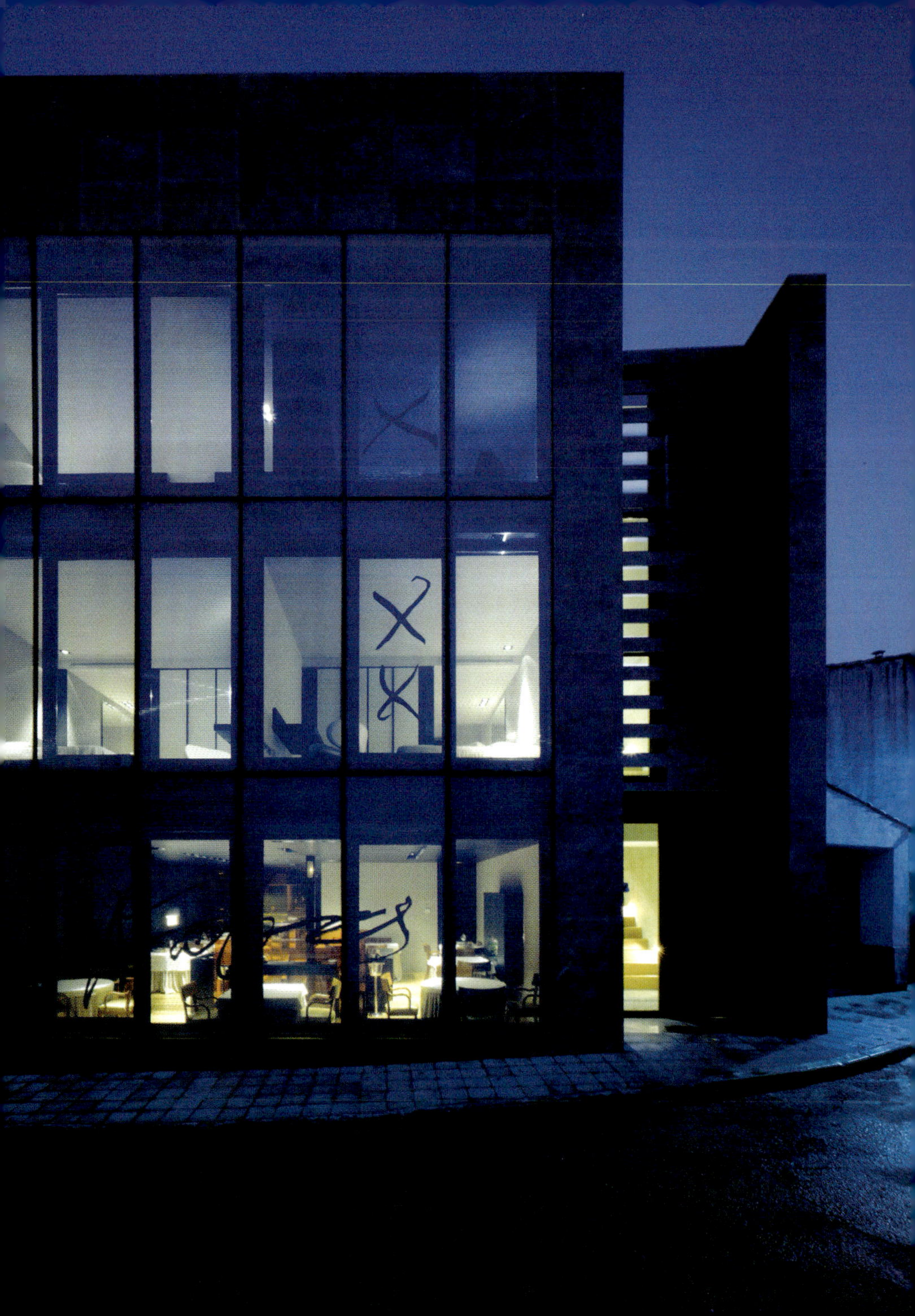

Sant Joan, 6
08470 Sant Celoni
Tél. 00 34 93 867 28 51
Fax 00 34 93 867 38 61
canfabes@canfabes.com
www.racocanfabes.com

Propriétaires :
Santi et Àngels Santamaria
Chef : Santi Santamaria

CAN FABES

→ Espagne

❀❀❀ Santi Santamaria voue un véritable culte à la cuisine. Il la considère comme un art et la pratique comme une religion. Son intransigeance à l'égard des produits et des techniques est connue au-delà des frontières. Le pugnace catalan appartient en effet à cette race de cuisiniers qui luttent, plume à la main, pour défendre une culture culinaire ancestrale, à contre-courant des vents dominants. « La cuisine à nu », le titre de son dernier ouvrage est aussi la meilleure définition de sa cuisine : celle d'un homme en quête d'absolu. L'attachement à la fraîcheur du produit, l'exigence en matière de cuisson des viandes et des poissons, la recherche des meilleurs fournisseurs sont des préalables à toute recette. Et comme Santamaria est profondément enraciné dans son terroir, héritier d'une famille d'agriculteurs qui vit dans les murs de Can Fabes depuis deux siècles, ses recettes regardent avant tout du côté de la Catalogne.

Les poissons – la morue, d'abord – les fruits de mer, les cigales (grosses langoustines), les escargots, les champignons… Tous ces produits qui constituent l'identité culinaire catalane se retrouvent sur la carte de Can Fabes. Les uns viennent du marché de Blanes, réputé pour ses

« *Connaître, c'est reconnaître. Une de mes passions, sur le plan professionnel, est de recréer la cuisine de la mémoire, de proposer de nouvelles formes dans lesquelles les origines puissent avoir une continuité. La mémoire gustative est une sorte de cellier ou de grenier où les aliments conservés et affinés attendent d'être savourés à point.* »
Extrait de son livre *La Cuisine à nu*

CAN FABES
→ Espagne

poissons vendus à la criée, les autres ont été glanés et cueillis dans les bois de la région. Santi Santamaria aime les plats roboratifs, les recettes à partager, les côtes de bœuf, les cabris rissolés au four, les jarrets de veau ou les pigeons au sang. Des viandes dorées qui brillent de tout l'éclat de leur jus, des sauces où l'on entend encore rissoler l'ail et l'oignon et des plats qui ont l'air de ce qu'ils sont.

Alors d'où vient cette impression de modernité qui s'impose à la dégustation de ces mets ? De la volonté d'adapter la tradition aux exigences du monde d'aujourd'hui. « Ma modernité ne réside pas dans une esthétique superficielle, écrit Santamaria, c'est la sensation sublimée du goût intérieur ». Les technologies modernes, mises au service du produit et du terroir, donnent un nouveau visage à la cuisine méditerranéenne. Ce cheminement très personnel entre passé et présent se manifeste clairement dans le parti pris décoratif de l'établissement. Phénomène unique dans l'univers des trois étoiles, Can Fabes fait coexister deux salles à manger, l'une classique qui rend hommage à la vieille ferme d'origine, l'autre ultra contemporaine nimbée de rouge et de bleu où dansent les griffures de Tàpies. Chacune a sa vérité et le lien qui les unit se trouve dans les assiettes.

EXTRAIT DE LA CARTE

Macaroni sautés au jus de truffes	Coquilles Saint-Jacques à la sauce d'algues marines	Navets et prunes à l'aigre-doux et foie gras

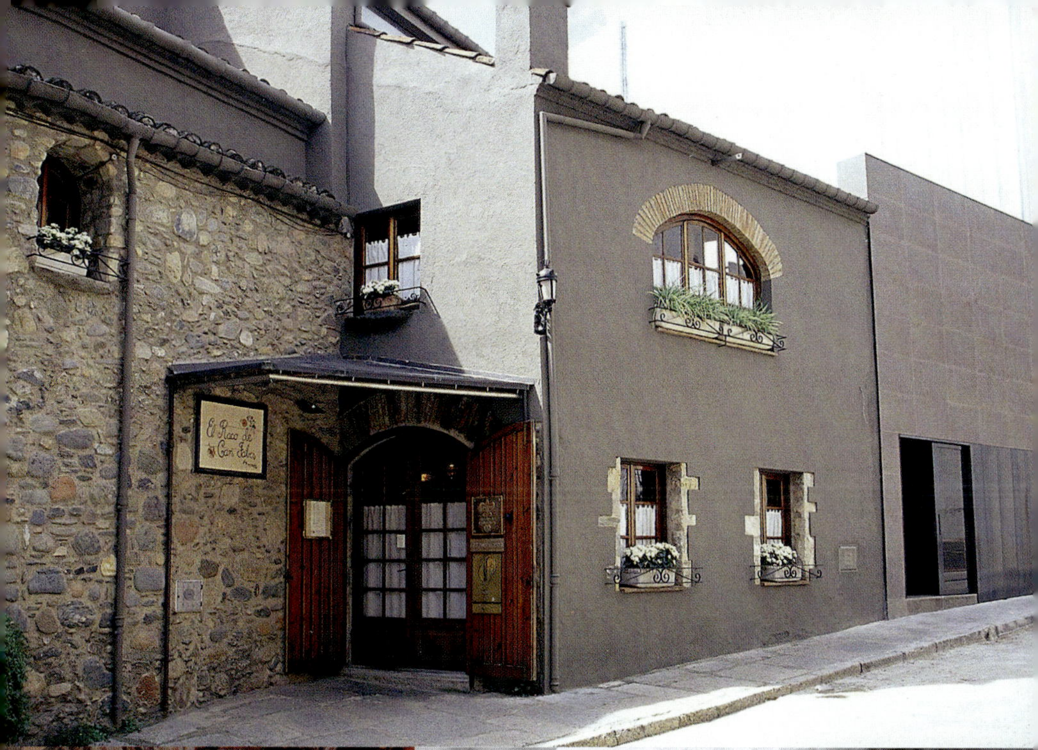

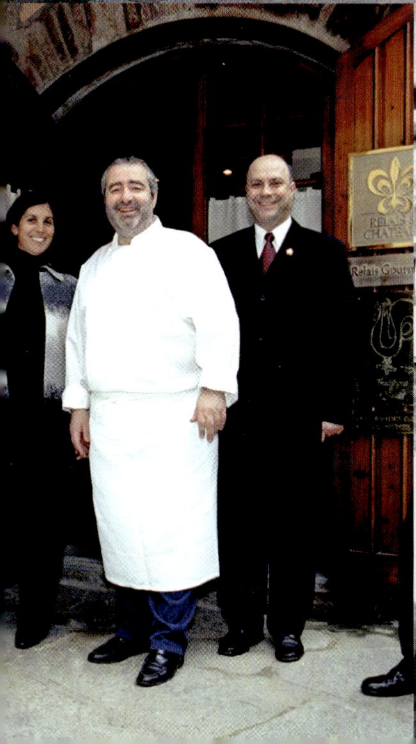

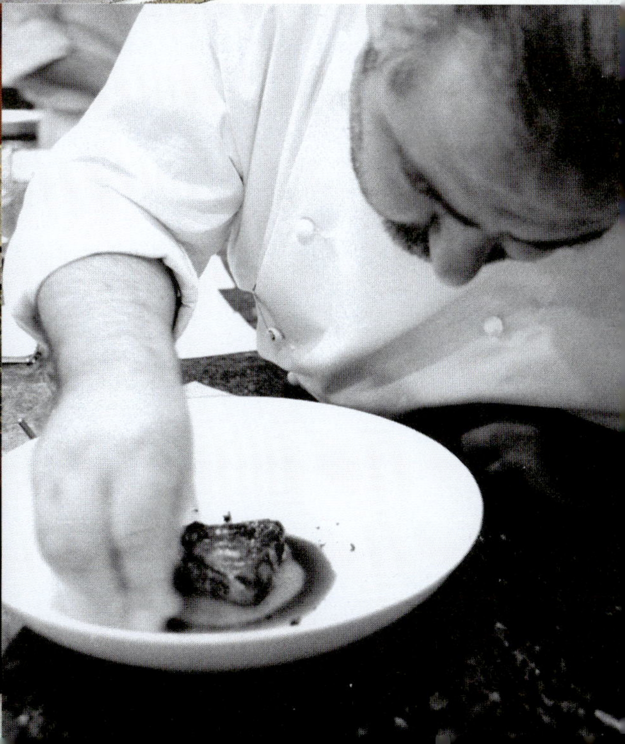

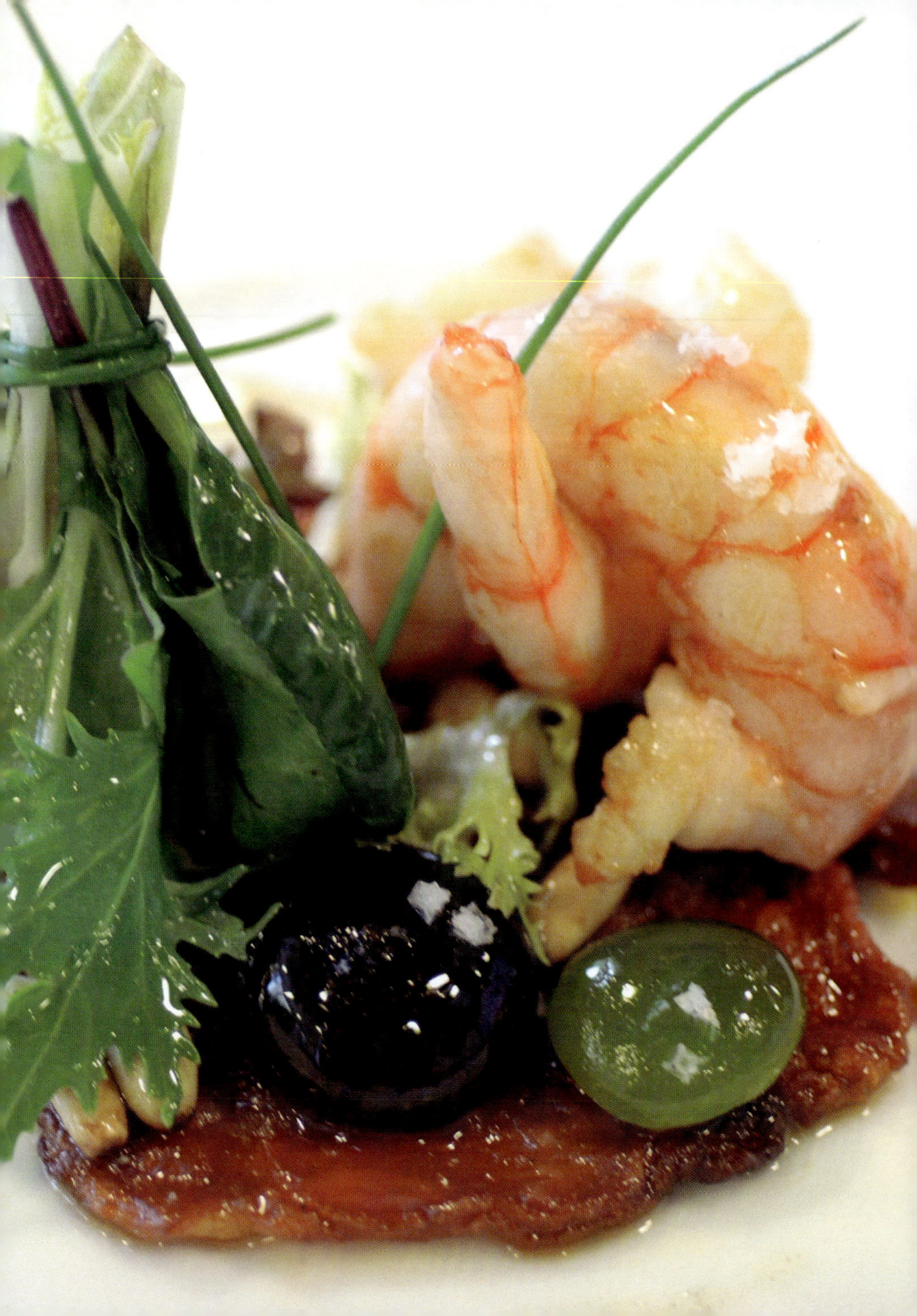

c/. Nou n° 10
08395 Sant Pol de Mar
Tél. 00 34 93 760 06 62
Fax 00 34 93 760 09 50
santpau@ruscalleda.cat
www.ruscalleda.cat

**Propriétaires : Carme Ruscalleda Serra
et Antoni Balam Castanyer
Chef : Carme Ruscalleda Serra**

SANT PAU

→ Espagne

❀❀❀ Des rochers battus par les vagues, un ciel bleu tendu au-dessus d'un petit village de pêcheurs transformé en station balnéaire, des maisons toutes blanches offertes aux embruns… C'est dans ce face à face avec la Méditerranée, dont l'azur s'invite au bout du jardin de Sant Pau, que Carme Ruscalleda puise sa philosophie et son inspiration. Une philosophie qui fonde la vérité de la cuisine sur le respect des saisons, une inspiration qui donne aux plats catalans revisités une couleur et une puissance inégalées. Comment cet ancien hôtel balnéaire est-il devenu, en quinze ans, le rendez-vous des gourmets du monde entier ? Au commencement il y a une petite épicerie fine de l'autre côté de la rue, où Carme Ruscalleda et son mari Toni Balam, tout deux nés à Sant Pol de Mar, vendaient des produits de qualité faits maison : des jambons, des pâtés de viande, des pâtes fraîches, des fromages et des vins choisis… Puis, la cuisine étant la respiration quotidienne de Carme, l'idée d'ouvrir un bistrot se mua bientôt en ouverture de restaurant, forcément gastronomique. Car la passion des bons produits, héritée de parents fermiers, reste à l'origine de la vocation de ce petit bout de femme, que l'énergie, la générosité et l'intransigeance ont menée au sommet.

La carte, aux intitulés simples en apparence, parcourt toute la gamme des produits catalans, mués en petits bijoux de saveurs par la grâce du chef. La « tortilla de gamba » révèle une fine pâte croustillante enveloppant gambas et « pan con tomate », la « tempura de flor de calabacin » s'ouvre sur une farce liquide célébrant la rencontre de la courge, de la courgette et de la butifarra negra, une saucisse catalane, le tout poudré d'or. Le « cubismo de cerdo Duroc » propose une variation sur le porc en six morceaux comme un clin d'œil à la cuisine moléculaire. On goûtera également le « canelon al revès », ce canelloni à l'envers aux trois viandes rôties… Côté fromages, plutôt que de caler sur un plateau trop riche, le gourmet se voit proposer un assortiment de cinq pièces, accompagnés de bouchées au pouvoir révélateur : salades, fruits, galettes, etc. Quant aux desserts, un continent à eux seuls, ils ne cèdent pas d'un pouce sur la créativité : des légumes (tomates, piment, oignons…) et des fruits travaillés ensemble dans le registre des saveurs sucrées, un « sistema solar » où gravitent « soleil et corps célestes », un « chocolate » jouant sur les amers et l'opposition chaud-froid. Dans sa passion pour la nature et les saisons, Carme Ruscalleda n'oublie jamais l'humour et l'intelligence. Elle est aussi soucieuse des autres. On raconte que les repas de la brigade sont préparés avec les produits de la carte, une situation exceptionnelle dans la restauration. Décidément une femme rare.

SANT PAU
→ Espagne

« La cuisine, c'est toute ma vie, personnelle et professionnelle. Être chef, c'est un travail que j'adore et qui me comble comme au premier jour. »

« Ma cuisine s'inspire de la culture catalane, qui utilise des produits de qualité comme principaux ingrédients. Mes recettes sont toujours le reflet des saisons, elles sont colorées et riches de saveurs. »

EXTRAIT DE LA CARTE

Omelette de crevette et croûtons aillés à la tomate, sauce aux coraux et fine pâte croustillante

Cannelloni à l'envers : rouleau de trois viandes grillées, poulet, porc, veau

Riz crémeux au homard et légumes, à la mode du Maresme

SANT PAU
→ Espagne

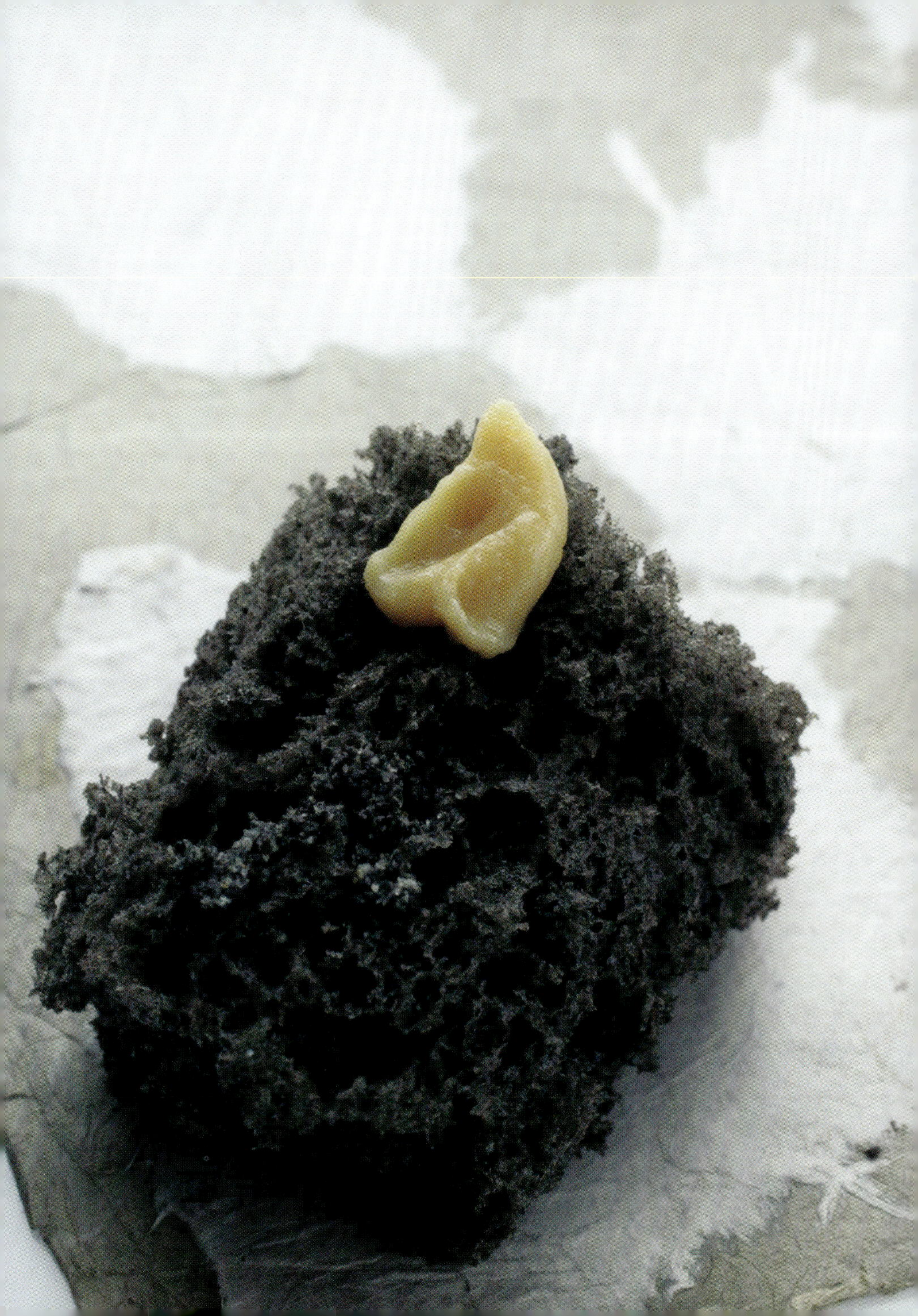

Cala Montjoi Ap. 30
17480 Roses
Tél. 00 34 972 150 457
Fax 00 34 972 150 717
bulli@elbulli.com
www.elbulli.com

**Propriétaires : Ferran Adrià Acosta
et Juli Soler Lobo
Chef : Ferran Adrià Acosta**

EL BULLI

→ Espagne

✸✸✸ Quand Ferran Adrià pousse pour la première fois la porte du restaurant El Bulli, lové dans la calanque de Montjoi, près de Roses, ce n'est alors qu'un jeune stagiaire catalan de vingt-et-un ans qui sait peu de chose de la cuisine. Mais Juli Soler, déjà manager de cet établissement appartenant à un couple d'Allemands passionnés de cuisine, flaire le talent. Vingt ans plus tard, le succès est tel qu'il faut désormais réserver un an à l'avance pour avoir une chance de savourer les vingt-cinq pièces d'un menu dégustation unique. En mettant au point des techniques nouvelles, en usant de méthodes et d'ingrédients jusque-là réservés à l'agroalimentaire, comme l'azote liquide ou la gélatine chaude, Ferran Adrià est devenu la figure emblématique de la cuisine d'avant-garde – le chef catalan récusant le terme de « cuisine moléculaire », beaucoup trop réducteur à ses yeux.
De quoi s'agit-il exactement ? D'une expérience en trois dimensions alternant ravissement et provocation, d'une aventure intellectuelle qu'aucun autre cuisinier n'avait tenté avant lui. Ferran Adrià est passé du plat au concept qui permet de créer un plat, tout simplement à une autre façon de penser la cuisine. Les structures traditionnelles du repas

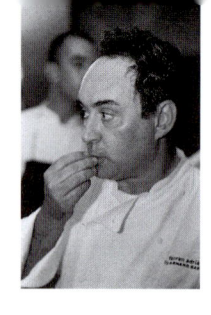

« *La cuisine est un langage à travers lequel il est possible d'exprimer harmonie, créativité, bonheur, beauté, poésie, complexité, humour, provocation, culture. [...] La stimulation des sens n'est pas uniquement gustative. On peut également jouer avec le toucher (contrastes de températures et de textures), l'odorat, la vue (les couleurs, les formes, les trompe-l'œil...). Les sens deviennent donc un des principaux points de référence lors de la création en cuisine.* » Extrait de la Synthèse de la cuisine de El Bulli.

EL BULLI
→ Espagne

explosent à travers un « scénario » qui déroule des séquences sensorielles, comme une réminiscence des tapas espagnoles se succédant sous forme de petites bouchées imprévisibles. Couscous de chou-fleur aux aromates, neige de concombre, moules sphériques au bacon, bijou de parmesan de fruit de la passion, biscuit de gingembre et de kumquats cuit à l'azote liquide, air de mandarine au coco amer... Dans ce jeu de cache-cache culinaire, les sens sont trompeurs, la forme ne dit rien sur le fond, le goût s'invite là où on ne l'attend pas.

La créativité est érigée en règle absolue, à tel point que le restaurant ferme ses portes six mois par an pour permettre au chef d'entrer dans une phase d'expérimentation poussée. Ainsi, d'octobre à mars, quand le ciel s'assombrit au-dessus de la crique de Montjoi, une petite partie de l'équipe d'El Bulli se transporte à Barcelone, au Taller (l'atelier), pour y mettre au point les quelque cent quarante plats de la prochaine « collection ». Fouillant dans les milliers de tiroirs gustatifs du laboratoire avec l'appui de talents extérieurs, ces sorciers du goût triturent la matière en tout sens, maniant seringues et éprouvettes, combinant les réactions chimiques – sphérification, coagulation, liquéfaction, expansion, foisonnement, etc. – jusqu'à faire éclore des objets culinaires inédits qui se situent au croisement de l'architecture, de la peinture, de la science et de la gastronomie. C'est déroutant, virtuose, incomparable. La cuisine de Ferran Adrià s'apparente à la conduite d'une Formule 1 sur terrain glissant. Beaucoup sont tentés par la course, mais les bons pilotes se comptent sur les doigts d'une main.

EXTRAIT DE LA CARTE

Ravioli sphérique de petits pois avec sa salade de petits pois à la menthe	Légumes grillés à l'huile de charbon	Spirale

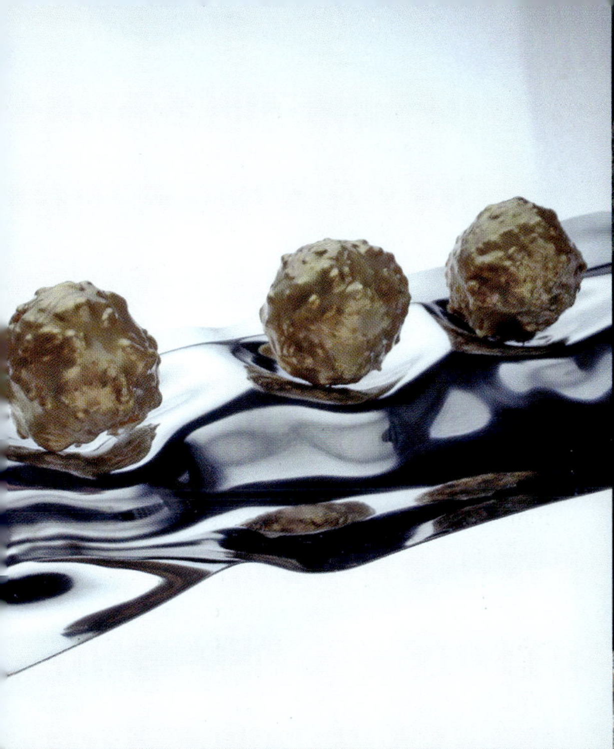

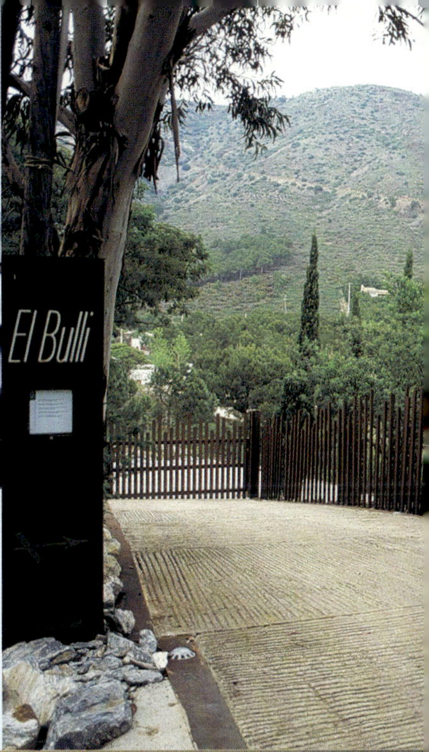
El Bulli

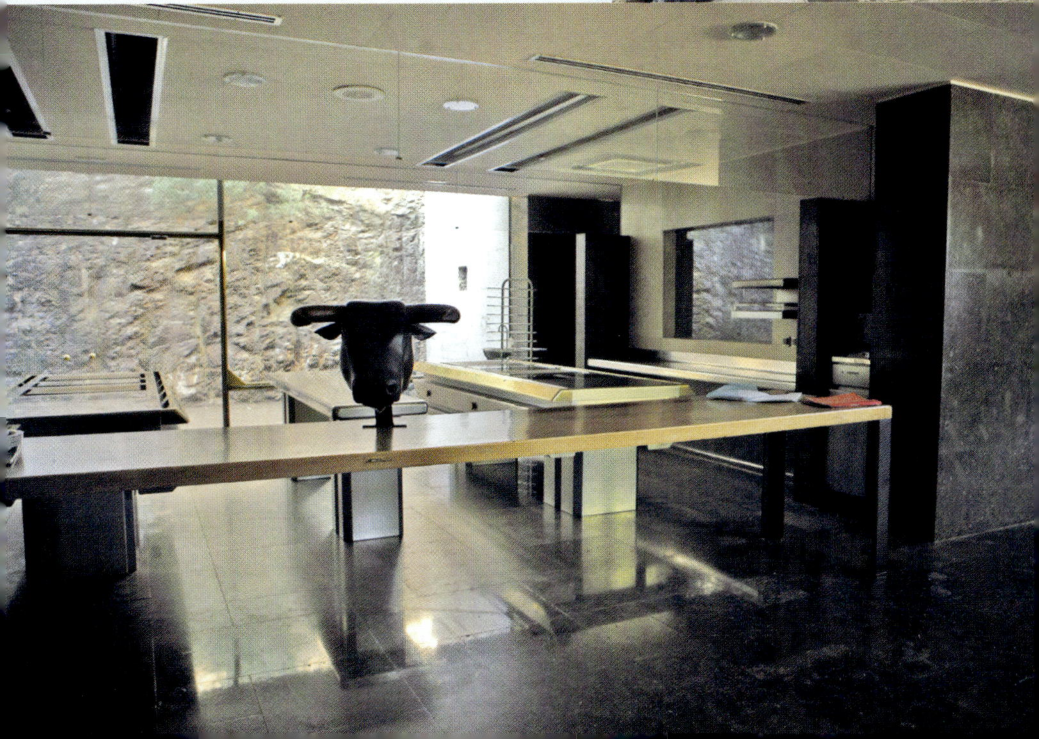

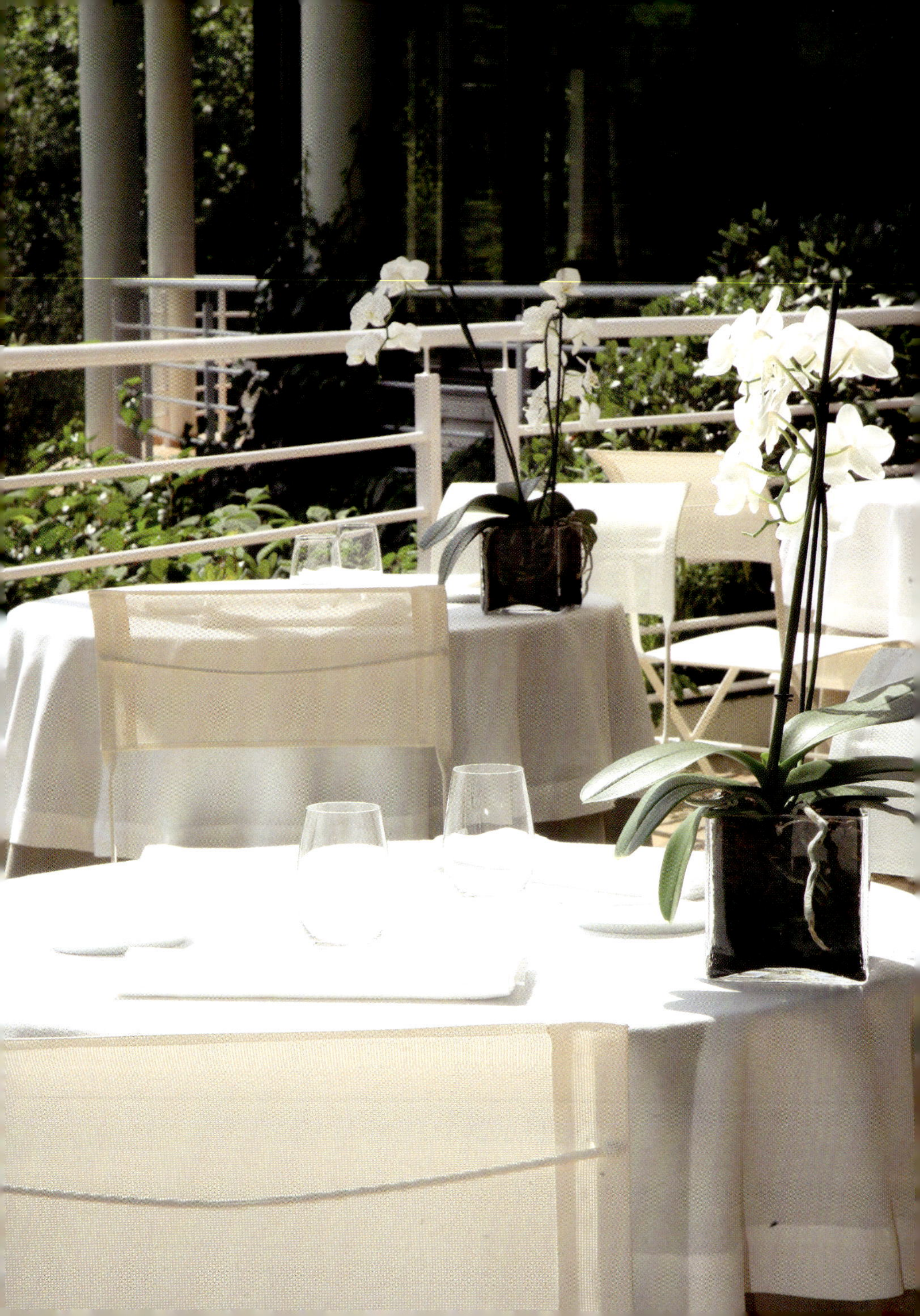

Loidi Kalea, 4
20160 Lasarte
Tél. 00 34 943 366 471
Fax 00 34 943 366 107
info@restaurantemberasategui.com
www.martinberasategui.com

Propriétaire et Chef : Martín Berasategui

MARTÍN BERASATEGUI

→ Espagne

❀❀❀ «Mon métier n'a pas de frontières, mais je suis un cuisinier avec des racines.» ainsi se définit Martín Berasategui, né en Pays basque et citoyen du monde. Élevé dans le petit restaurant familial du vieux San Sebastian et entré en apprentissage avec sa mère dès l'âge de quinze ans, le jeune homme a la cuisine dans le sang. A l'époque, il travaille six jours sur sept au Bodegon Alejandro ; le septième jour, il le met à profit pour découvrir la cuisine des autres, pour connaître les moindres secrets des professionnels, des restaurateurs, des pâtissiers, des boulangers… Sa première étoile, il la gagne au Bodegon avant de se lancer, avec son épouse Oneka, dans le projet qui leur tient à cœur : un grand restaurant, et surtout une grande cuisine pour s'exprimer sans limites. Le rêve prend forme en 1993 dans le petit village de Lasarte-Oria. La salle lumineuse ouvre ses larges baies sur la campagne basque et la cuisine se développe sur une surface royale de trois-cent cinquante mètres carrés pour un service de seulement quarante-cinq couverts. Avant-garde et maturité sont les deux termes qui définissent le mieux l'art de Martín Berasategui, un chef capable de marier le cabillaud à la poudre de noisette, au café et à la vanille, de servir une huître à la chlorophylle

MARTÍN BERASATEGUI
→ Espagne

de cresson ou un œuf de ferme avec betterave sous un carpaccio de ragoût basque… Mais cette cuisine très personnelle commence toujours par le terroir, d'une richesse fabuleuse puisqu'il tire ses produits à la fois de la mer, de la montagne et de la campagne. Tout est possible ensuite, à condition de ne jamais laisser la technique dicter sa loi. Martín Berasategui refuse les principes et les formules toutes faites. On croit déceler un goût pour la multiplicité des ingrédients ? Le plat suivant dément cette impression par son incroyable simplicité. Qu'y a-t-il de commun entre les « kokotxas de merlu en sauce » et le « millefeuille caramélisé d'anguille fumée, foie gras, petits oignons et pomme verte » ? Rien, sinon l'éblouissement du goût et le souvenir mémorable de deux plats hors du commun. Ah ! Ce millefeuille ! De la haute couture… D'abord, un travail patient réalisé sur chaque ingrédient – oignons fondus revenus au beurre puis séchés au four, anguille pochée dans du lait pendant vingt-quatre heures, foie gras mi-cuit – puis c'est l'assemblage méticuleux de chaque couche, feuille après feuille (pomme, oignons, foie gras, pomme, anguille et on recommence…) jusqu'à obtenir un beau gâteau, qui sera pressé et mis au réfrigérateur pendant trois heures. Touche finale au moment de servir : un peu de sucre sur la dernière couche de pomme pour caraméliser la surface. Goûtez, attendez le retour en bouche… vous êtes monté dans le grand carrousel des saveurs !

MARTÍN
BERASATEGUI
→ Espagne

« La nature est sage, il faut absolument l'écouter, c'est le marché qui me dicte et me suggère le panier d'achats à partir duquel je crée mes plats. J'aime les petites portions de trois ou quatre cuillères qui permettent de saisir l'esprit d'un plat et de multiplier les expériences. »

« La récompense suprême. Quand j'ai obtenu mes trois étoiles, je me suis senti habillé comme un cuisinier. Du bout des doigts, j'ai touché le ciel de la cuisine. Pour les conserver, il faut beaucoup de modestie, de respect des autres et de travail. »

EXTRAIT DE LA CARTE

Laminé de cabillaud légèrement fumé sur poudre de noisette, café et vanille

Pigeon d'Araiz rôti avec pâtes fraîches aux champignons et petits oignons, touches de crème truffée

Plat de pomme et tubercules oubliés, croustillant, crème glacée et sandwich à la moutarde

LE BERNARDIN	JOËL ROBUCHON	PER SE	THE FRENCH LAUNDRY
New York	Las Vegas	New York	Napa Valley
JEAN GEORGES	MASA		
New York	New York		

→ ÉTATS-UNIS
❀❀❀

Trois chefs français et un chef américain fortement influencé par sa passion pour la cuisine française… Les Américains, qui se sont éveillés à la conscience culinaire à travers les apports des cuisiniers de l'Hexagone, restent fidèles à leur histoire. Toutefois, Jean-Georges Vongerichten, Éric Ripert, Joël Robuchon et Thomas Keller vont beaucoup plus loin que leurs prédécesseurs. Sans jamais perdre de vue le sacro-saint principe de simplicité, leur cuisine est cosmopolite, inventive, subtilement épicée ou acidulée, elle incorpore les fabuleux produits du terroir américain qu'elle révèle sous un jour nouveau. Et avec le Japonais Masayoshi Takayama, New York offre un bel éventail de talents et de styles différents : l'univers marin dans un écrin chic au Bernardin, création et mouvement perpétuel chez Jean-Georges, spectaculaire déploiement de saveurs au théâtral Per Se, quintessence du sushi et de l'épure nipponne au Masa… Pour les chefs qui ont de l'appétit et du génie, l'Amérique reste le pays de tous les possibles.

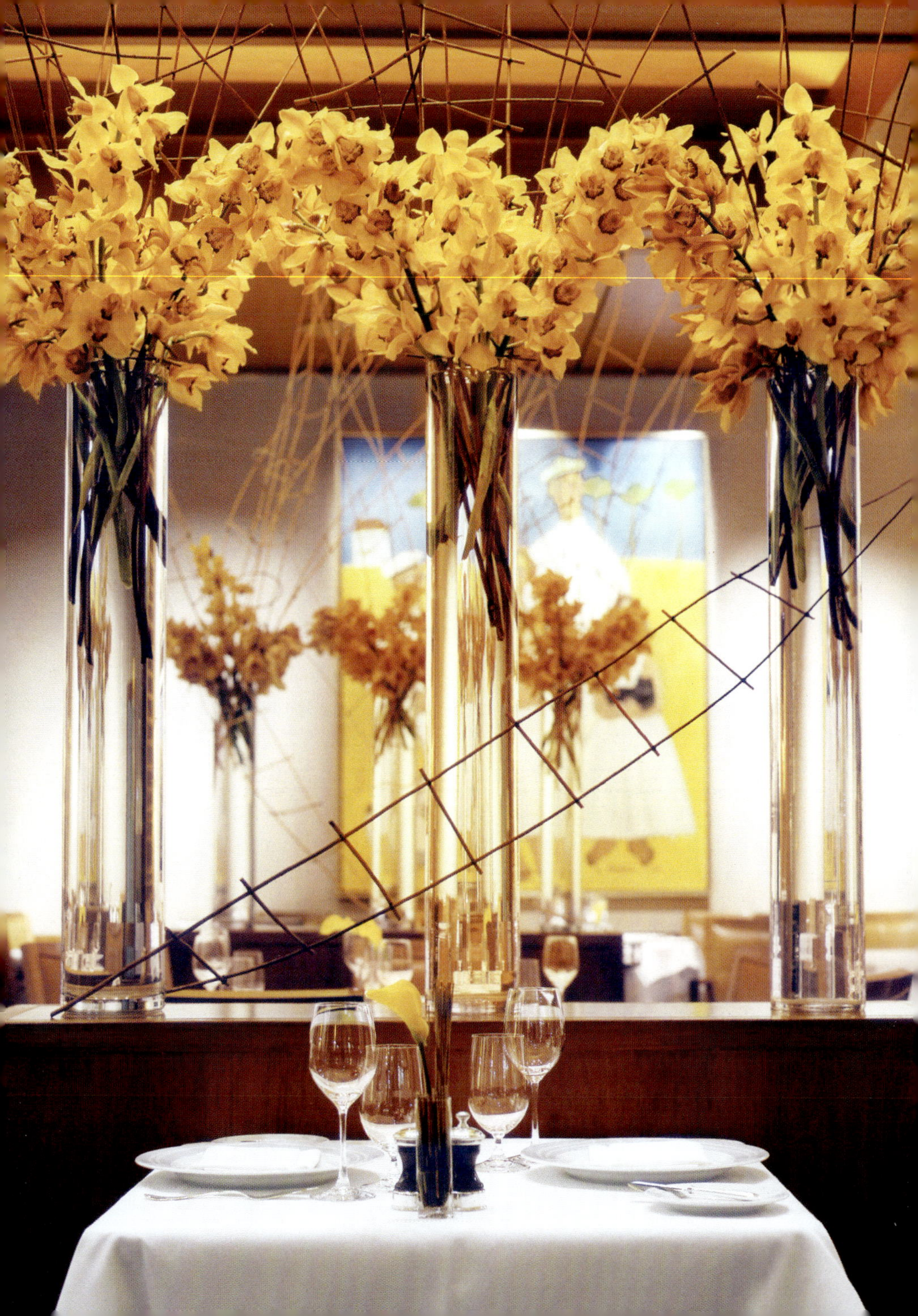

155 West 51st Street
New York, NY 10023
Tél. 00 1 212 554 1515
www.le-bernardin.com

Propriétaires :
Maguy Le Coze et Eric Ripert
Chef : Eric Ripert

LE BERNARDIN

→ États-Unis

✿✿✿ Eric Ripert a un point commun avec Maguy Le Coze, copropriétaire et fondatrice du Bernardin à New York : il est né au bord de la mer. Pas tout à fait la même, certes, puisque l'un est originaire d'Antibes et l'autre de Bretagne. Mais qu'importe. Ils partagent une formidable passion pour le monde marin sous toutes ses formes : calmar, huître, saumon, lotte, crabe mou, oursin… Que le tout New York vient déguster dans une atmosphère de décontraction élégante.
Maguy Le Coze tient la salle, imprimant un style qui a fait son succès dans les divers établissements qu'elle a créés en France et aux États-Unis. Car le Bernardin a vu le jour à Paris avant de s'implanter à New York. Gilbert Le Coze, frère de Maguy, était alors aux fourneaux et comptait déjà deux étoiles en 1982. L'installation à Manhattan débute sous de bons auspices puisque les critiques reconnaissent vite l'établissement comme un restaurant d'exception. Après la disparition prématurée de Gilbert Le Coze en 1994, Éric Ripert, son second, reprendra naturellement la barre du vaisseau new-yorkais.
Autre pays, autre échelle : les cinquante couverts parisiens se sont mués en cent trente, et la troisième étoile est venue couronner une

LE BERNARDIN
→ États-Unis

cuisine exigeante, d'une exceptionnelle fraîcheur, exclusivement consacrée aux produits de la mer. La qualité des matières premières siège au centre d'un art qui repose, plus qu'aucun autre, sur l'épure des saveurs. Dans ce travail subtil qui consiste à mettre en valeur la plus fragile des chairs, seuls les bouillons légers et les émulsions douces laissent suffisamment de champ à l'expression des nuances aromatiques d'une huître ou d'un vivaneau des Caraïbes. Éric Ripert excelle dans cette palette impressionniste où l'assaisonnement s'élabore par petites touches à dominante acidulée : « Dégustation progressive d'huître de Kumamoto en gelée, de légère et rafraîchissante à complexe et épicée », « Risotto d'oursins, algue Nori toastée, émulsion d'oursin et de citrus », « Lotte poêlée, taboulé d'Israël, ail noir et sauce au citron persan »… Les influences étrangères, en particulier asiatiques, sont en parfaite harmonie avec ce registre maritime, royaume du cru et des sous-cuissons. En habitué des voyages au long cours, Eric Ripert se montre sensible aux chants de toutes les sirènes : du bassin méditerranéen à l'Amérique du Sud, il ne se prive d'aucun des parfums qui pourraient flatter la chair de ses produits miracles. Le Bernardin possède un ultime avantage : la légèreté de sa cuisine en fait une adresse à fréquenter tous les jours, ou presque…

LE BERNARDIN
→ États-Unis

« Par passion. Au fil du temps, la passion de manger s'est muée en passion de cuisiner. J'ai le souvenir d'un dîner au Café de Paris à Biarritz, à l'âge de quatorze ans. Ils avaient un chariot à desserts accompagné de deux tables chargées de délices. J'ai demandé si je pouvais les goûter tous. Le chef a dit : "oui, à condition qu'il termine l'assiette", et il m'a préparé une petite bouchée de chaque. C'était merveilleux, quoique un peu difficile à digérer… »

« Le poisson, c'est l'étoile de l'assiette. Tout ce que nous faisons vise à élever ses qualités. Dans cette quête, je me nourris de multiples éléments. Nous avons la chance de vivre à New York dans une ville très cosmopolite, au croisement d'influences venues d'Asie et d'Amérique du Sud. Les agrumes et les épices y jouent un rôle important, en parfaite symbiose avec le poisson. Les produits d'ici sont exceptionnels. »

EXTRAIT DE LA CARTE

Carpaccio de thon jaune, foie gras et baguette grillée, ciboulette émincée et huile d'olive extra-vierge

Raie « au bambou » ; nouille en cellophane et champignons noirs, bouillon épicé au bambou

« Egg » : pot de crème au chocolat au lait, mousse au caramel, sirop d'érable, sel de mer de Maldon

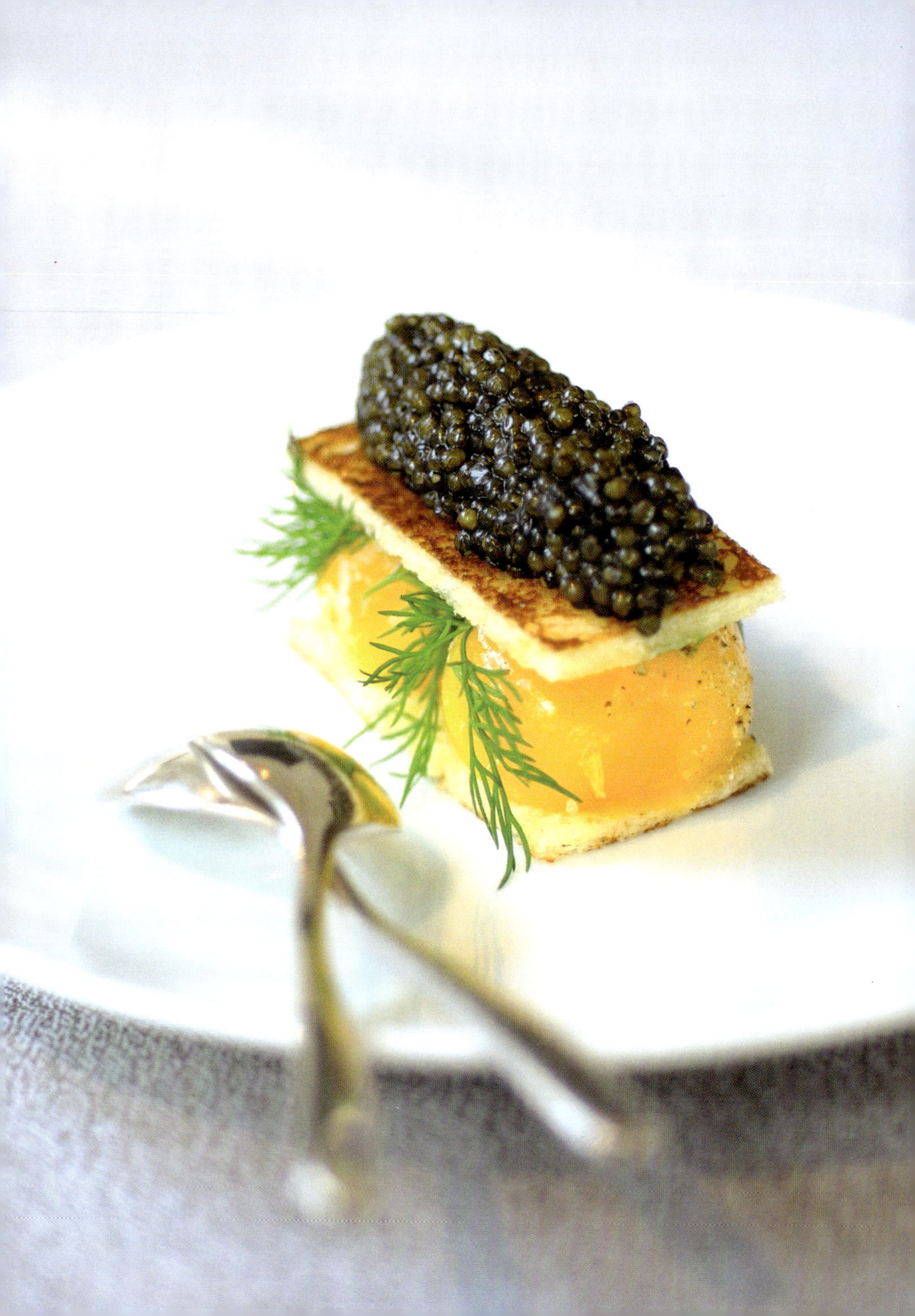

1, Central Park West
New York, NY 10023
Tél. 00 1 212 299 3900
www.jean-georges.com

Propriétaires : Jean-Georges Vongerichten et Phil Suarez
Chef : Jean-Georges Vongerichten

JEAN GEORGES

→ États-Unis

❀❀❀ L'histoire de l'Alsacien Jean-Georges Vongerichten, promis à une belle carrière dans l'entreprise familiale de charbon, incarne le parcours rêvé d'un chef français. Des souvenirs de festins partagés en famille, une première émotion gastronomique à dix-sept ans à l'Auberge de l'Ill au cours d'un dîner mémorable qui décidera du destin du jeune Alsacien, la voie royale d'un apprentissage réalisé chez les plus grands : Paul Haeberlin, Paul Bocuse, et Louis Outhier à la Napoule… la découverte de l'Asie ensuite, sésame ouvrant sur le monde merveilleux des épices ; l'installation, enfin, sur cette terre d'élection qu'est l'Amérique pour un jeune chef entreprenant à l'appétit aiguisé. Le succès est au rendez-vous dès les premières années. Les ouvertures s'enchaînent : JoJo, Vong, Jean-Georges, Market, Mercer Kitchen, et bien d'autres. Aujourd'hui, Jean-Georges Vongerichten possède seize restaurants répartis sur trois continents ! L'intéressé raconte qu'à la suite d'un dîner, il n'a fallu que cinq minutes au producteur de Michael Jackson pour rédiger un chèque en guise de participation à l'ouverture de son prochain restaurant. Un vrai conte de fée à l'américaine… Qui doit tout au talent d'un homme. Car la moisson de récompenses que récolte le

« *Nous avons voulu restaurer le service à table pour deux raisons : d'abord, parce que c'est élégant et gracieux, mais aussi et surtout, j'ai pensé qu'il était temps de ramener en salle un peu de l'excitation et des sublimes arômes liés à la préparation des plats. Après tout, c'est nous, les cuisiniers, qui vivons les meilleurs instants de la cuisine. Le fumet qui se dégage de la viande que l'on vient de trancher, la disposition finale de la garniture parfaite dans l'assiette, tout cela pourra maintenant être accessible aux convives. Cela donnera à la salle une touche d'animation et de convivialité autour des ingrédients.* »

JEAN GEORGES
→ États-Unis

restaurant gastronomique de Jean-Georges Vongerichten s'avère bien méritée. Situé dans un environnement exceptionnel, dans le luxueux Trump International Hotel sur Central Park, Jean-Georges est un lieu d'enchantement pour tous les gourmets. Sous les doigts experts de sa brigade, la cuisine du chef globe-trotter prend vie, exultante de fraîcheur, sertie de fragrances orientales justement dosées, réveillée par la saveur acide des agrumes et des plantes sauvages. Cette mixité des goûts se révèle être un terrain d'expression idéal pour les poissons et les fruits de mer, comme en témoignent le « Carpaccio de snapper japonais, gelée de vinaigre, gingembre, radis blanc et huile d'olive », les « Saint-Jacques, chou-fleur caramélisé, émulsion de câpre-raisin sec » ou le « black bass grillé, fenouil braisé et citron ». Servi par un panier d'ingrédients extraordinaires – du retour de pêche aux marchés biologiques – Jean-Georges Vongerichten excelle également dans l'exécution de plats classiques comme le « turbot au château chalon » ou l'« omble de l'Arctique, asperges et huîtres ». L'expérience du « Magret de canard en croûte d'amandes Jordan pilées, jus d'amaretto » est un bel exemple de synthèse culinaire, au croisement de trois cultures : on y retrouve la tradition française du gibier, le goût américain pour le croustillant, l'amertume d'un jus venu d'Italie… « Classic French cuisine with a contemporary flair » disent les critiques américains. Traduisons : un grand chef contemporain qui peut tout se permettre !

EXTRAIT DE LA CARTE

Carpaccio de vivaneau japonais, gelée vinaigrée, gingembre, radis blanc et huile d'olive

Pétoncles, chou-fleur caramélisé et émulsion aux câpres et au raisin

Pomme confite, biscuit aux pignons, raisins secs fumés et crème glacée au tamarin

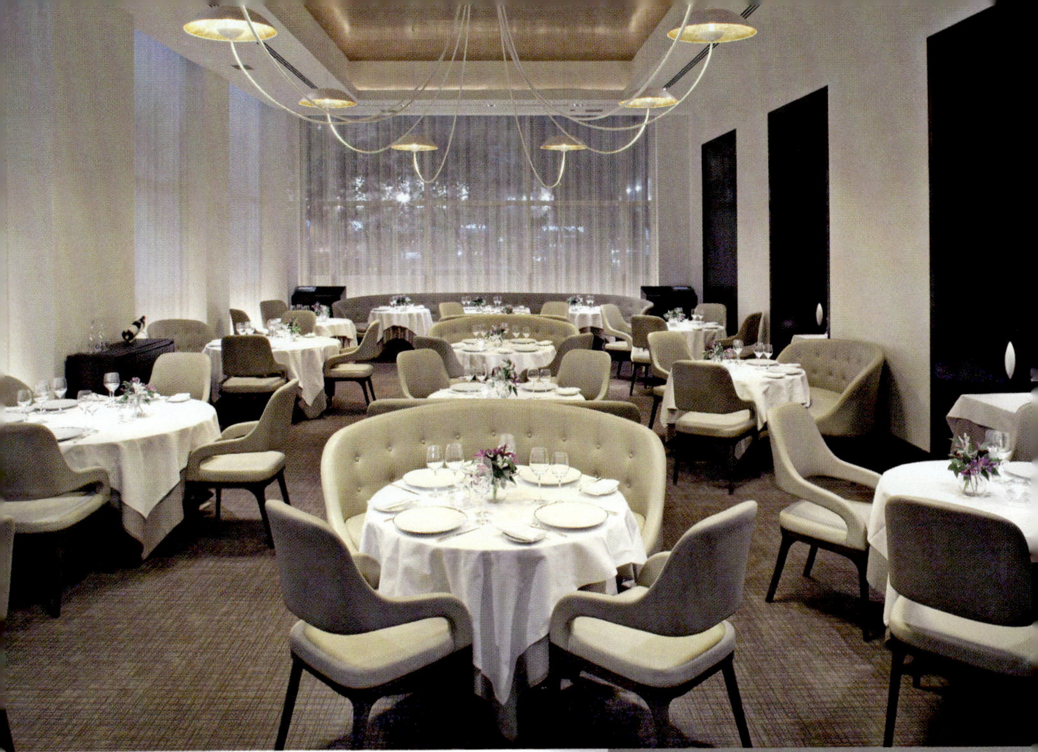

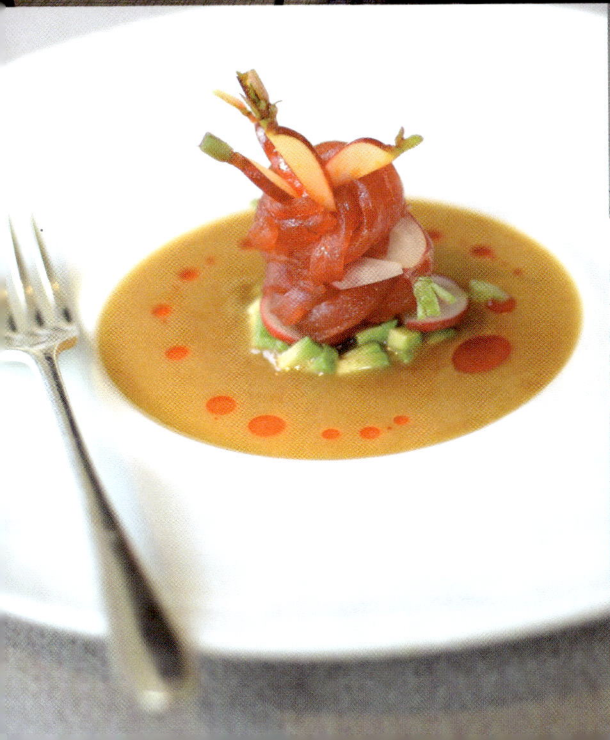

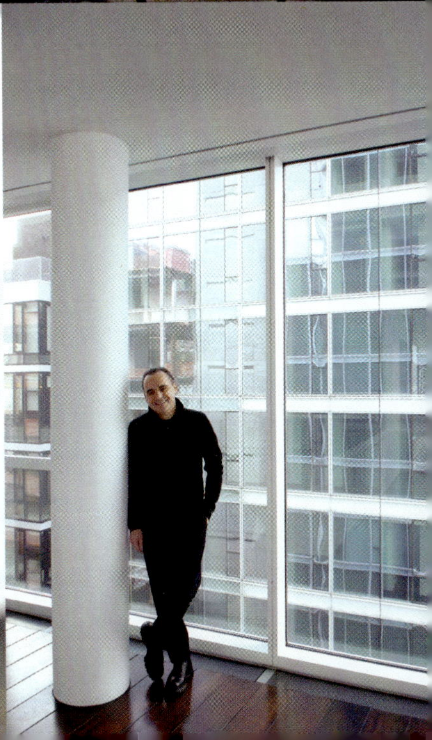

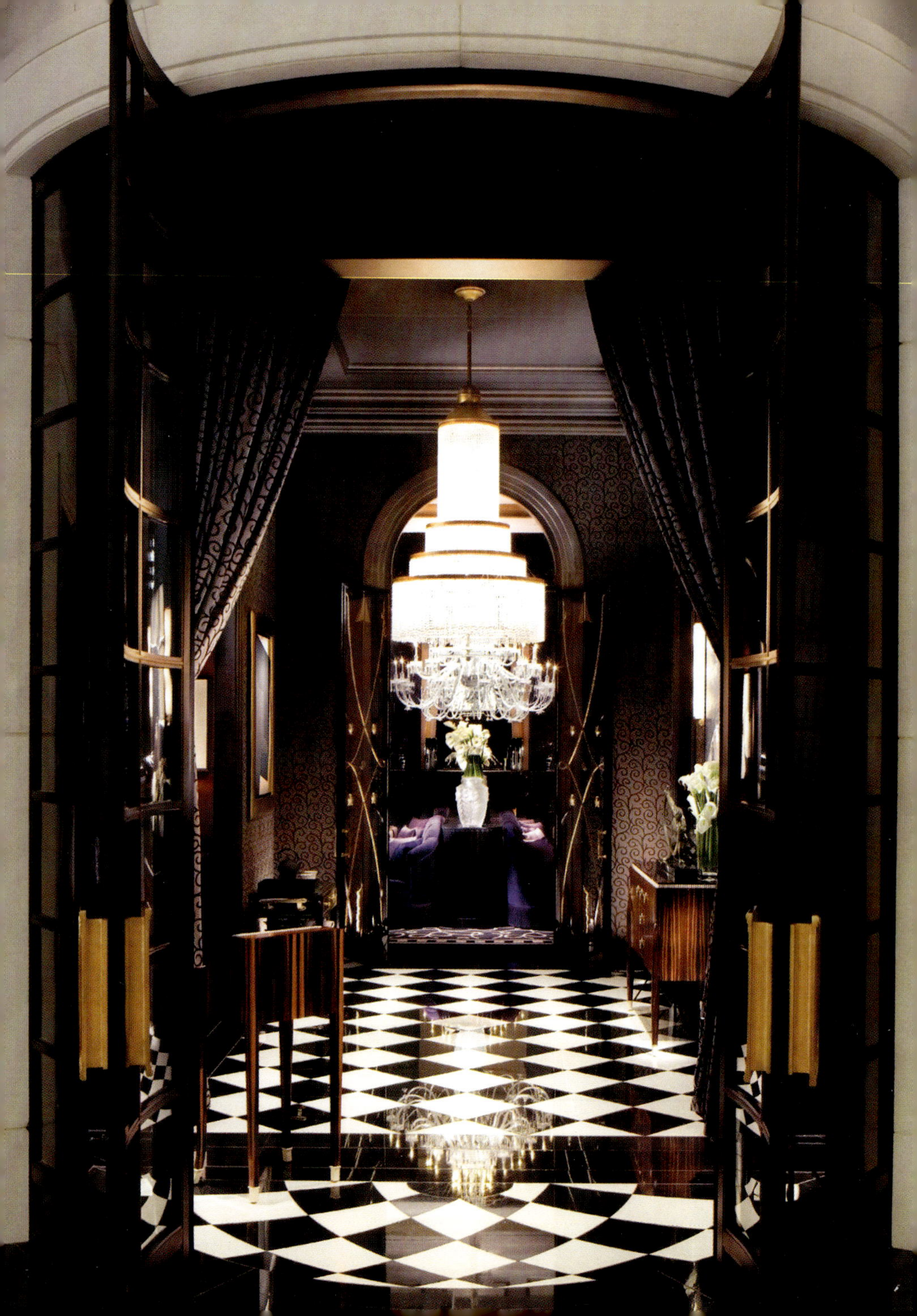

3799 Las Vegas Boulevard South
Las Vegas, NV 89109
Tél. 00 (702) 891-7925.
joel-robuchon-french-restaurant.aspx

Propriétaire : MGM Grand
Chefs : Joël Robuchon et Claude Le Tohic

JOËL ROBUCHON

→ États-Unis

❀❀❀ Même au cœur du rêve américain, dans La Mecque du luxe et des plaisirs, Joël Robuchon ne change pas : son premier défi, celui qu'il juge le plus difficile, reste pour lui de faire simple. Sublimement simple. Ainsi la carte du MGM Grand Hotel & Casino de Las Vegas se résume-t-elle à quelques mots magiques : truffe blanche, coriandre, turbot, laitue, pamplemousse, nouille, pintade, œuf de poule, champignons de Paris. Autant de sésames destinés à ouvrir pour ses clients la merveilleuse armoire aux plaisirs du goût qui, depuis 1976 – date de son élection au concours de meilleur ouvrier de France – ravit les gourmands du monde entier.
La recette de Joël Robuchon n'a pas non plus changé : d'abord le produit, qu'il soit chou-fleur ou artichaut, homard ou potiron, sera forcément le meilleur qui se puisse récolter. Ensuite, l'outil sera lui aussi parfait, du dernier cri et de la plus grande efficacité. Enfin cette obsession, cet acharnement qui reste peut-être sa signature la plus évidente : ne jamais perdre en route les goûts et les parfums des produits assemblés, afin que leur rencontre en sublime le destin. Le Joël Robuchon du MGM Grand Casino ne déroge pas à la règle : toute une

équipe, composée par le maître et réunie autour de Claude Le Tohic et Tomonori Danzaki, veille comme dans chaque restaurant Robuchon de la planète (vingt-cinq étoiles au total) à ce que la recherche de la perfection compose le leitmotiv de tous. Ainsi, pas moins de douze sortes de pains, à peine sortis du four, et plus de trente mignardises, sont proposés chaque jour aux clients du MGM en début et en fin de repas. Le souci du « plus que parfait » pousse même Loïc Launay, le directeur du restaurant, à donner aux serveurs une formation spéciale d'un mois, uniquement consacrée à l'histoire des fromages, à la manière de les découper et au choix des pains qui les accompagneront le mieux. Le résultat : un déjeuner ou un dîner qui accroît encore le caractère inoubliable – incroyable – d'un séjour à Las Vegas. Surtout, une exceptionnelle dégustation de mets et d'épices accourus des cinq continents, comme cette truffe blanche en « duo mêlé de pomme ratte comme un carpaccio aux copeaux de foie gras » ou ce bœuf de Kobé « grillé, cristalline au poivre noir torréfié, caviar d'aubergine et matsutaké au jus gras » ou cette conjuration de crustacés, « le king crabe en royale fleurie aux aromates, l'oursin accompagné d'une purée de pomme de terre au café et le homard dans une coque enrobée de beurre de corail avec cébettes. » A déguster en se disant qu'un autre talent de Joël Robuchon réside dans le choix de ses disciples…

« *Quel que soit le degré de maîtrise professionnelle d'une brigade, il y a certains principes de cuisine que l'on ne peut pas expliquer, ni par des mots, ni par des gestes. L'un de ces principes est la manière de fixer, de stabiliser les saveurs. Par exemple, lorsque je prépare un ragoût de truffes, il y a un moment – on le sent au parfum – où la pleine saveur de la truffe est exaltée : c'est le moment précis où je dois intervenir. Et je sais ce qu'il faut faire : couvrir le récipient, ajouter un peu de bouillon ou régler le feu. Si je n'interviens pas exactement à ce moment-là, tous les parfums s'envolent, mais si j'interviens juste au bon moment, les parfums sont fixés.* »

EXTRAIT DE LA CARTE

La coriandre en sphère givrée, gaspacho à la betterave voilé d'un filet d'huile d'olive vierge

Le bar sauvage, mousse de citronnelle et jeunes poireaux en ragoût

Le homard dans une coque enrobée de beurre de corail avec des cébettes

JOËL ROBUCHON
→ États-Unis

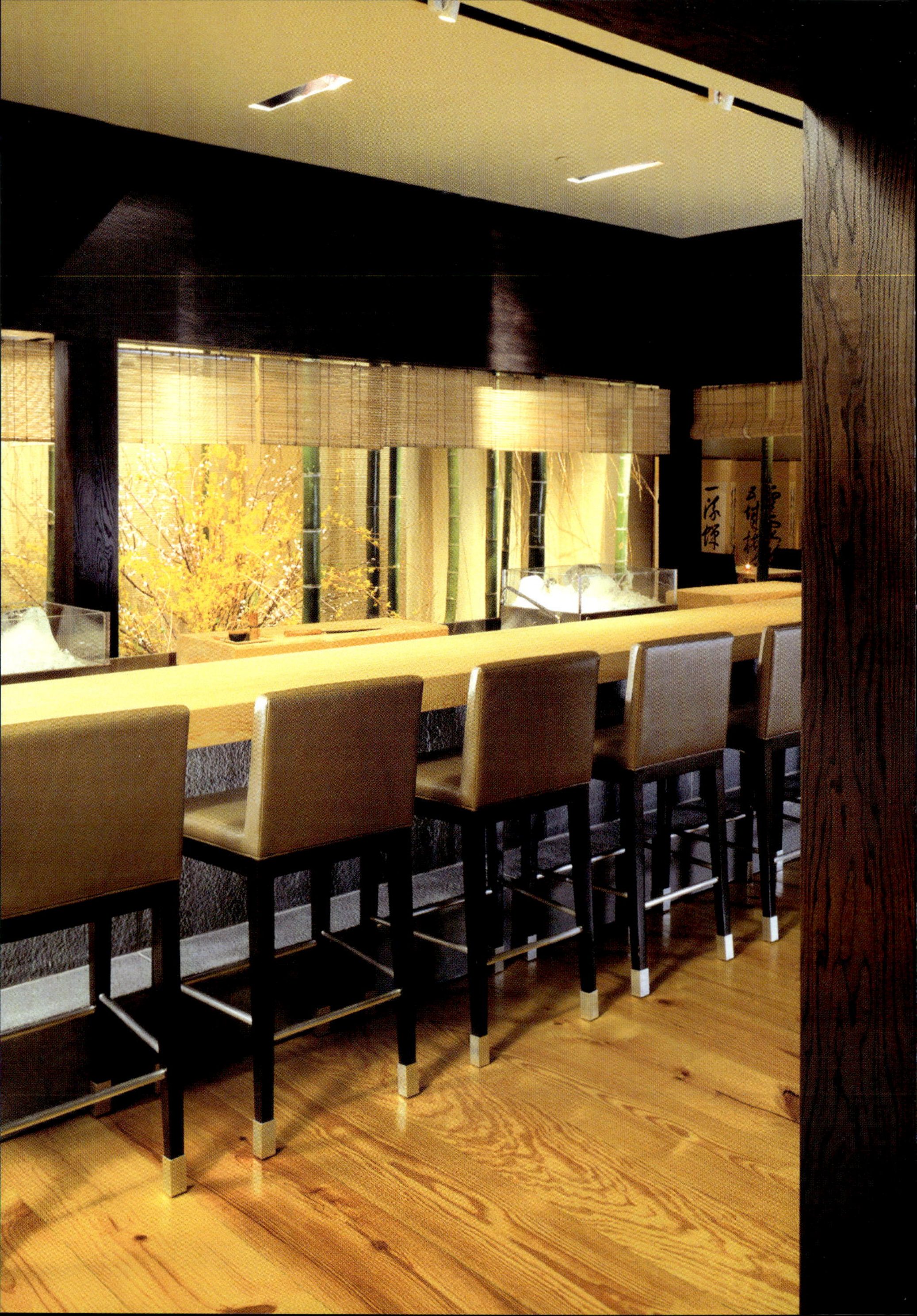

10 Columbus Circle
4th floor
New York, NY 10019
Tél. 00 1 212 823 9800
www.masanyc.com

Propriétaire et chef : Masayoshi Takayama

MASA

→ États-Unis

❀❀❀ Droiture. Beauté. Raffinement. Noblesse. Voilà ce que signifie *masa* en japonais. Un petit mot dont les résonances orientales viennent à présent de trouver leur écho à l'Ouest. A New York, capitale de la gastronomie du Nouveau Monde et de toutes les cuisines : avec ses trois étoiles toutes neuves, Masa est le premier chef japonais d'Amérique à recevoir la plus haute récompense. De fait, ce sushiya de Tochigi semble bel et bien avoir réussi à imposer son calme et sa sérénité dans cette ville frénétique, de cette Amérique où tout est possible, et de cette ville de toutes les langues et de toutes les couleurs. Deuxième fils d'une famille de poissonniers et de traiteurs, Masa a grandi dans le goût et la cuisine. Pendant les vacances, il enfourchait son vélo pour livrer les sashimis préparés par son père. Après un parcours de sushiya exemplaire – ne dit-on pas que le sushiya doit voyager pendant dix ans avant d'être complet ? – il lui prit l'envie de conquérir l'Amérique. Il s'installe d'abord à Los Angeles. Pour cela, il n'y a qu'à franchir l'Océan Pacifique, ce large pont entre l'Est et l'Ouest. Sur l'autre rive, il retrouve un peu les mêmes saveurs, les mêmes parfums qu'au Levant, puisque les poissons sont cousins… Mais il décide de

MASA
→ États-Unis

« Le bois de hinoki (cyprès japonais) est dur, durable et épargné par les insectes. C'est mon esprit, ma philosophie, basés sur la culture japonaise. Mon travail est de montrer aux Américains, aux Européens, cette cuisine qui est très propre, très nette. Le sushi, c'est très simple. Rien à cacher, rien à chanter ».

traverser le continent pour croquer la Grande Pomme. C'est là que l'art de Masa va trouver son expression : l'essence du produit, précepte de la gastronomie japonais, une luxueuse simplicité, et une modernité raffinée. Une philosophie culinaire qui accepte tous les changements dès lors qu'ils sont le fruit d'une réflexion rigoureuse et justifiée. En dévoilant sa vision dans le pays de toutes les cultures, en refusant de s'adapter à la tendance « fusion », Masa a su imposer l'excellence de sa propre culture, la faire accepter – adorer — par un public rodé au melting-pot. Lorsque vous entrez dans ce havre de paix, d'une perfection toute zen, vous reconnaissez d'abord le signe du sushiya de qualité : le comptoir en cyprès japonais, symbole de la pureté et de la netteté indispensables au sushi. Vingt-six heureux élus, pas plus, pourront savourer les entrées et les sushis du maître dans un menu *Omakasé* – carte blanche au chef. Celui-ci respecte la tradition nippone à la lettre : 17 à 25 sushis que le sushiya se doit de présenter tous les jours, suivant la pêche du jour et de la saison. Aussi, 95% de ces poissons auront-ils traversé l'océan par avion. Pourtant, on y découvre des sushis inconnus au Pays du Soleil Levant, comme le sushi d'oursin et truffe noire, subtil mariage d'influences des quatre coins du monde… et de nulle part.

Et l'on ne saurait omettre la carte de vins, qui rivalise avec celles des plus grands restaurants français.

EXTRAIT DE LA CARTE

Menu « Omakasé » de produits et sushis de saison, à la discrétion du chef

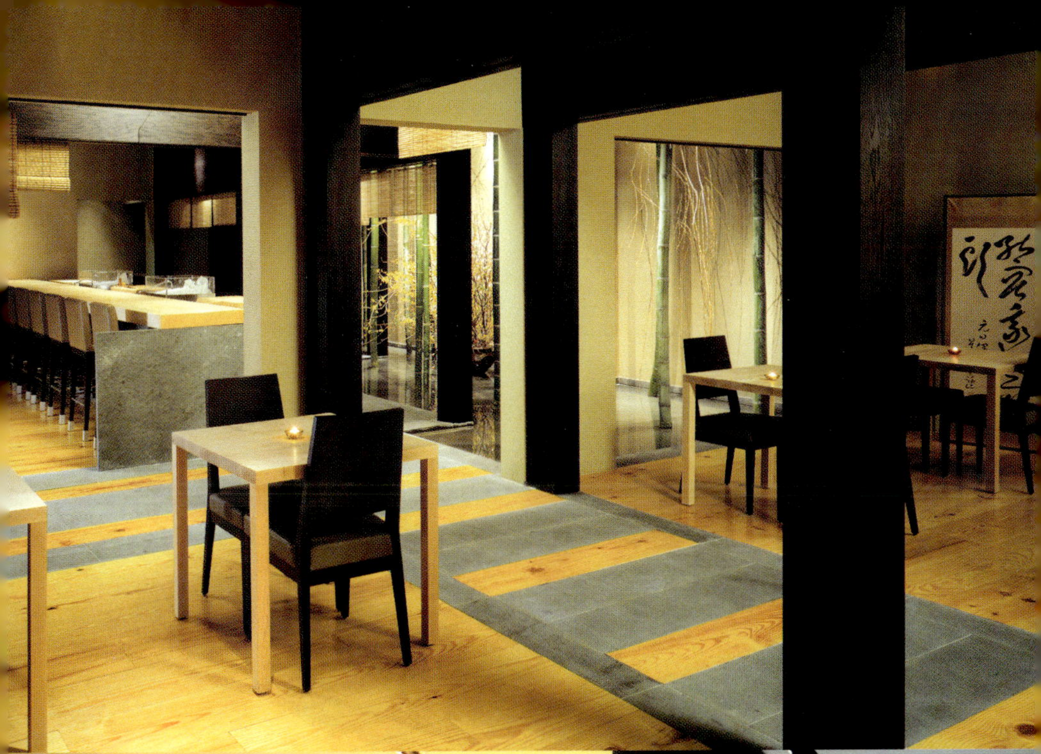

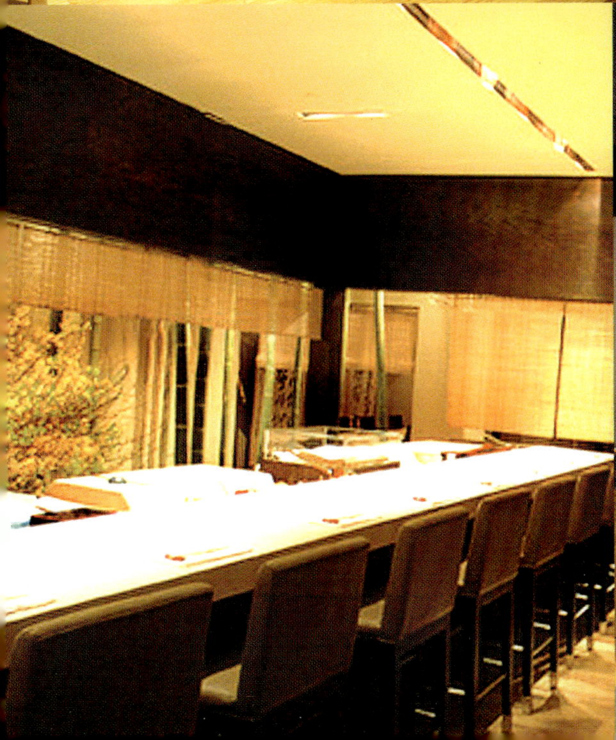

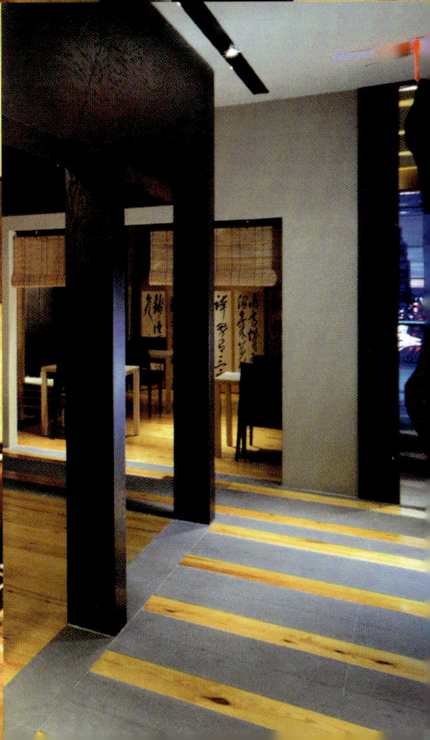

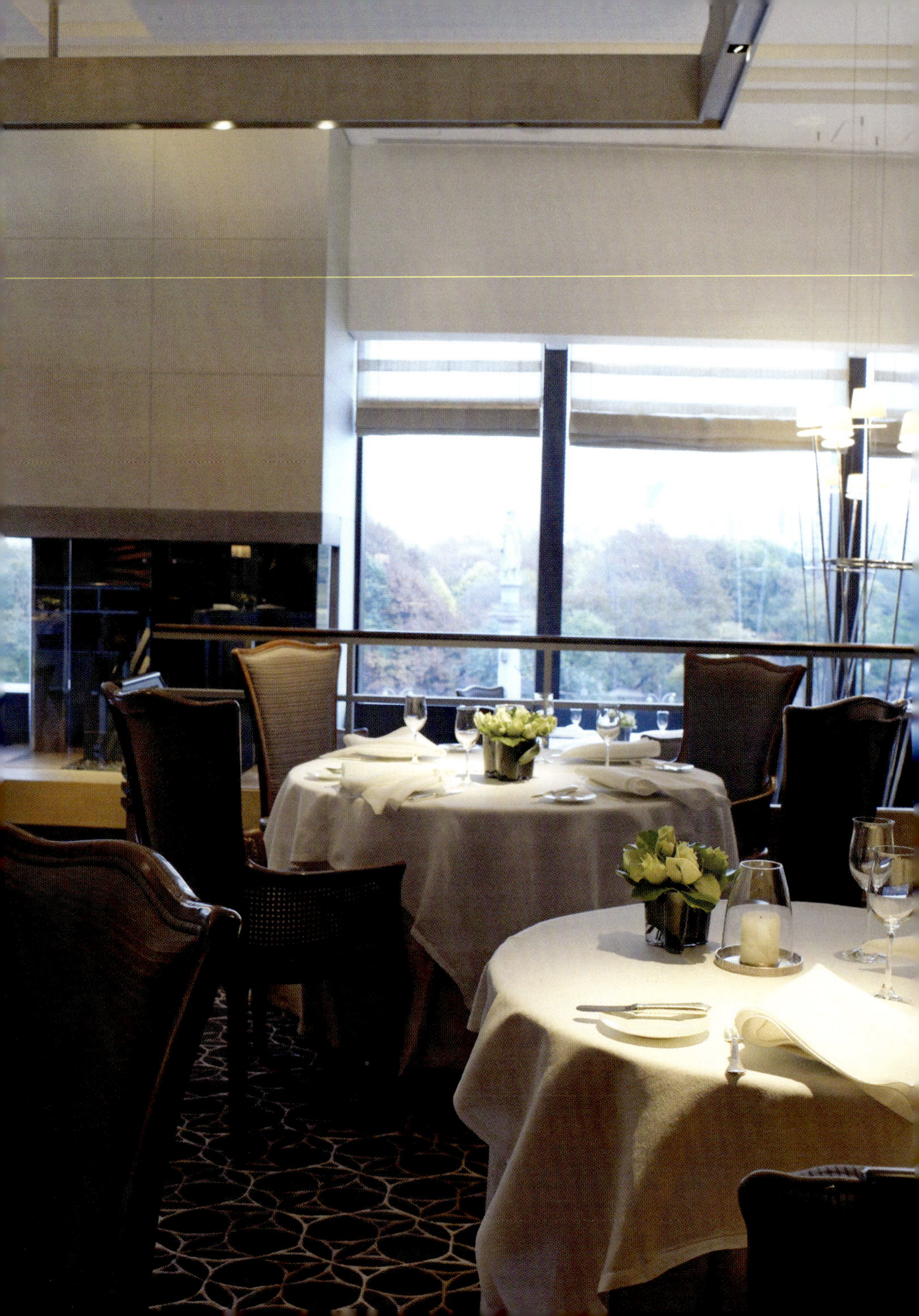

10 Columbus Circle
4th floor
New York, NY 10019
Tél. 00 1 212 823 9335
www.perseny.com

Propriétaire et chef : Thomas Keller

PER SE

→ États-Unis

🏵🏵🏵 Thomas Keller était déjà un chef rare ; depuis 2004 il est unique, puisqu'il est désormais le seul chef américain à cumuler deux fois trois étoiles. A l'époque, ce fut une réelle surprise de voir un cuisinier si passionnément attaché à ses fourneaux fermer boutique durant quatre mois pour mettre en place un deuxième établissement. Le résultat se révèle à la hauteur des efforts consentis. Per Se, installé dans l'immeuble de la Time Warner, avec une vue plongeante sur Central Park, est bien, selon le vœu du chef, « l'interprétation urbaine de The French Laundry », ce joyau gastronomique de la Napa Valley, reconnu par les gourmets et les critiques du monde entier comme l'un des meilleurs restaurants de la planète. L'atmosphère de bien-être voluptueux se veut identique, la cuisine positionnée sur la même orbite, mais l'expérience s'annonce différente. Adam Tihany, l'un des maîtres de l'architecture intérieure contemporaine, a donné aux lieux un style new-yorkais chic avec un petit côté théâtral qui sied à la philosophie d'un dîner conçu de bout en bout comme une représentation au Metropolitan Opera. Jugez plutôt : Laura Cunningham, partenaire de Thomas Keller, a veillé à la perfection du service, allant jusqu'à faire

« Lorsque vous acceptez que le plat parfait n'existe pas, que ce ne peut être qu'une idée, la quête de la perfection devient claire : rendre les gens heureux. C'est l'essence même de la cuisine. »

PER SE
→ États-Unis

donner des cours de maintien à l'équipe de salle par un professeur de l'American Ballet Theater… Dans les cuisines, un écran de télévision ouvre une fenêtre sur les fourneaux du restaurant californien. Il constitue aussi, pour la brigade du Per Se placée sous la direction de Jonathan Benno, un cordon ombilical avec la maison mère. Pour ne rien laisser au hasard. Pour rester au diapason de cette rigueur obsessionnelle qui fait la marque du chef. Certaines créations incontournables figurent naturellement à la carte comme les « cornets de glace » ou les « huîtres et perles » (sabayon de tapioca aux huîtres et caviar), mais la plupart des plats sont des inédits conçus spécialement pour eux-mêmes, « per se », pour paraphraser et expliciter le nom du restaurant new-yorkais. Les deux menus dégustations proposés – dont un végétarien – proposent au minimum une déclinaison de dix à douze plats, sorte de course de fond papillaire qui s'achève pourtant sans mal, grâce à l'exécution aérienne et l'exceptionnelle qualité de chaque met. Tourte de courge musquée de Provence, cannelloni croustillants de pommes au miel, gâteau de foie gras de canard mulard de Hudson Valley, selle d'agneau rôtie entière d'Elysean Fields Farm… Les légumes brillent de fraîcheur, les viandes excitent l'appétit par l'incomparable moelleux de leur chair, l'association des textures flatte le palais, et toujours, signe distinctif de cette cuisine affective, ce frôlement soyeux – crème, beurre ou émulsion – comme le souvenir de la caresse maternelle sur une joue enfantine.

EXTRAIT DE LA CARTE

Le sabayon de tapioca aux huîtres et caviar Sévruga de Russie

Filet de flétan de l'Atlantique sauté, jambon fumé du Tennessee, gâteau de maïs, poivrons doux et pois de saison

Palets d'or, mélange aux trois chocolats

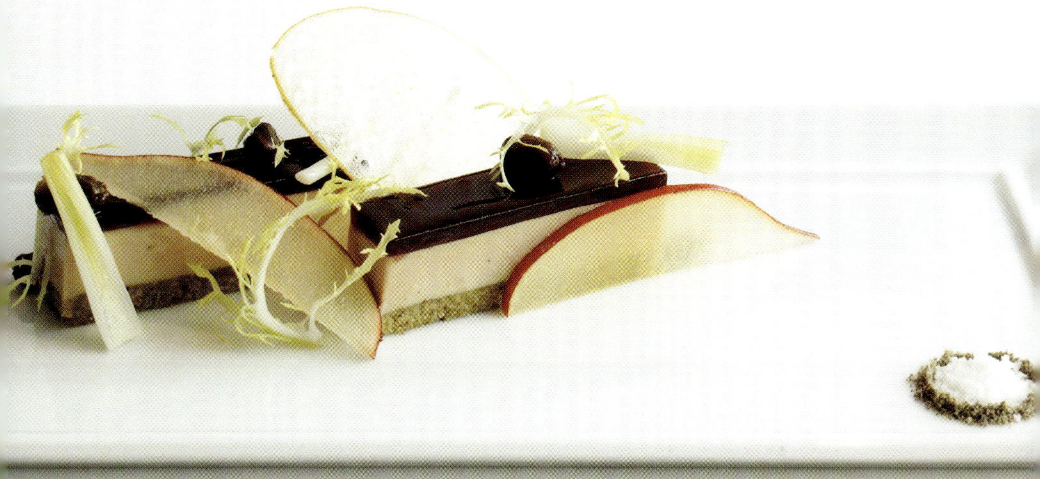

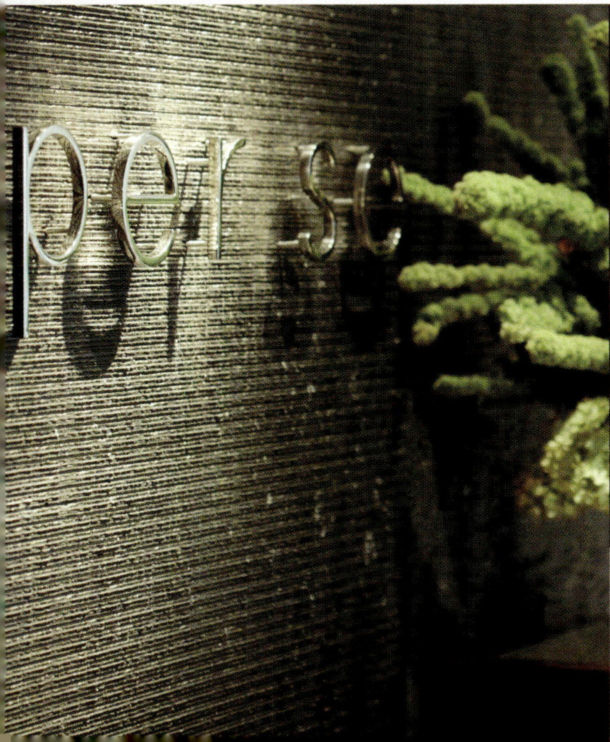

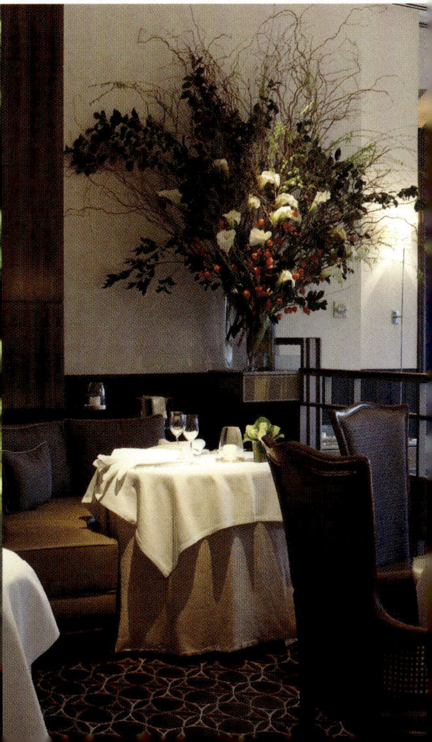

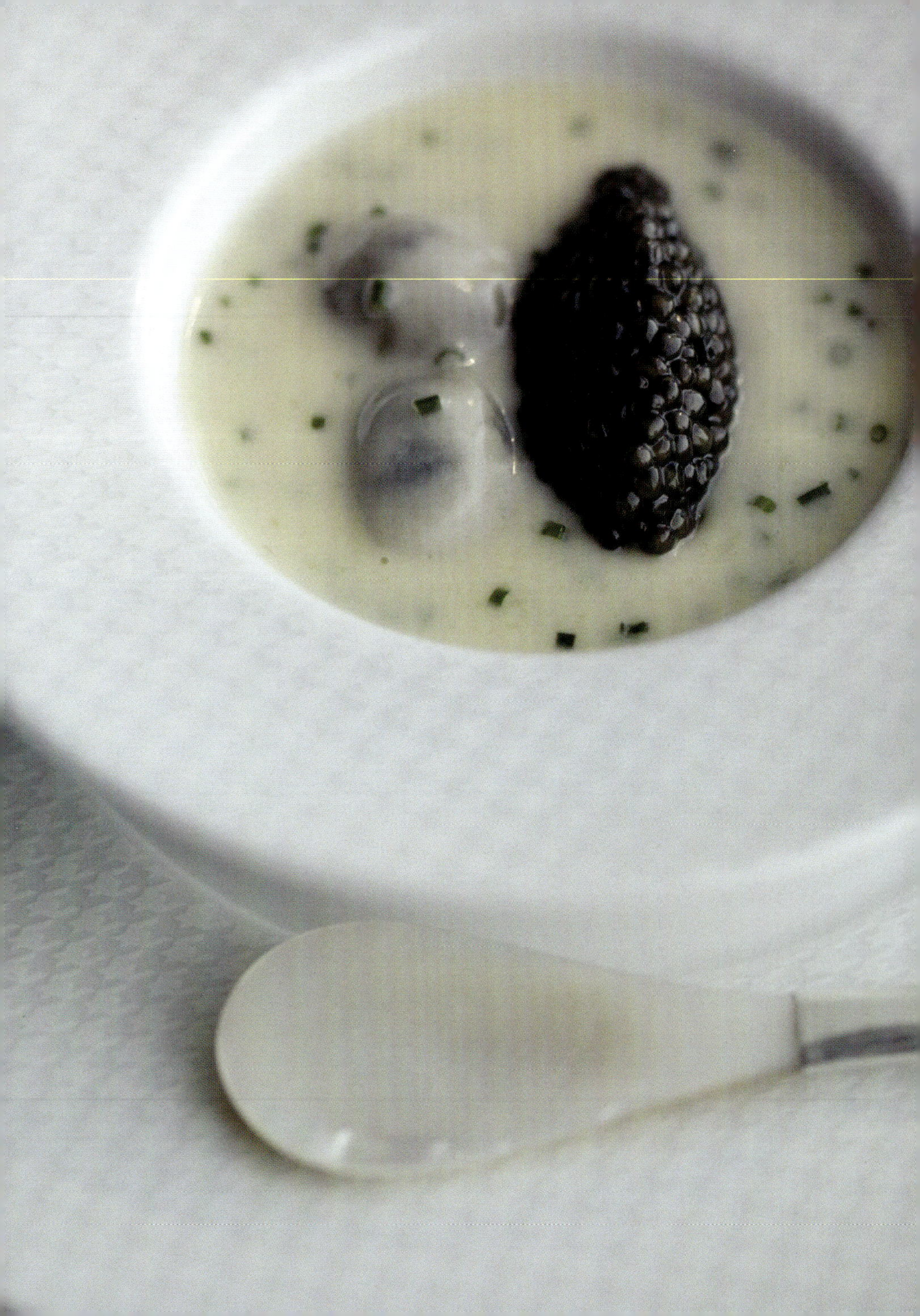

6640 Washington Street
Yountville, CA 94599
Tél. 00 1 707 944 2380
www.frenchlaundry.com

Propriétaire et chef : Thomas Keller

THE FRENCH LAUNDRY

→ États-Unis

❀❀❀ Transposer sur le sol californien l'esprit des grandes maisons françaises. Tel était le projet de Thomas Keller quand il ouvrit The French Laundry, une ancienne blanchisserie – française – déjà transformée en restaurant par les anciens propriétaires. Il la métamorphosa en un ravissant cottage, entouré d'un jardin plein de fleurs, de légumes et d'herbes aromatiques. En réalité, Thomas Keller en fit bien plus : il inventa un univers d'exception où la simplicité côtoie le raffinement – le comble du chic à l'Américaine, en quelque sorte.
Deux détails dans les cuisines permettent de comprendre ce qui fait la spécificité de ce chef hors du commun : une horloge assortie du commentaire « sense of urgency » (le sens de l'urgence), et, suspendue au-dessus des fourneaux, une définition de la finesse : « raffinement, délicatesse dans la performance, l'exécution ou l'artisanat ». Une méthode et une profession de foi qui désignent toute la cuisine de Thomas Keller. Car c'est d'abord dans l'exécution patiente et méthodique, faite de mille gestes minutés et renouvelés quotidiennement, que se construit la performance culinaire. C'est ensuite en laissant parler son sens intime du goût, mélange de finesse et d'intense instinct de la fraîcheur,

THE FRENCH LAUNDRY
→ États-Unis

qu'éclôt soudain, au creux d'un plat apparemment simple, un univers inattendu d'infinie volupté. « Une fourchette de fer dans un gant de crème », selon l'expression heureuse de Marie-Claude Lortie, journaliste canadienne tombée elle aussi sous le charme de la cuisine du chef californien. Il suffit de déguster le légendaire « ice cream cone », pour rejoindre la longue liste des fans de Keller. La douceur rencontre le croquant, les saveurs dansent en un harmonieux duo acidulé-salé enveloppé de suavité. Cette impression de soyeux qui flatte les mémoires gourmandes est une dominante de la carte. « Oysters and pearls », une autre création fameuse, célèbre le mariage des huîtres d'Island Creek avec le meilleur des caviars, délicatement immergés dans un sabayon de tapioca. Quant aux viandes, dûment sélectionnées – aiguillettes of Liberty Farms Pekin duck, « calotte de bœuf grillée », faux-filet grillé de bœuf de Shiga, etc. – leur cuisson, pour la plupart sous vide, exalte tout le moelleux de leur chair.

Au fond, Thomas Keller n'a rien d'un révolutionnaire. Il traque tout simplement le meilleur des produits partout dans le monde, quel qu'en soit le prix, il respecte les fondements de la cuisine de Fernand Point (le livre que tout un chacun se doit d'avoir lu pour travailler chez lui), il emprunte au progrès ce qu'il a de mieux, et il laisse parler sa sensibilité. Cuisine d'émotion pour palais sensibles, cuisine du cœur.

THE FRENCH LAUNDRY
→ États-Unis

«Pour réussir en tant que cuisinier, je crois qu'il y a quatre étapes principales : la sensibilisation, l'inspiration, l'interprétation et l'évolution. J'ai besoin d'être à l'écoute de ce qui m'entoure pour rester ouvert à l'inspiration. La collaboration avec mes équipes, avec qui nous partageons la même philosophie, permet à ma cuisine d'évoluer constamment.

Qu'est-ce qui vous inspire et vous fait avancer ? «Je suis continuellement inspiré par la qualité des produits que nous recevons. La matière première est, pour moi, une priorité ; je vais chercher le meilleur là où il est produit et je cultive une relation de confiance avec nos fournisseurs.»

EXTRAIT DE LA CARTE

Café et beignets : beignets au sucre de cannelle et « cappuccino semi freddo »

Queue de homard du maine poché dans du beurre sucré : topinambours glacés, purée de noisettes, feuilles de céleri branche et émulsion d'orange navel

Calotte de bœuf grillée de snake river farms : millefeuille de pommes de terre yukon gold, cèpes de mendocino, laitue romaine rôtie, pain de moelle et réduction à la béarnaise

| FAT DUCK | GORDON RAMSAY | THE WATERSIDE |
Bray-on-Thames | London | INN
| | | Bray-on-Thames

→ GRANDE-BRETAGNE
✾✾✾

La Grande-Bretagne révèle un paysage gastronomique concentré et contrasté. Tout se joue entre Londres et Bray-on-Thames, qui peut s'enorgueillir du titre de capitale gastronomique anglaise. Dans ce village bucolique baigné par la Tamise voisinent deux monstres sacrés, à peine distants de cinq cents mètres. Le Waterside Inn, adresse historique tenue par la famille Roux, reste le symbole de la grande cuisine française importée Outre-Manche ; tandis que le Fat Duck, dont le nom sonne comme un clin d'œil aux fastes de la tradition saucière, impose la vision contemporaine d'un Heston Blumenthal virtuose des fourneaux, capable de convaincre par ses œuvres les gourmets les plus conservateurs. À 45 minutes de là, enfin, dans le quartier londonien de Chelsea, Gordon Ramsay, personnalité marquante et remarquée, tient la barre de son restaurant gastronomique dans un registre plus sage, jouant délicatement sur les nuances aromatiques de ses plats, ciselés comme de petits bijoux de saveurs raffinées.

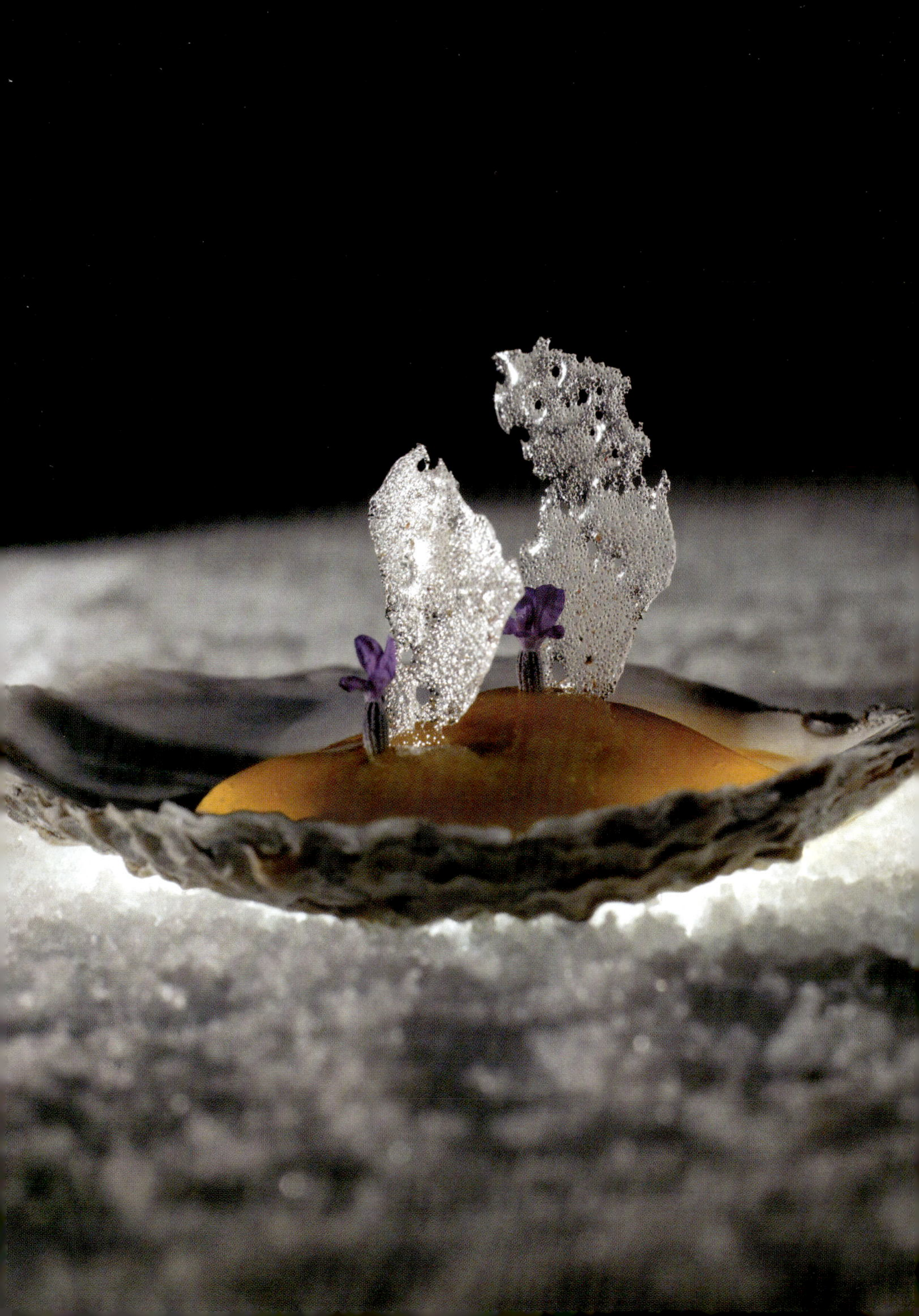

High Street
Bray-on-Thomas
Berkshire SL6 2AQ
Tél. 00 44 1628 580 333
deborahchalcroft@thefatduck.co.uk
www.fatduck.co.uk

Propriétaire et chef : Heston Blumenthal

FAT DUCK

→ Grande-Bretagne

ᘓᘓᘓ L'homme mange avec tous ses sens, il mange aussi avec son cerveau. Ceux qui en doutent encore n'ont qu'une expérience à faire : se rendre de toute urgence au Fat Duck, un cottage typiquement anglais situé à 45 minutes de Londres, dont la sobriété du décor tranche furieusement avec la créativité débridée du chef mondialement reconnu. Des poutres basses, une décoration florale minimale, des nappes blanches, des assiettes blanches, des murs blancs… Respirez avant de monter dans le grand manège des saveurs. Avec le menu dégustation, les sensations sont libérées avec la délicieuse impression d'accoster sur un continent nouveau où les frontières entre sucré, salé, entrées, plats et desserts sont complètement balayées. Dans cet enchaînement tout neuf de mets inédits, seuls semblent compter le plaisir et l'émotion.
Et pourtant, rien n'est plus construit que la cuisine d'Heston Blumenthal. Encore adolescent, il vit sa première expérience gastronomique à l'Oustau de Baumanière, à l'occasion d'un voyage en Provence. De retour en Grande-Bretagne, il puise dans les livres et les rencontres, l'essentiel de son savoir et de son savoir-faire culinaire. Pour les approfondir, il passe dix ans à sillonner la France en parcourant les meilleurs

« *Notre langue et l'intérieur de notre bouche sont dotés de 10 000 papilles gustatives. Celles-ci se régénèrent, ce qui veut dire que les récepteurs qui ont servi aujourd'hui ne seront pas les mêmes demain. Même si certaines zones de la langue sont plus sensibles à certains goûts, le schéma classique représentant la langue divisée en plusieurs zones correspondant à quatre goûts (il n'y en avait que quatre connus au XIXe siècle, lorsque ce schéma a vu le jour) est complètement erroné.*
Le processus de la perception gustative est en fait multisensoriel. Nous avons tous notre propre perception de la vie. Non seulement nous voyons, entendons et sentons différemment, mais nous avons aussi nos propres expériences, émotions et souvenirs personnels. Tant que cela restera vrai, le monde de la gastronomie restera un univers passionnant. »

FAT DUCK
→ Grande-Bretagne

230

restaurants et les meilleures caves de l'Hexagone. Surtout, il s'interroge. Sur les réactions chimiques à l'œuvre dans la cuisine, sur la perception gustative, sur le rôle de l'olfaction, de la vue et de la mémoire, y compris génétique, dans l'appréciation d'un mets. De ses recherches, naît une cuisine unique faite d'expériences moléculaires, d'explosions de saveurs, de chocs gustatifs. L'azote et les siphons sont là, bien sûr, avec leur cortège d'explications savantes, mais ils passent au second plan derrière la révélation des goûts et l'éveil de tous nos sens.

Les grands plats du Fat Duck se révèlent des modèles de justesse et de précision. Sur la carte, certains figurent avec leur date de création, comme des tableaux de maître. Le fameux porridge aux escargots, jambon Jabugo et fenouil, le foie gras rôti, gelée d'amande et camomille, l'étonnant « thé froid et chaud » qui fait coïncider comme par magie, dans la même tasse, liquide chaud et froid, le succulent pain perdu, glace au bacon fumé et œuf, gelée au thé, un concentré d'émotions personnelles, très anglaises, que le chef nous fait brillamment partager. À la fin du repas, un billet glissé dans un petit tube de poudre au goût de bonbon acidulé invite les convives à se remémorer leurs goûts d'enfance. La cuisine d'Heston Blumenthal se veut ludique et jubilatoire, elle touche le cœur ou l'esprit, ou bien encore l'un et l'autre ; tout dépend de la région où l'on situe le fondement du goût.

EXTRAIT DE LA CARTE

Ravioli d'huître en radis, fromage de chèvre et truffe, rissolé de fromage de tête	Foie gras rôti au « Benzaldéhide », coulis d'amande, cerise, camomille	Saumon poché en gelée de réglisse, artichauts, mayonnaise vanillée et huile d'olive « Manni »

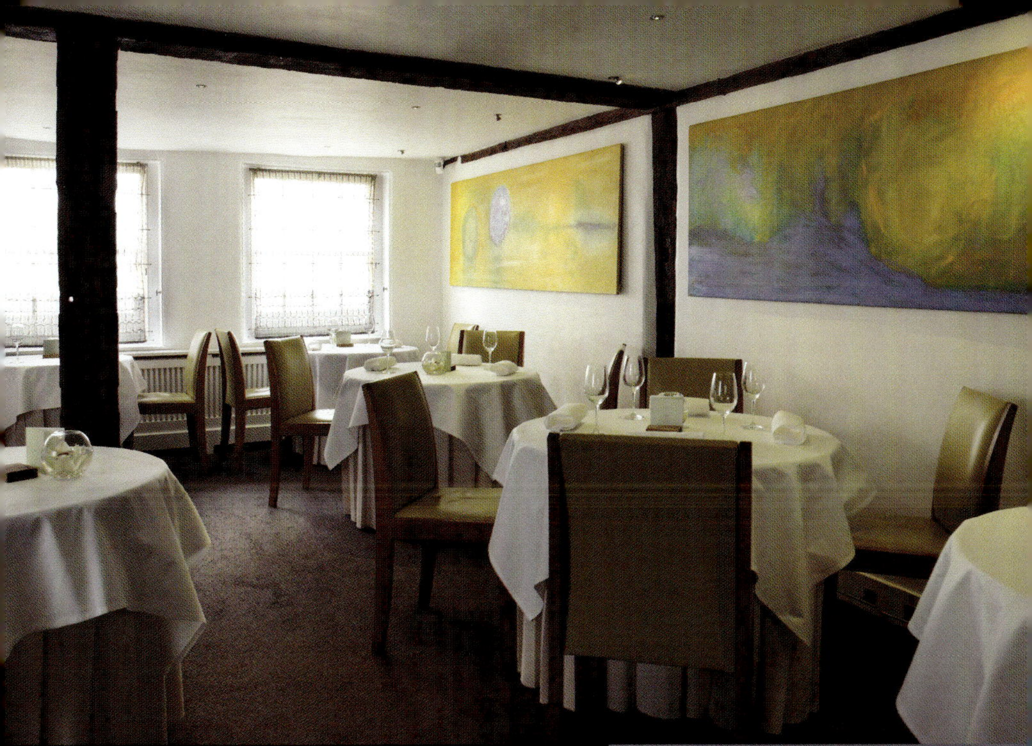
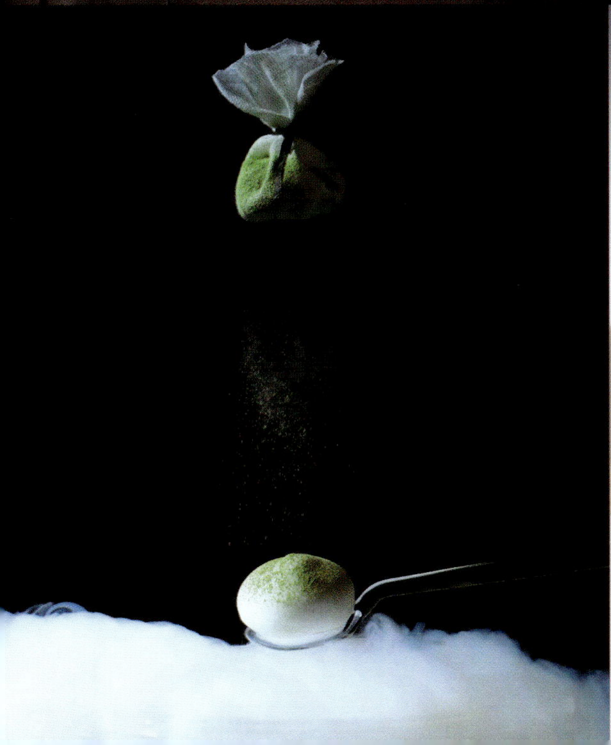
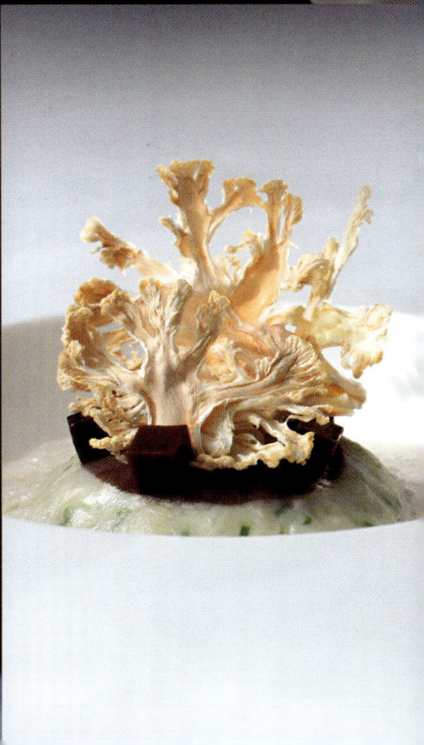

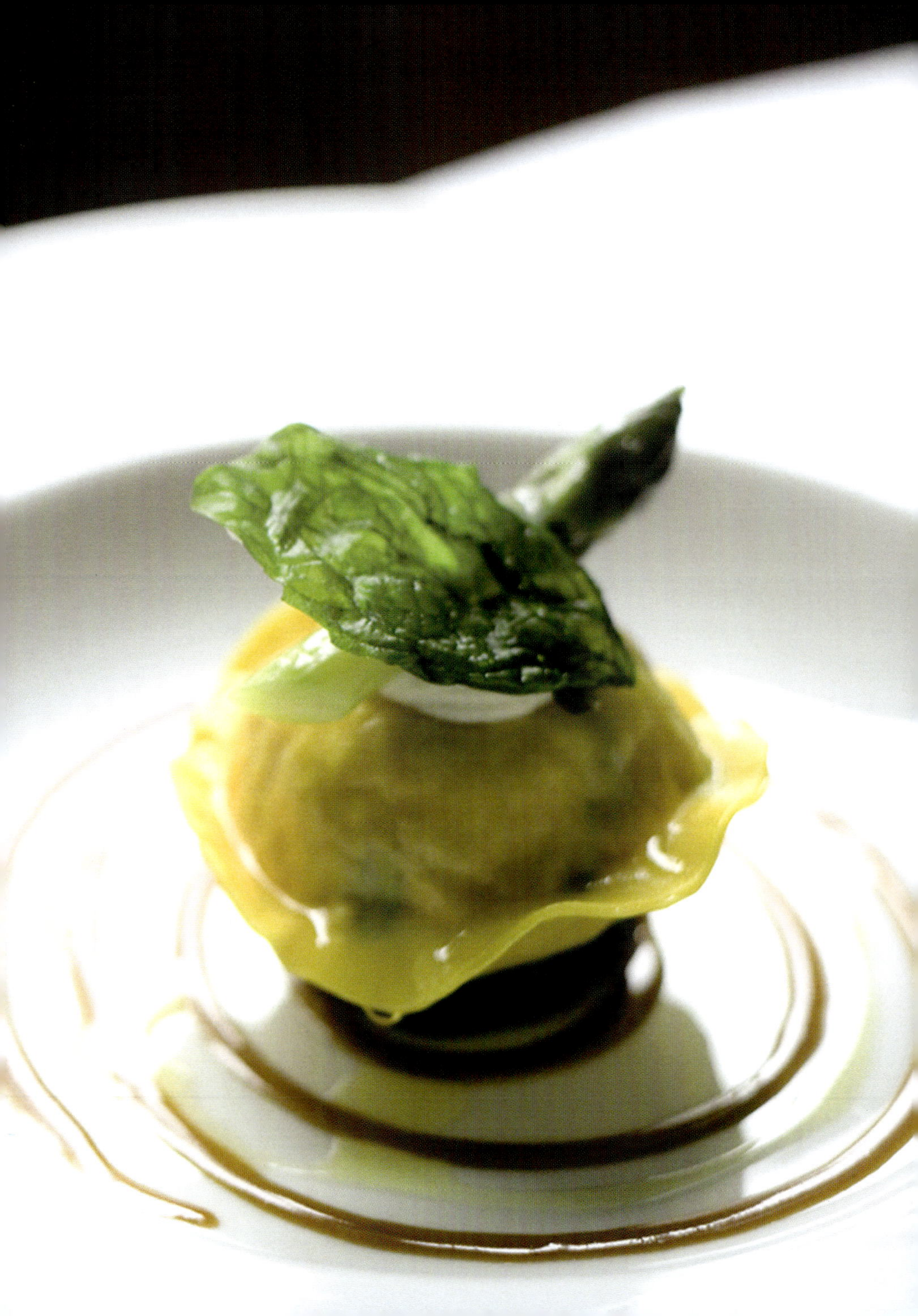

68 Royal Hospital Road
London SW3 4HP
Tél. 00 44 20 7352 4441
Fax 00 44 20 7592 1213
reservations@gordonramsay.com
www.gordonramsay.com

Propriétaire et chef : Gordon Ramsay

GORDON RAMSAY

→ Grande-Bretagne

❁❁❁ « Cook star », « bad boy », « Docteur Jekyll et Mister Hyde »… Les qualificatifs ne manquent pas dans la presse internationale pour dresser le portrait d'un chef médiatique, bouillonnant d'idées et possédant 18 restaurants dans le monde avec 12 étoiles Michelin au compteur. Il faut dire que l'homme offre un profil paradoxal. Campant un personnage de chef bourru dans Hell's Kitchen, un reality show culinaire où les candidats-cuisiniers courbent l'échine sous les injures, Gordon Ramsay est aussi aux commandes de son restaurant éponyme de Londres, installé dans le quartier bourgeois de Chelsea.
À l'abri du bruit et de la fureur médiatique, dans un immeuble typiquement londonien en briquettes rouges, s'ouvre un espace de sérénité, un beau volume aux lignes épurées, où la lumière entre à flots. Des cloisons blanches aux roses ornant la table, un voile immaculé semble recouvrir la salle, comme si Gordon Ramsay s'achetait une virginité entre les murs de son tout premier restaurant. Simplicité, saveur, élégance : la cuisine du chef écossais est aux antipodes du personnage médiatique qui agite le microcosme culinaire. Goûtez le ravioli de homard, langoustine et saumon, pochés dans une bisque légère

GORDON RAMSAY
→ Grande-Bretagne

servie avec un velouté de citronnelle et de cerfeuil. Voilà un petit bijou de saveurs raffinées, élaboré avec le plus grand soin dans le respect des produits, tout simplement.

N'oublions pas que Gordon Ramsay a suivi un cursus classique. Formé par Albert Roux à Londres, il passe ensuite trois ans dans les cuisines de Guy Savoy et de Joël Robuchon. Un cursus en or dont il fera son miel : une sensualité gourmande appuyée sur une technique irréprochable. Le souci de la légèreté est une autre des qualités de Gordon Ramsay, qui refuse une cuisine « qui cloue au lit pendant trois jours ». Donc, peu de mijotage, des jus courts, des cuissons au four qui limitent l'utilisation des graisses.

En matière de produits, l'Europe est son jardin. Le pigeon de Bresse voisine avec la polenta, le jambon Serano s'accompagne de pommes de terre Jersey Royal, le canard de Barbarie s'arrose d'un jus de Madère. Les Pan fried sea scallops de l'Ile de Skye contrastent avec une pancetta croustillante. Voilà un melting-pot de saveurs bien tempérées, un jeu espiègle et subtil. Le diable a décidément bon goût.

GORDON RAMSAY
→ Grande-Bretagne

« J'éprouve toujours autant de plaisir à cuisiner que lorsque j'ai ouvert mon premier restaurant en 1993. L'art culinaire ne cesse d'évoluer, j'adore créer de nouveaux plats pour mes clients, mais je n'ai aucun goût pour ceux qui sont à la mode et prétentieux. Je préfère largement manger un feuilleté de poisson maison plutôt qu'un panaché de la mer baignant dans une sauce indéterminée. La qualité des ingrédients étant essentielle pour réussir une recette, je me fournis toujours auprès d'excellents producteurs. Pour chaque plat, je recherche l'équilibre des saveurs et je m'attache à mettre en valeur le goût et la texture de chaque ingrédient, sans en masquer ou en privilégier aucun. »

Extrait de Gordon Ramsay
La cuisine en toute simplicité, éd. Solar

EXTRAIT DE LA CARTE

Ravioli de homard, langoustine et saumon servi avec un velouté de citronnelle et de cerfeuil

Épaule d'agneau confite, légumes à la provençale, épinards et jus de thym

Cylindre de chocolat noir, granité au café et crème de gingembre

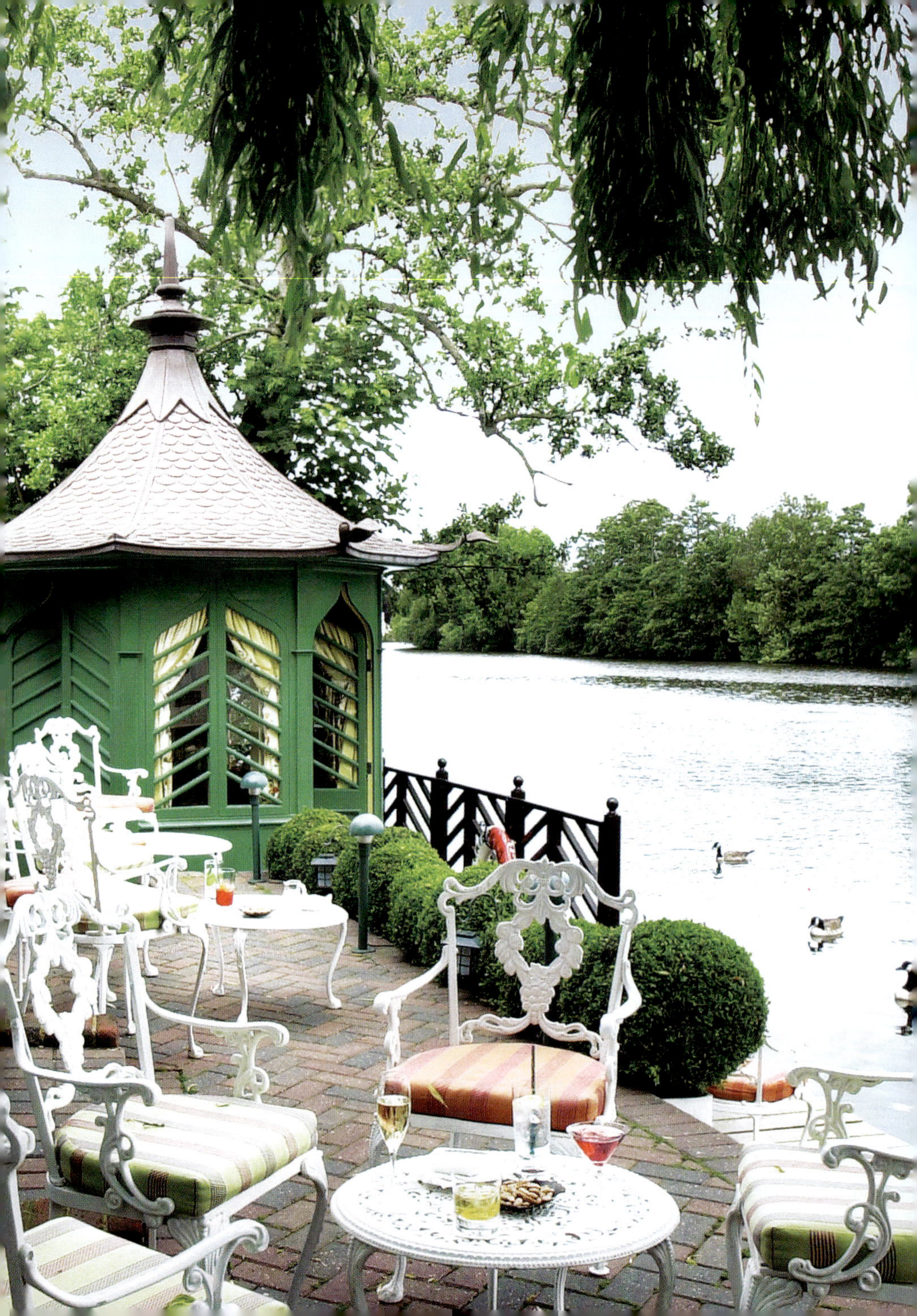

Ferry Road
Bray-on-Thames
Berkshire SL6 2 AT
Tél. 00 44 1628 620691
Fax 00 44 1628 784710
reservations@waterside-inn.co.uk
www.waterside-inn.co.uk

Propriétaires : Michel et Alain Roux
Chef : Alain Roux

THE WATERSIDE INN

→ Grande-Bretagne

🍀🍀🍀 Si «Roux» reste un nom prédestiné pour un cuisinier, en Grande-Bretagne c'est véritablement un passeport pour la gastronomie depuis que les frères Roux y ont importé la cuisine française en ouvrant en 1967 le célèbre Gavroche, à Chelsea. Le Waterside Inn, découvert à la faveur d'une promenade dans la campagne anglaise, ouvrira, lui, en 1972. Cet ancien pub de pêcheurs du village de Bray-on-Thames, devient peu à peu le fief de Michel Roux. Merveilleusement situé sur les bords de la Tamise, à 45 minutes de Londres, il allie le charme d'un cottage typiquement anglais aux délices de la haute cuisine française. Alain Roux, le fils de Michel, tient les rênes du restaurant depuis 2001 en appliquant scrupuleusement les principes qui ont fait la renommée de son père : intransigeance sur l'origine des produits, époustouflante maîtrise des cuissons, travail des sauces et des assaisonnements où s'exprime toute la créativité du chef. Les crustacés et les coquillages composent la face classique de la carte : ainsi la «quenelle de brochet à la Lyonnaise», les «huîtres tièdes, sauce champagne, truffe et caviar» ou les tronçonnettes de homard poêlées minute au porto blanc offrent le meilleur des saveurs de la mer avec une simplicité et une justesse qui

« *Mon désir de créer et de me renouveler me fait avancer en permanence. Mon inspiration vient des produits que je cuisine. J'aime particulièrement travailler les poissons et les crustacés.* »

Vous avez hérité des trois étoiles de votre père…
« *Oui, j'ai accédé à ce club très sélectif lorsque j'ai repris les rênes de la cuisine du Waterside Inn en 2001. Garder ces étoiles gagnées par mon père est parfois aussi difficile, si ce n'est plus, que de les acquérir au fil des ans.* »

THE WATERSIDE INN
→ Grande-Bretagne

238

auraient ravi Escoffier. Les potages, hors d'œuvre et œufs s'aventurent déjà un peu plus loin, sur le territoire des ingrédients exotiques et des associations sucré-salé, comme en témoignent le « ceviche de thon rouge et noix de Saint-Jacques, timbale de guacamole épicé et feuille de mâche » ou les « escalopes de foie gras poêlées sur tranche fine de pain d'épices, jus réduit aux prunes de Damas en pickles agrémenté d'airelles rouges ». Avec les viandes, Alain Roux, qui a côtoyé les meilleurs maîtres – en particulier Jacques et Alain Pic, Michel et Jean-Michel Lorain – atteint le sommet de son art. Prenez le caneton challandais grillé et « glacé » d'un mélange d'épices, servi avec des gnocchi relevés de raifort et des petits kumquats confits : voici un gibier de premier choix à la chair délicatement rosée, dont les sucs s'harmonisent parfaitement avec une savoureuse réduction préparée au Cabernet Sauvignon. Découpé en salle pour le plaisir des yeux, il allie le côté spectaculaire des grands plats d'autrefois aux surprises gustatives apportées par les saveurs venues d'ailleurs. Enfin, il ne faudrait pour rien au monde délaisser le registre des desserts ; ils portent tout autant la marque de Michel Roux, qui fut pâtissier avant d'être cuisinier. Certains d'entre eux, comme le fameux soufflé chaud aux fruits, compte parmi les favoris de la reine Elizabeth II. Aérien, aromatique et fondant… un songe sucré pour finir l'après-midi sur les bords de la Tamise.

EXTRAIT DE LA CARTE

Tronçonnettes de homard poêlées minute au porto blanc

Filets tendres de lapereau grillés sur fondant de céleri-rave sauce à l'armagnac et aux marrons glacés

Pêché gourmand selon « Alain et Michel »

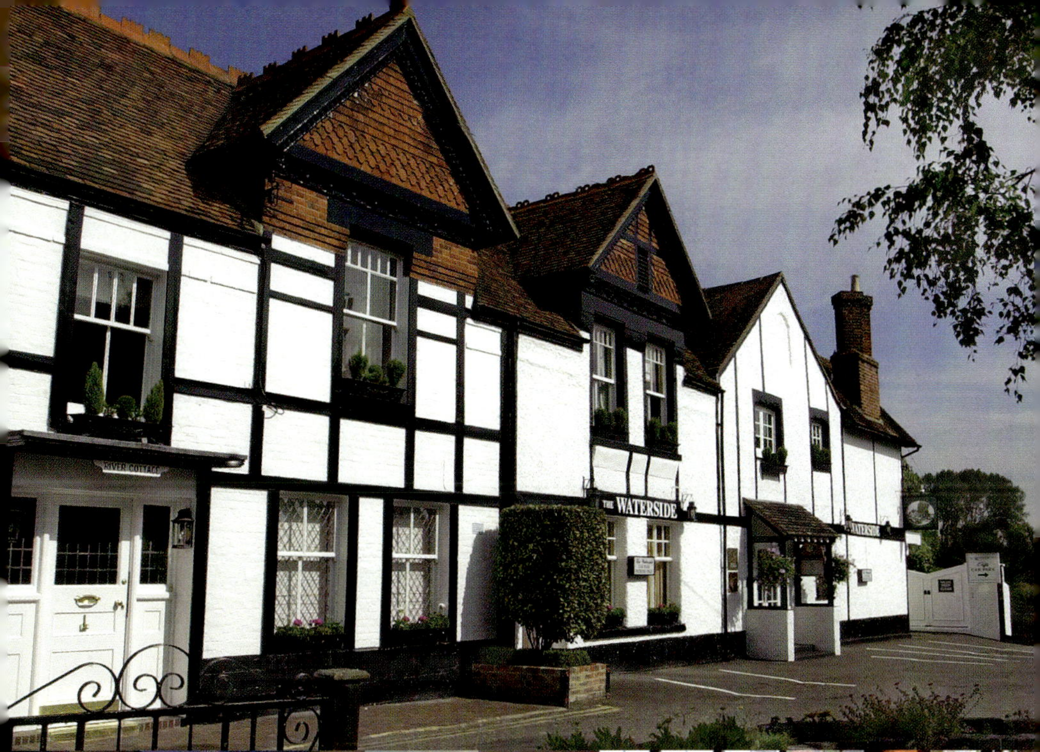
RIVER COTTAGE
THE WATERSIDE
WATERSIDE

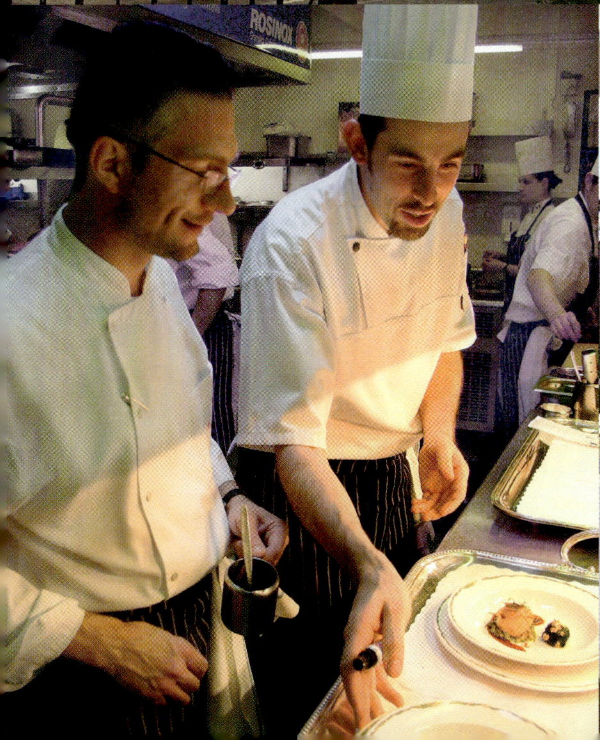
ROSINOX

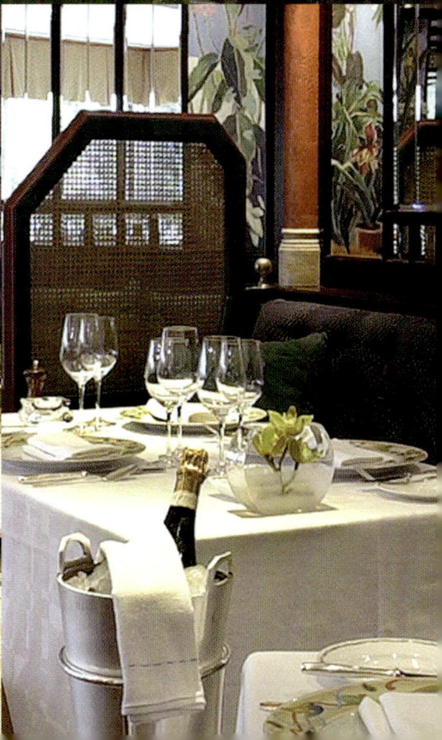

AL SORRISO
Soriso

DAL PESCATORE
Canneto Sull'Oglio

LA PERGOLA
Roma

LE CALANDRE
Sarmeola
di Rubano

ENOTECA
PINCHIORRI
Firenze

→ ITALIE
✿✿✿

Au cœur du bassin méditerranéen, l'Italie dessine un jardin extraordinaire où le moindre village cultive le goût du produit authentique : huile d'olive, artichauts violets, tomates juteuses, truffes d'Alba, parmesan… Cette savoureuse cuisine du soleil a conquis le monde et les restaurants étoilés en sont ses meilleurs représentants. Ici, ce sont les femmes qui dominent le palmarès, dans la grande tradition de la cuisine familiale italienne, riche d'un merveilleux héritage de recettes ancestrales où les pâtes et les poissons trouvent leur expression la plus aboutie. Annie Féolde, Nadia Santini et Luisa Valazza ont en commun leur parcours d'autodidactes passionnées de cuisine, guidées par l'intuition et le talent. À cette symphonie classique divinement interprétée, Massimiliano Alajmo et Heinz Beck offrent un contrepoint sophistiqué, le premier dans la province de Padoue en explorant toutes les possibilités gourmandes de la matière jusqu'au point d'équilibre ultime, le second sur les toits de Rome, à travers un voyage culinaire reliant subtilement la Méditerranée à l'Asie.

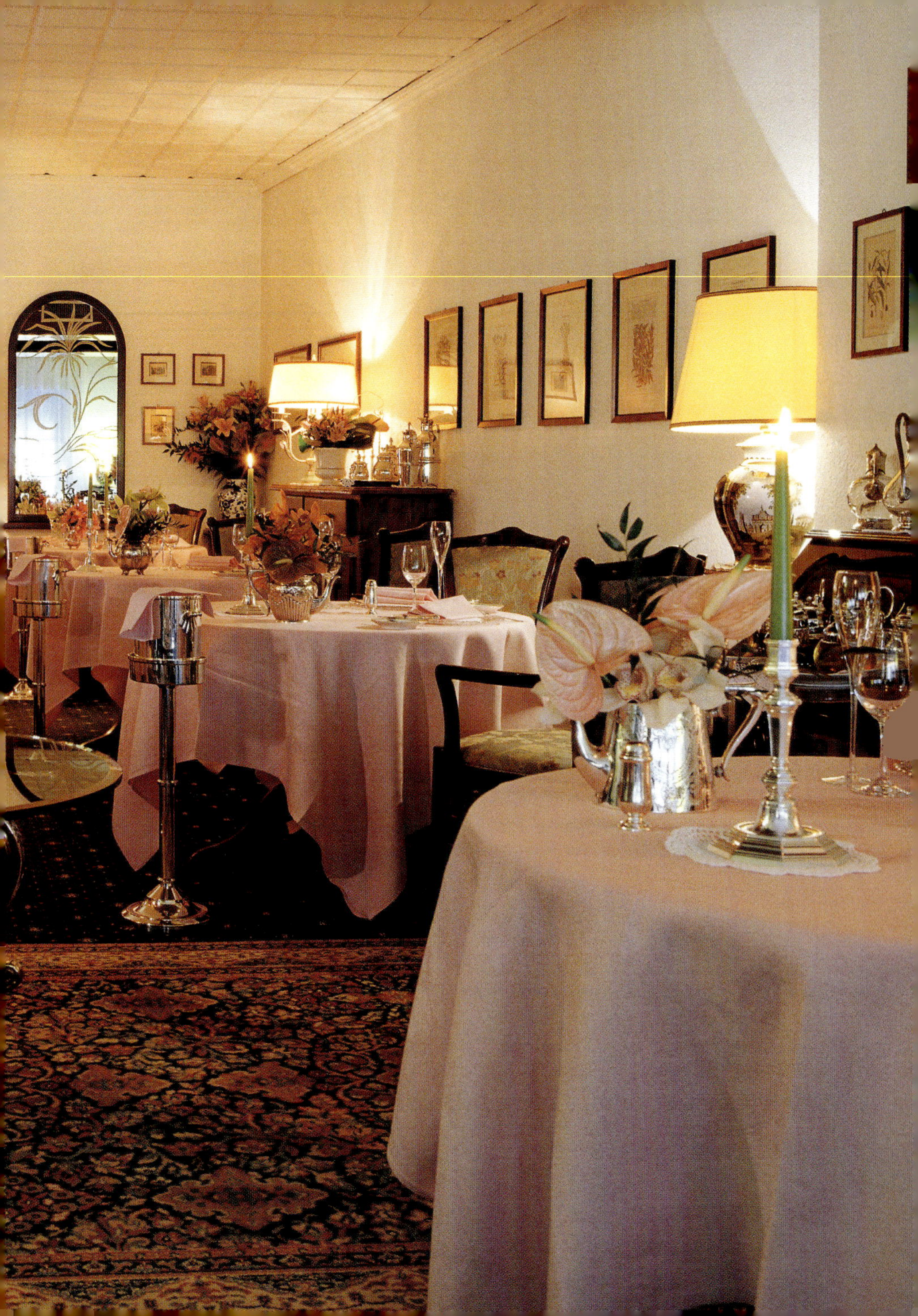

Via Roma 18
28018 Soriso
Tél. 00 39 322 983 228
Fax 00 39 322 983 328
sorriso@alsorriso.com
www.alsorriso.com

Propriétaires : Luisa et Angelo Valazza
Chef : Luisa Valazza

AL SORRISO

→ Italie

❃❃❃ La chance sourit aux audacieux. Voilà un proverbe qui va comme un gant à la famille Valazza, propriétaire du restaurant Al Sorriso. La chance, et une bonne dose de talent. Car il faut l'un et l'autre pour monter en quelques années sur les plus hautes marches du podium gastronomique avec une maîtrise de lettres en poche. L'histoire se déroule dans les années 80, Angelo Valazza vient de racheter un hôtel-restaurant à l'entrée du village de Soriso, campé sur une colline verdoyante d'où l'on domine le lac d'Orta. Au bout de quelques semaines, l'épouse d'Angelo choisit de se mettre aux fourneaux pour palier le départ du chef. Sans connaissance aucune, Luisa puise dans les livres l'inspiration de ses recettes… Et six mois plus tard, elle décroche sa première étoile !
Trente couverts, pas un de plus. C'est dans un espace intime et préservé, où les hôtes sont littéralement traités comme des membres de la famille, que grandit la cuisine de Luisa. La philosophie des débuts n'a pas changé : on travaille toujours de façon artisanale avec deux ou trois personnes au piano et autant en salle. À la carte, c'est le terroir et rien d'autre, la simplicité d'une cuisine fraîche, merveilleusement

« *Pour moi, cuisiner c'est aussi une question d'imagination. Un don que j'ai toujours cherché à exploiter dans tout ce que je fais. Pendant mes études, j'étais plutôt douée pour le dessin. Quand je suis passée derrière les fourneaux, j'ai découvert que préparer un plat c'était un peu comme créer un tableau, avec ses formes et ses couleurs. J'éprouve aussi un certain ennui à refaire la même chose. De ce fait, mes plats évoluent sans cesse, à travers la transformation, l'ajout ou la suppression d'ingrédients.* »

AL SORRISO
→ Italie

élémentaire, inspirée de la montagne environnante. De ses balades en altitude, Luisa rapporte des ingrédients qu'elle intègre dans ses recettes, toutes sortes d'herbes sauvages qu'elle connaît sur le bout des doigts, et aussi des fleurs qui viennent aromatiser de délicieux sorbets. Ses produits fétiches viennent des producteurs des alentours : le jambon et le lard maigre de Valle Vigezzo, les tommes du Val d'Ossola, les fromages d'alpage… La truffe blanche demeure l'une des grandes passions de Luisa, et les habitués viennent de loin pour déguster en automne les pâtes, le risotto ou même la bécasse préparée avec cet « or blanc » au goût si puissant que quelques grammes suffisent à développer sa tessiture aromatique.

Que dire des champignons, sinon qu'ils s'abandonnent avec bonheur aux doigts experts de Luisa Valazza. Voici un gros cèpe entier innocemment posé dans l'assiette, qui recèle dans son pied une farce de cèpes légèrement aillés et coupés en julienne. La cuisson au four exalte les saveurs et les textures, l'assaisonnement s'avère parfait. Même rassasié, il est impossible de faire l'économie des fromages, dont l'imposant plateau révèle tout l'éventail des spécialités régionales. Quant aux desserts, la cassolette de fraises des bois à la glace vanille est un modèle du genre. De quoi garder « le sourire » longtemps après avoir quitté Soriso.

EXTRAIT DE LA CARTE

| Cèpes farcis à la piémontaise | Raviolis au fromage de Bettelmat saupoudrés de truffe blanche | Pomme de terre farcie à l'oeuf, gratinée au four, truffe blanche |

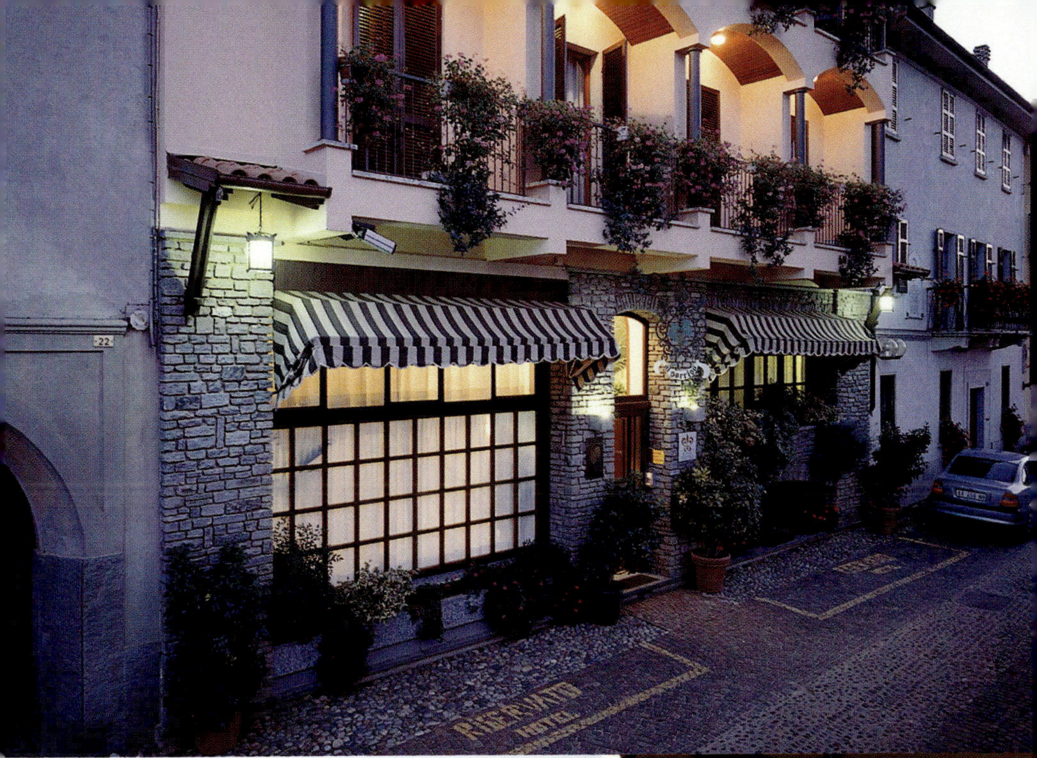

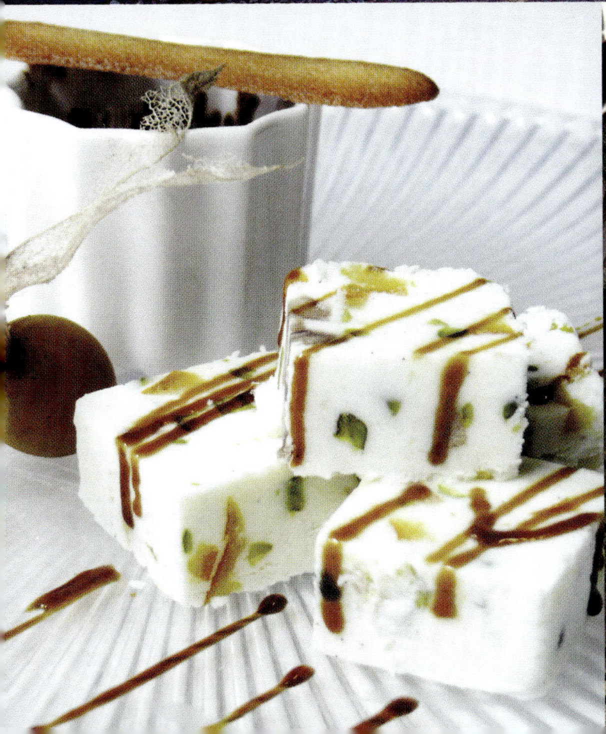

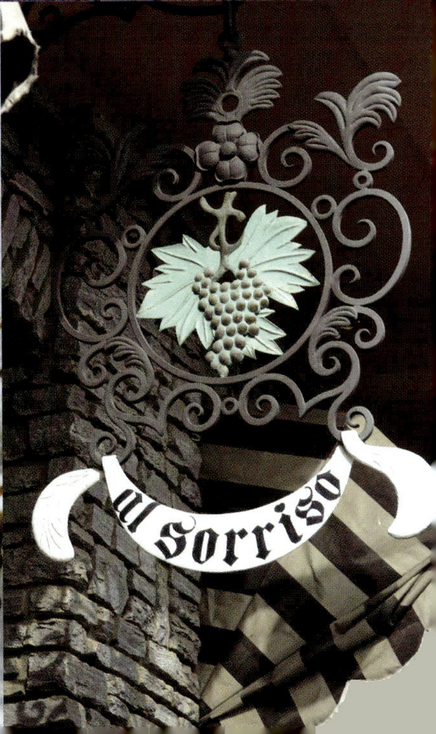
il Sorriso

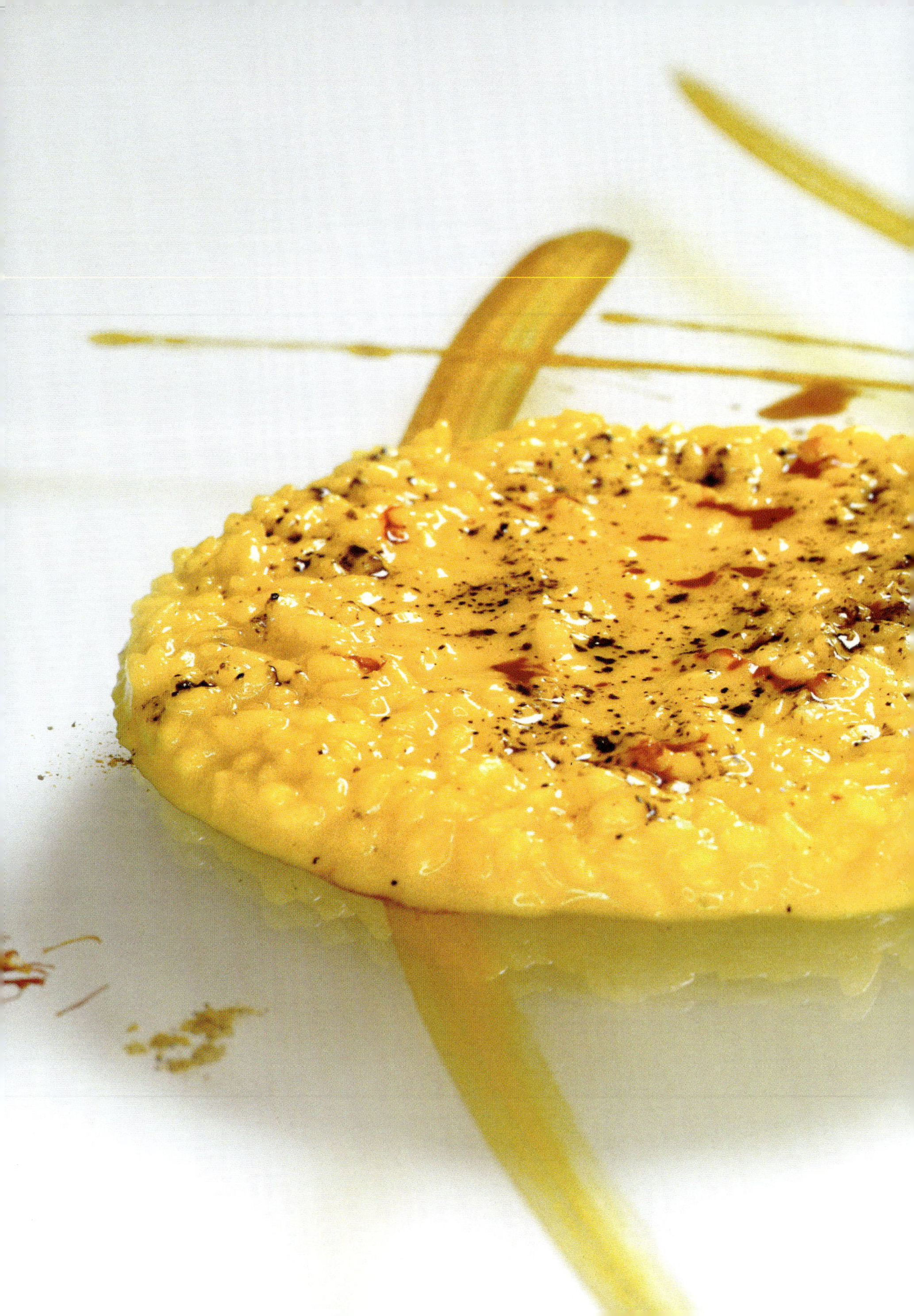

Via Liguria 1
35030 Sarmeola di Rubano
Tél. 00 39 4963 0303
Fax 00 39 4963 3026
calandre@relaischateaux.com
www.calandre.com

Propriétaire : Famille Alajmo
Chef : Massimiliano Alajmo

LE CALANDRE

→ Italie

🏵🏵🏵 Non, la valeur n'attend pas le nombre des années. En 2002, Massimiliano n'a que 28 ans lorsqu'il obtient ses 3 étoiles au Michelin, devenant du même coup le plus jeune chef de l'histoire à obtenir cette distinction. Reprenant le flambeau derrière sa mère Rita, « le Mozart des fourneaux » a manifestement hérité d'un code génétique exceptionnel. À peine âgé de six ans, les yeux grands ouverts sur les délices confectionnés par sa mère, le futur chef explore les secrets de la matière, naviguant à travers les formes, interrogeant les goûts, pétrissant de ses dix doigts les ingrédients qui constituent aujourd'hui encore la base de son travail. « In-gredienti »… C'est à la fois le titre de son livre, le nom de la boutique où il vend sa sélection de produits fétiches et l'origine de sa philosophie culinaire.
S'il nous était donné d'entrer dans le cerveau de Massimiliano Alajmo, on y verrait – sans doute – les saveurs des produits bruts se détacher très distinctement, comme autant de touches de couleurs pures cherchant leur complémentaire, leur opposé, jusqu'à l'harmonie d'une belle ascension chromatique. Avant de s'incarner en plats ces recettes existent d'abord sous forme de croquis très précis, assortis de commentaires

LE CALANDRE
→ Italie

détaillant les composantes, les mécanismes et les effets escomptés. Si l'œil analyse sans mal la complexité du travail accompli, les papilles sont en joie, tout simplement. *Batutta di carne piemontese al tartufo nero*: l'idée de ce plat est née d'une dégustation sur le vif en cuisine. Comment «enlever de la distance entre l'homme et la matière»? En retrouvant le plaisir de manger avec les mains des bouchées de bœuf cru juste assaisonnées de sel et d'huile de truffe, et chapeautées d'une lamelle de truffe noire. La viande nue est présentée sur une écorce de bois au milieu de laquelle serpente une sauce aux œufs truffée. Quant aux desserts, le menu n'en décline pas moins de douze, disposés sur les marches d'un petit escalier de table en inox, écho savant aux chefs-d'œuvre de la «mama» qui s'est résolument tournée vers les plaisirs sucrés, d'ailleurs commercialisés dans la pâtisserie familiale attenante: pâtes de fruits, biscuits, tiramisu, chocolats et autres divines fantaisies. Pendant que Massimiliano avance sur les chemins escarpés de l'avant-garde culinaire, son frère Raffaele dirige la maison et veille sur la cave italo-française, dont certains vins servis au verre viennent éclairer judicieusement les tribulations gastronomiques du Calandre.

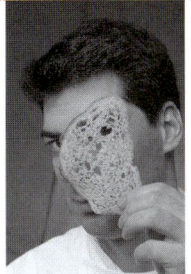

LE CALANDRE
→ Italie

« Je dois savoir d'où vient une viande. Cela ne me suffit pas de goûter le filet cru, j'ai besoin de connaître la provenance de la bête, pour en déduire l'arôme des herbes dont elle s'est nourrie. Cela me permet de mettre les mêmes herbes en cuisson, par exemple. »

« Pour moi, le succès d'un plat dépend à cent pour cent de la qualité de la matière première. Je ne crée rien, au maximum je valorise ».

« La seule vérité est celle qui est contenue dans les ingrédients. Je décide de m'approcher de la matière dans le but d'atteindre le noyau avec humilité et je cherche à agir en conséquence, avec respect, et donc avec légèreté ».

EXTRAIT DE LA CARTE

Risotto au safran et poudre de réglisse

Pigeon de Sante aux myrtilles et genièvre, pâté de fegatini et polenta frite

Petite tarte aux poires et glace au gorgonzola

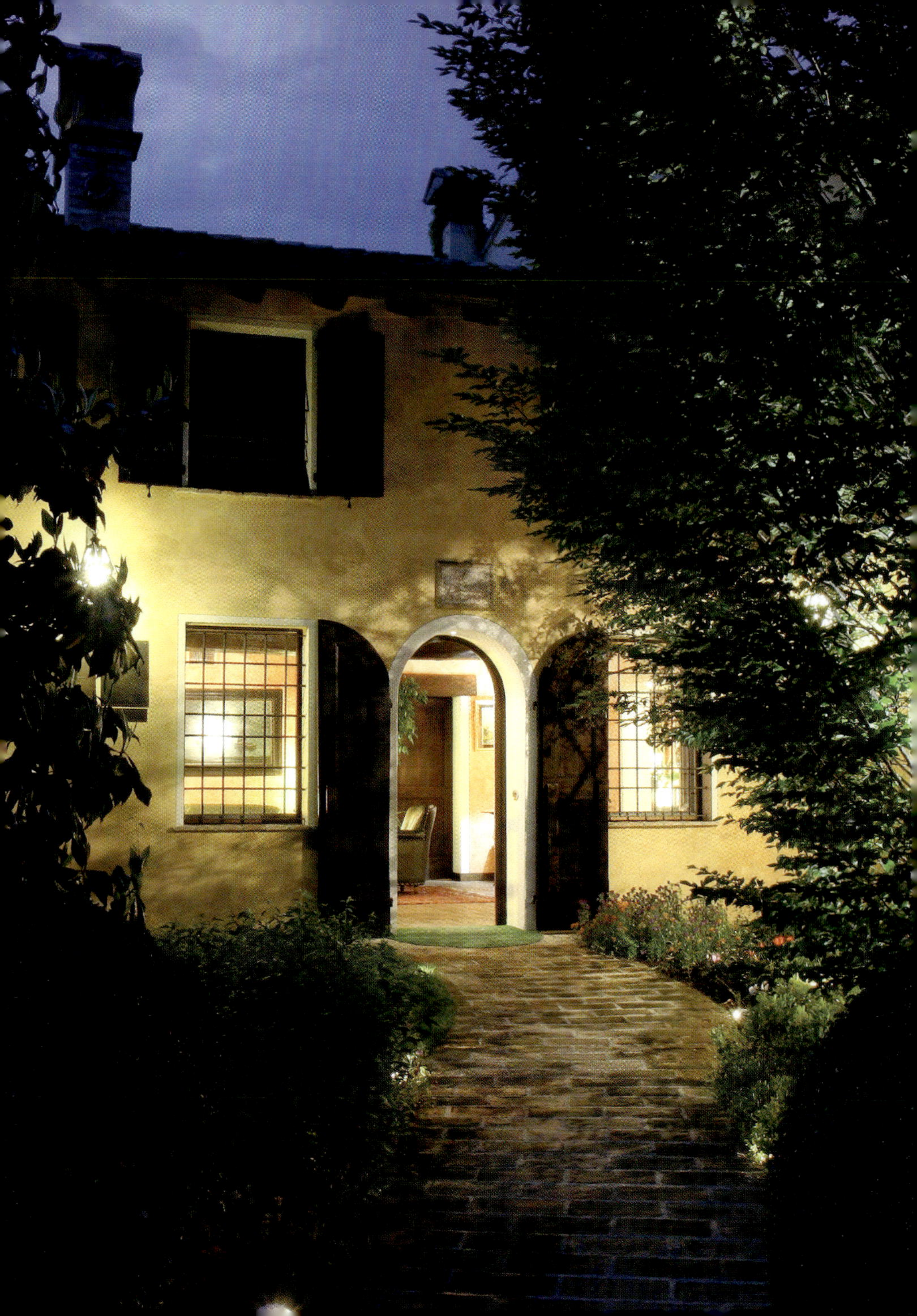

Riserva del parco Runate
46013 Canneto sull'Oglio
Tél. 00 39 376 72 30 01
Fax 00 39 376 70 304
santini@dalpescatore.com
www.dalpescatore.com

Propriétaire : Antonio Santini
Chefs : Nadia et Giovanni Santini

DAL PESCATORE

→ Italie

ꕥꕥꕥ Entrer dans les cuisines de la famille Santini, c'est d'abord pénétrer dans le sanctuaire de la pâte italienne. Fetuccine, agnolini, tortelli, pennete rigate… Sur les plans de travail en saule – un bois doux entrant en osmose avec la texture de la pâte –, des mains expertes commencent par mélanger les œufs, la farine blanche, la semoule de blé dur et l'huile d'olive. De la machine à pâte s'échappent de longs rubans jaunes qui seront bientôt coupés en rectangles avant d'être posés délicatement sur des barres de séchage, où ils resteront le temps qu'il faut, ni trop ni trop peu, pour obtenir la tenue idéale. Et ce n'est qu'un début… Ce travail ancestral réalisé par Bruna, la belle-mère de Nadia, constitue la base d'une cuisine brillante qui cherche à atteindre le juste équilibre entre tradition et modernité.

Dans les années trente, La Casa dal Pescatore est un petit restaurant de pêcheur installé sur les bords de l'Oglio, à Runate, petit village de 36 habitants situé à mi-distance entre Parme et Mantoue. Antonio Santini pêche et son épouse Teresa cuisine. Vingt ans plus tard, leur fils Giovanni et sa femme Bruna reprennent le flambeau. Après un voyage de noces gastronomique en France, Antonio (le petit-fils) et

« La recherche du goût vrai est ma priorité. Les légumes, les herbes, les poissons, les viandes… tout doit être d'une fraîcheur irréprochable. J'ai également le souci de réaliser des repas équilibrés pour que manger soit non seulement un plaisir, mais aussi une source de bien-être profond et durable. »

DAL PESCATORE
→ Italie

Nadia sont bien décidés à hisser le « Pêcheur » au rang des adresses d'exception. Ils obtiennent leur première étoile en 1982, la deuxième en 1988 et la troisième en 1996, pour travailler désormais avec leurs deux fils : Giovanni a rejoint sa mère en cuisine, et Alberto participe à l'approvisionnement et à la gestion de l'établissement avec son père. Un noyau familial très soudé, qui a su évoluer avec son temps et qui contribue sans doute à l'atmosphère particulièrement chaleureuse de cette belle demeure noyée dans la verdure.

Avec le temps, Nadia et Giovanni font un travail d'épure en allégeant les plats des gras superflus sans rien ôter des saveurs originales. Ce sont des recettes ancestrales revivifiées, présentées avec élégance, qui exaltent toujours la fraîcheur et la franchise des matières premières. Tortelli de courge, selle de chevreuil au vin rouge et myrtilles, terrine de homard, légumes, caviar et huile d'olive extra-vierge… La nature semble à portée de main dans chacun de ces plats. Prenez encore le fameux risotto au safran et artichaut frit, une recette caractéristique de la Lombardie, réalisé avec le riz Vialone Nano cultivé dans les alentours fertiles de Mantoue, parsemé de petits cœurs d'artichaut d'Italie coupés très fins, sautés à la poêle et assaisonnés avec les pistils d'un safran « maison » planté dans le jardin des simples… Un jardin d'éden sur cette terre de Lombardie, le paradis du « pêcheur » en somme.

EXTRAIT DE LA CARTE

| Penne rigate et lisce avec anguille croustillante et cédrat confit | Tortelli de citrouille | Homard en gélatine de Champagne et caviar osciètre et anguille marinée à l'orange |

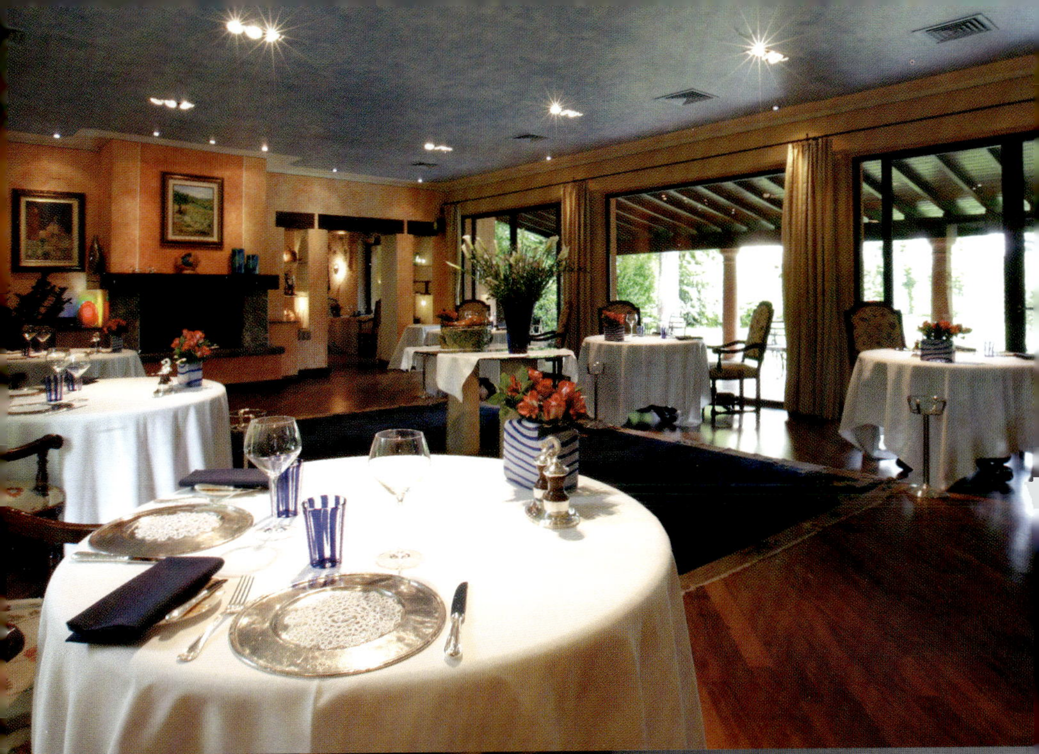
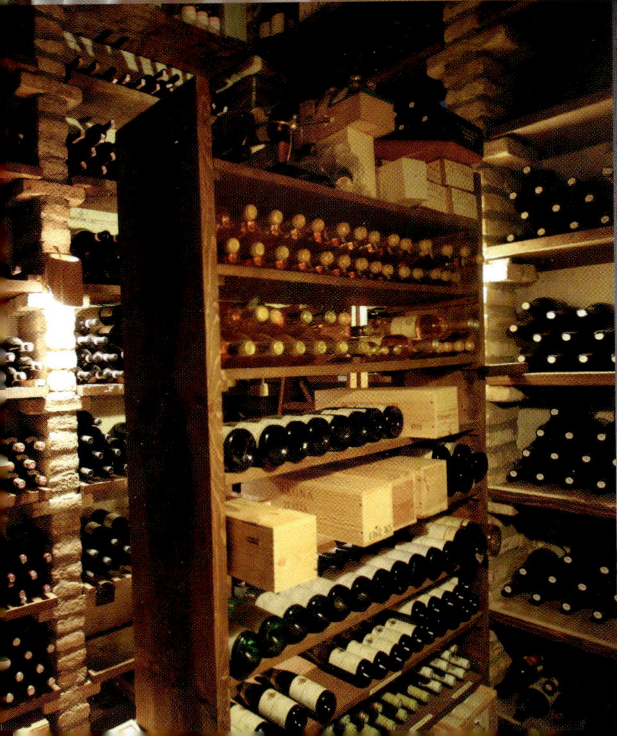
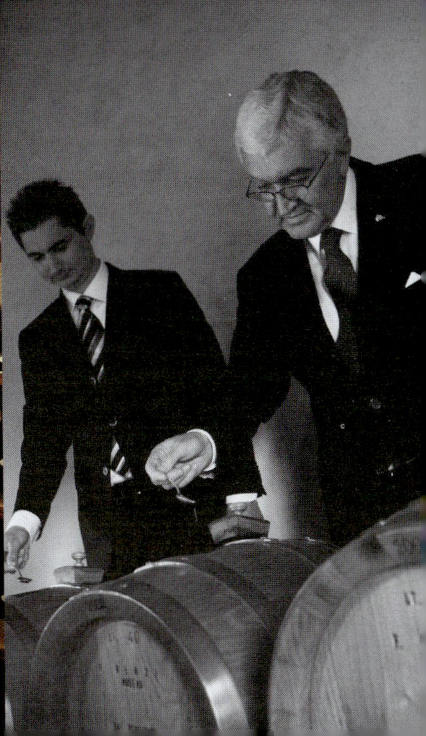

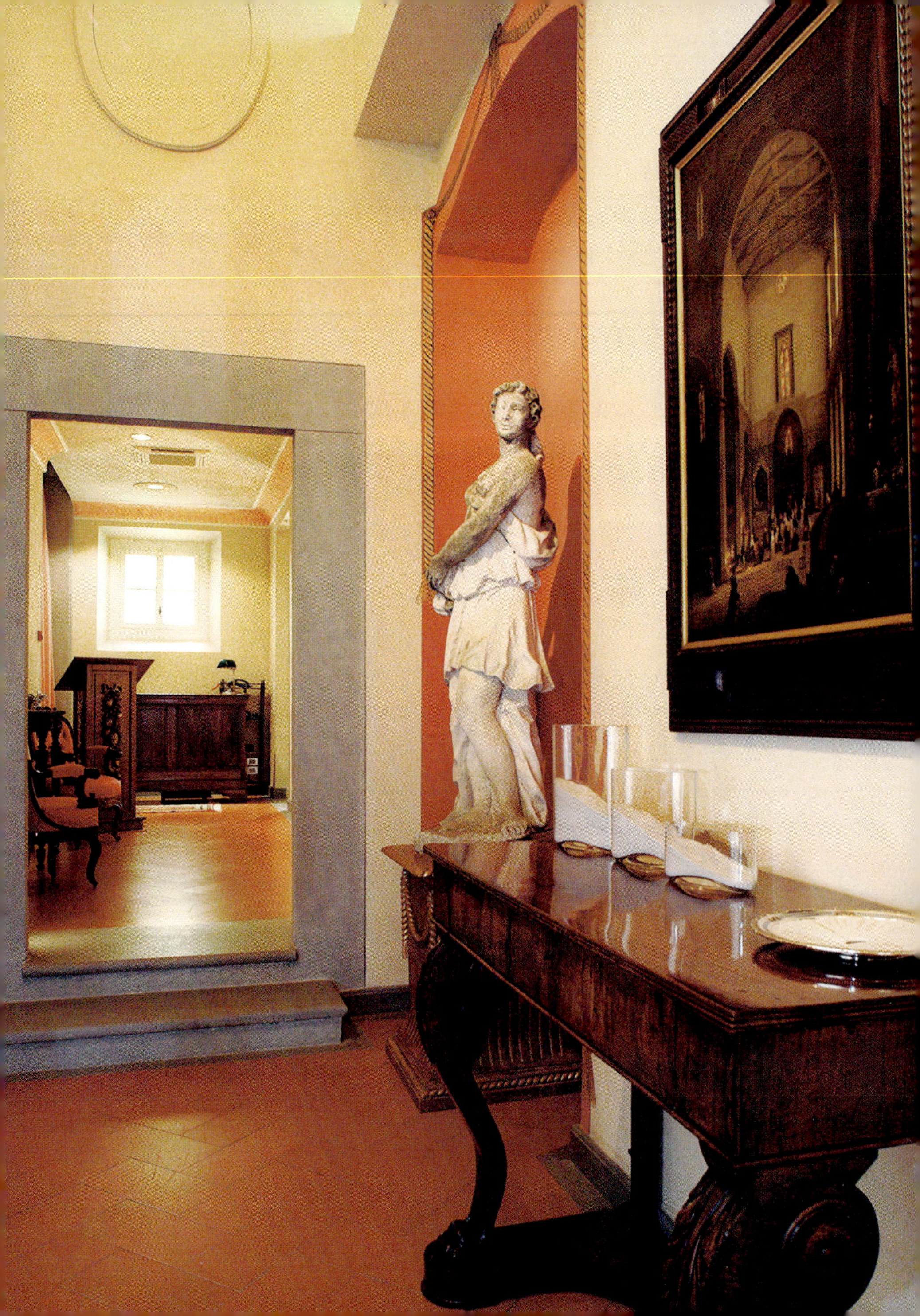

Via Ghibellina 87
50122 Firenze
Tél. 00 39 055 24 27 77
Fax 00 39 055 24 49 83
ristorante@enotecapinchiorri.com
www.enotecapinchiorri.com

**Propriétaires : Giorgio Pinchiorri
et Annie Féolde
Chefs : Annie Féolde, Italo Bassi,
Riccardo Monco**

ENOTECA PINCHIORRI

→ Italie

🕄🕄🕄 L'Enoteca Pinchiorri, c'est d'abord une histoire d'amour entre Annie Féolde et Giorgio Pinchiorri. Elle est fonctionnaire des Postes à Nice et rêve d'un destin d'hôtesse de l'air. Lui est sommelier à Florence. Au cours d'un voyage linguistique en Toscane qu'elle finance en travaillant dans la restauration, Annie rencontre le beau Giorgio. Amour et gastronomie vont bien ensemble. Le couple s'installe en 1972 à l'Enoteca, un palais renaissance au cœur de la vieille ville, où Giorgio décide d'ouvrir un « bar à vins ». Pour accompagner la dégustation de ses bouteilles venues de tous les horizons – Italie, France, Californie – sa compagne se met en cuisine. Petits plats deviendront grands… Prise au jeu, Annie Féolde se plonge dans les recettes typiques de la Toscane et entre dans le cercle fermé des restaurants étoilés. En 1994, elle devient la première femme couronnée par Michelin en Italie.

L'Enoteca a tout pour séduire les gourmets du monde entier. L'imposant décor donne au lieu une stature exceptionnelle. À quelques pas de l'église Santa Croce et de la maison de Michel-Ange, l'histoire palpite entre ces hauts murs. Dans le mystère des salles en dédale, sous les plafonds à fresques, on s'attend à voir quelque charmante comtesse florentine surgir derrière les tentures. Du côté des saveurs, la tradition régionale a trouvé son meilleur interprète. Annie Féolde, qui a noué des relations étroites avec les artisans et petits producteurs de Toscane, sait où trouver les meilleurs produits. En collaboration avec Italo Bassi et Riccardo Monco, elle réalise une cuisine goûteuse et inspirée. Spaghettis alla chitarra avec crème de petits pois et filets de maquereau mariné, cochon de lait à la broche, aux échalotes en aigre-doux, chou vert et petit-salé, carré d'agneau farci au lard de Colonnata et croquettes de haricots au romarin… La cave de Giorgio Pinchiorri atteint aujourd'hui l'incroyable chiffre de 150 000 crus : c'est la plus grande cave d'Italie et l'une des plus grandes au monde.

Depuis 2006, Loretta Fanella tient les rênes de la pâtisserie et fait se pâmer toute la critique gastronomique italienne. Son incroyable « puzzle floreale » s'impose comme une prouesse esthétique et gourmande. Dans cette composition graphique aux couleurs des fresques de Michel-Ange, les délices s'imbriquent les uns aux autres : bavarois à la lavande, mousse au thé, panna cotta au carcadé, pour dessiner une palette de saveurs surprenantes.

ENOTECA PINCHIORRI
→ Italie

« *Ma cuisine est un voyage dans la mémoire du goût, un exercice de style difficile qui s'appuie à la fois sur l'utilisation des techniques françaises et l'interprétation moderne de la cuisine toscane traditionnelle. La sélection rigoureuse des produits et le respect des saveurs originelles sont à la base de mon travail. Je cherche à faire partager une expérience esthétique à travers les parfums, les saveurs, les odeurs, la richesse et la spontanéité des saisons.* »

EXTRAIT DE LA CARTE

Ravioles doubles farcies à la pintade et à la Burrata, fondue de fromage de Fossa au jus de rôti parfumé au thym frais

Loup à la cannelle au lard de Colonnata poireaux à l'étouffée sauce relevée au poisson

Risotto façon "Cacciucco"

ENOTECA PINCHIORRI
→ Italie

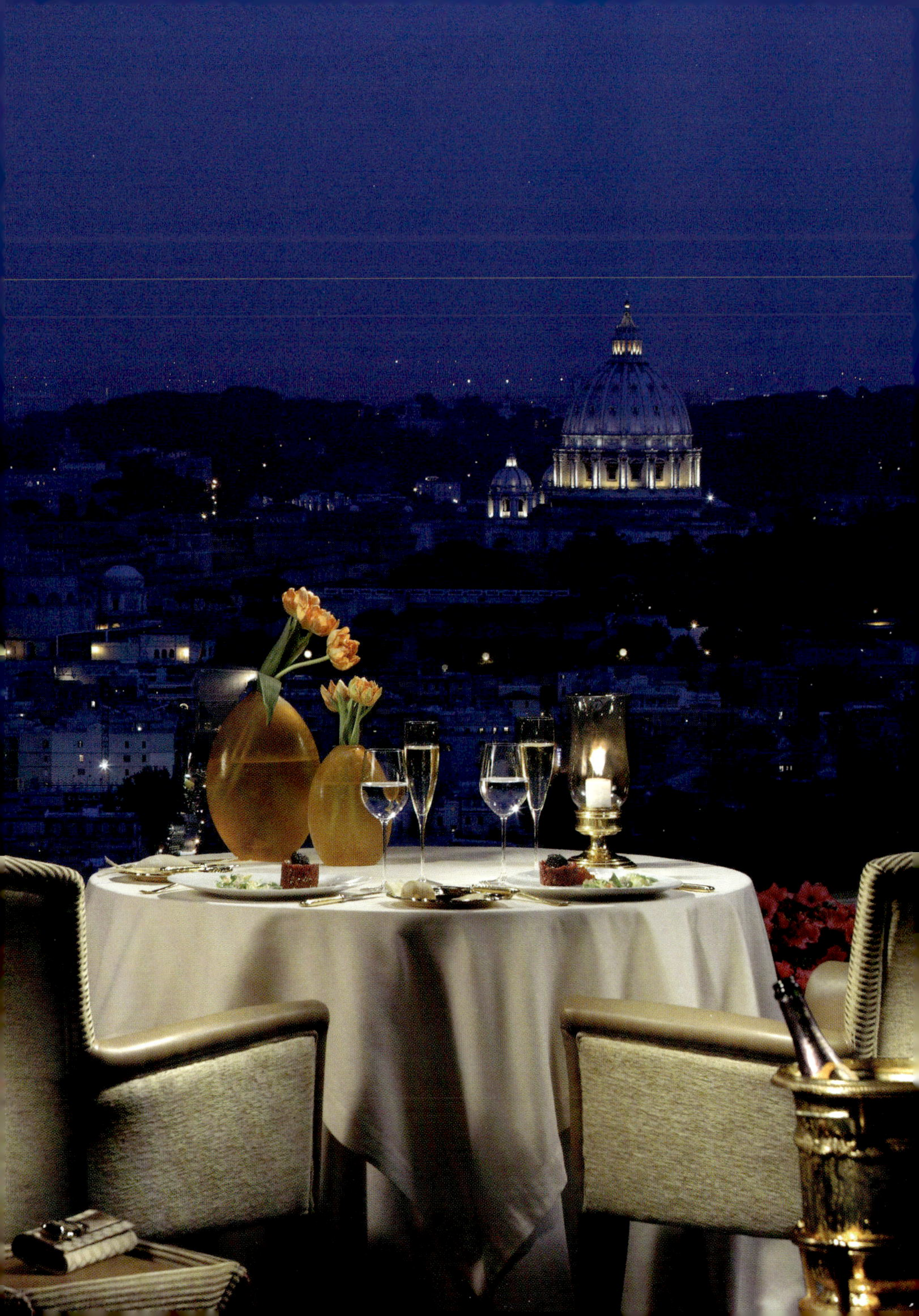

Cavalieri Hilton
Via Cadlolo 101
00136 Roma
Tél. 00 39 635 092 211
lapergola.rome@hilton.com
www.romecavalieri.it/lapergola

Propriétaire et chef : Heinz Beck

LA PERGOLA

→ Italie

🏵🏵🏵 Vertige esthétique. Rome déployant ses dômes et ses coupoles dans l'encadrement des vastes baies de La Pergola. Quand les bleus et les roses se fondent dans la nuit, les contours de la ville éternelle dessinent une histoire antique qui touche aux racines profondes de l'Europe. Dîner au sommet de l'hôtel Cavalieri relève de l'émotion pure. Il faut se nourrir de ce spectacle avant d'entrer dans l'univers de Heinz Beck.
Porté au sommet de la cuisine italienne en 2005, ce chef bavarois offre l'exemple d'un parcours multiculturel réussi. Après des années de formation et de perfectionnement dans les maisons étoilées en Allemagne et en Espagne (Tantris à Munich, Heinz Winkler à Aschau, Tristan à Majorque), Heinz Beck trouve sur le toit de Rome un terrain d'expression à sa mesure : l'Italie et sa palette de saveurs méditerranéennes. Finesse et fraîcheur sont les maîtres mots de cette cuisine inventive, surprenante et toujours respectueuse des produits. Turbot, veau, spaghetti, risotto et gnocchi prennent avec les herbes qui les agrémentent – ciboulette, menthe, basilic, roquette – une nouvelle intensité aromatique. D'un côté le jardin, de l'autre l'exotisme

« La cuisine, c'est la vie. Ma vie. Elle marie l'art à ce que la Nature nous offre. La cuisine, c'est une représentation historique, c'est une philosophie agréable des saveurs. Il faut manger pour survivre, mais pour ceux qui, comme moi, consacrent leur vie à la recherche des saveurs, il faut manger pour se faire plaisir. » « J'adore tout ce que Mère Nature peut offrir à ma cuisine. L'utilisation exclusive de légumes, de fruits, de poissons et de viandes frais et biologiques et des meilleurs matériaux produit un résultat harmonieux et équilibré, qui laisse un bon souvenir. La magie des mariages de saveurs prend toute sa dimension lorsqu'elle rappelle l'environnement naturel de production ou d'élevage, la tradition du lieu de provenance et le caractère et les racines des gens qui y vivent. »

LA PERGOLA
→ Italie

maîtrisé… « Après tout, la cuisine et le vin représentent l'expérience la plus importante d'un voyage », suggère Heinz Beck. De là à considérer la cuisine comme un voyage… Le recours aux épices, les associations sucré salé, les influences japonaises, aucun de ces registres n'a de secret pour le chef romain qui s'autorise toutes les fantaisies, tant qu'elles respectent les canons du goût. Telles « la ratatouille sicilienne de rougets et bonbons à la menthe et au miel », « le filet de bœuf noyé dans le soja sur purée de pomme de terre fumée au thé au jasmin, sauce de saké » ou « le filet de veau mariné au yaourt sur purée de pêche ».

Ce ballet des saveurs est merveilleusement orchestré par Umberto Giraudo, le directeur de salle, maniant courtoisie et charme à l'italienne dans un décor cossu et chaleureux qui semble avoir été inventé pour les têtes à têtes en amoureux. La Pergola peut s'enorgueillir enfin d'une cave exceptionnelle, approvisionnée avec discernement par Marco Reitano en grands crus italiens et vins du monde entier. Les bouteilles rares, qui valent au restaurant le premier prix du magazine *Wine Spectator* depuis 2000, sont stockées dans une cave construite spécialement en pierre de Lecce pour une meilleure conservation. Délice, romantisme et fantaisie… Bravo Maestro !

EXTRAIT DE LA CARTE

Carpaccio de Saint-Jacques sur graines d'amarante et maïs noir à l'huile de gingembre

Joues de bœuf braisées farcies à la truffe noire et purée de pommes

Maccheroncini al Ferretto aux écrevisses rouges, coulis d'aubergines fumées et croûtons

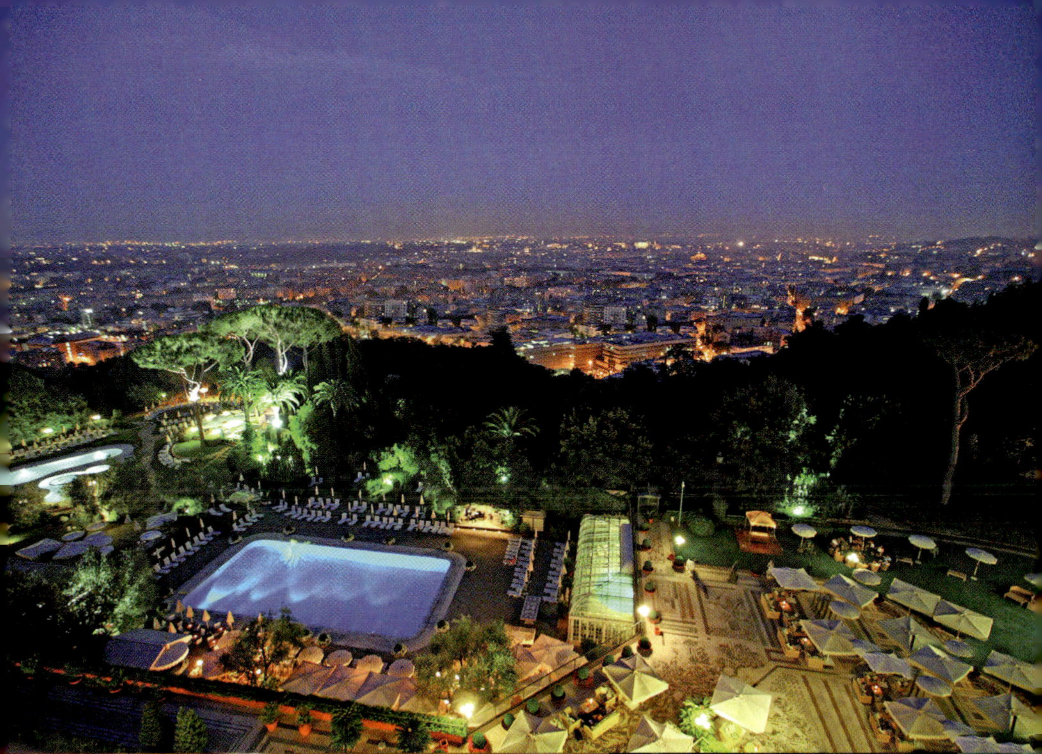

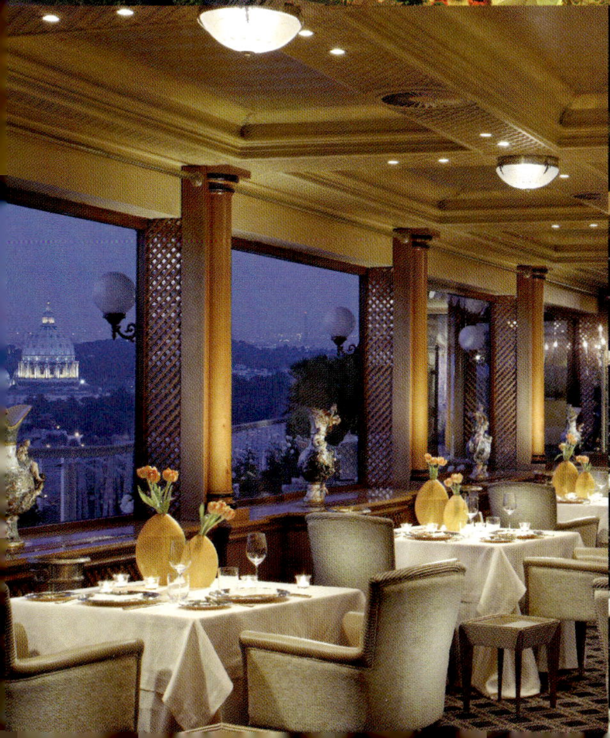

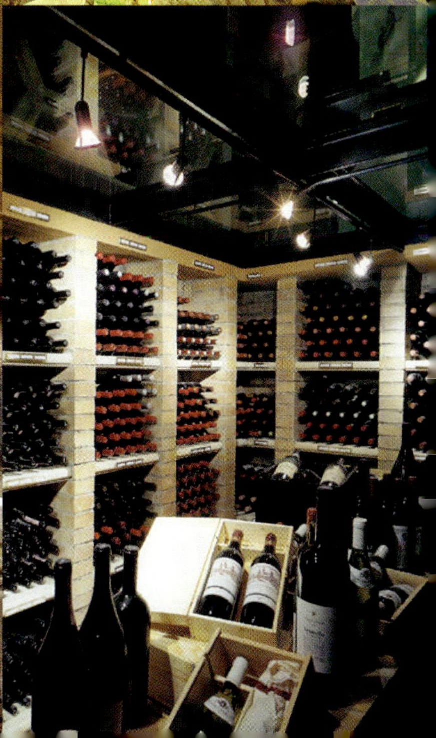

HAMADAYA Tokyo	**KANDA** Tokyo	**L'OSIER** Tokyo	**SUKIYABASHI JIRO** Tokyo
ISHIKAWA Tokyo	**KOJU** Tokyo	**QUINTESSENCE** Tokyo	**SUSHI MIZUTANI** Tokyo
JOËL ROBUCHON Tokyo			

→ JAPON
✾✾✾

La culture japonaise chante l'éphémère, la joie et la tristesse du moment qui est perdu dès qu'il est vécu. Il en est de même pour le goût. L'itamae, celui qui se dresse, debout, devant la planche à découper, se doit de servir une saveur dans son meilleur instant, perfection de la nature que l'homme ne saurait juger. Le temps, dans l'archipel, se compte en secondes culinaires, et non en longues minutes à l'ouest... d'où le comptoir, qui réduit la distance entre la préparation et la dégustation à un regard, un geste.

Que ce soit en sushi ou dans la grande gastronomie, la cuisine de l'archipel se révèle dans une simplicité trompeuse qui cache un long travail pour illuminer toute la bonté du produit, dans le respect bouddhiste de la nature. La scène, immédiate, facile en apparence, qui se joue devant nous, n'est finalement qu'un aboutissement tout Zen, où l'abondance est sacrilège, la modestie est vertu.

Un menu qui change tous les jours, où rien n'est écrit. L'Occidental se perd devant l'absence d'écriture, de carte ou de menu. Nul n'ignore pourtant que la nature est en perpétuel mouvement. Pourquoi la figer ? Laissez-vous porter par le flot du temps qui s'écoule. Un seul mot : *Omakase*. Carte blanche au chef, il lit mieux que nous le bonheur du moment.

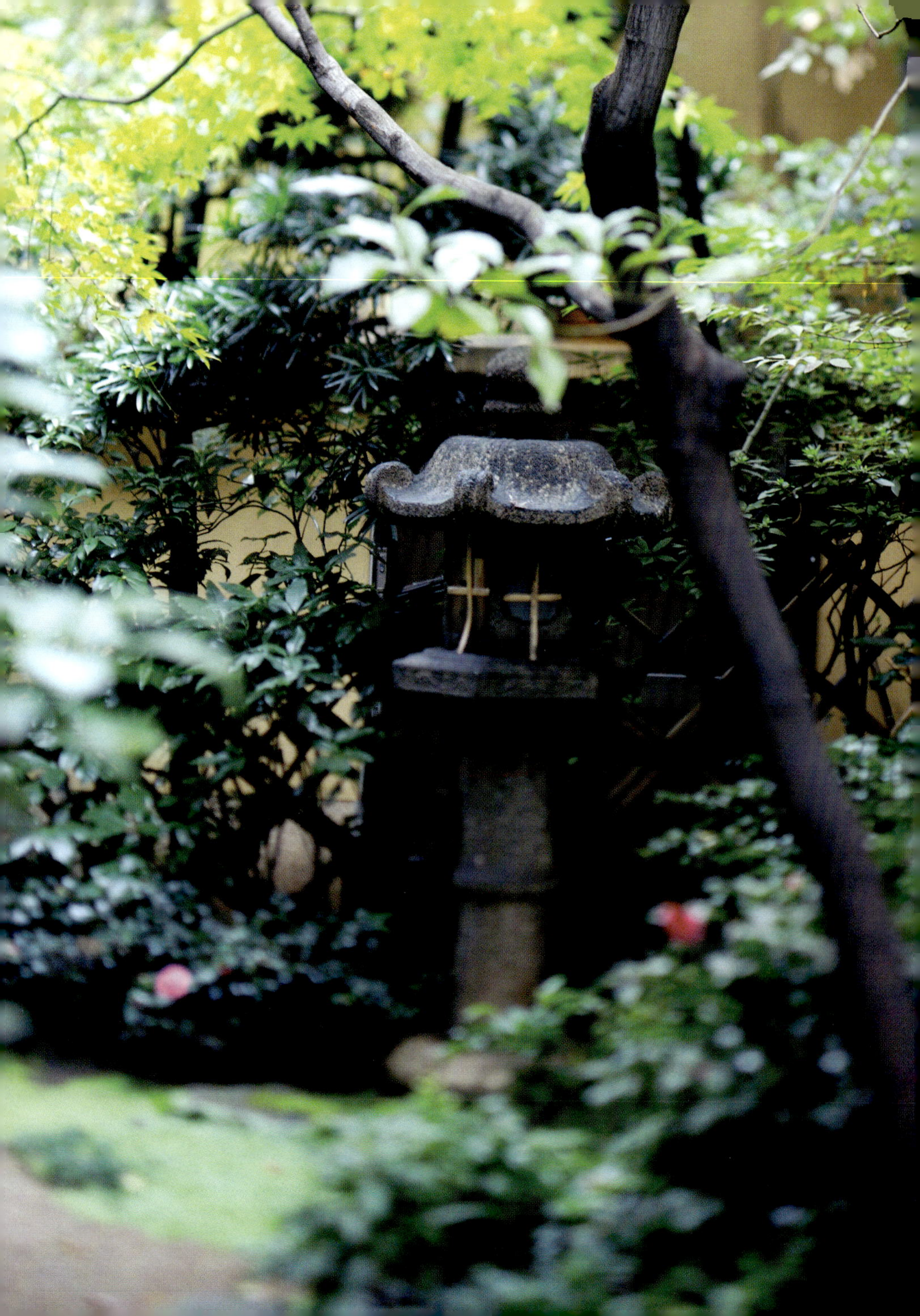

3-13-5 Ningyocho, Nihonbashi, Chuo-ku
Tokyo 103-0013
Tél. 00 81 (0)3 3661 5940
Fax 00 81 (0)3 3808 0801
info@hamadaya.info
www.hamadaya.info

Propriétaire : Genyadana Hamadaya
Chef : Kazuichi Unnan

HAMADAYA

→ Japon

❁❁❁ Le lieu est noble, discret, feutré. Passé le seuil de l'entrée, vous pénétrez dans un petit jardin japonais. Puis la porte coulisse en douceur, comme par magie, révélant les luxueux secrets de l'Hamadaya.
Cette grande maison de geishas traditionnelle a conservé ses salons, certains intimes, d'autres grandioses, tous disposant de son petit jardin clos, propice aux échappées amoureuses ou à une réunion familiale. Qu'importe l'occasion, c'est le lieu que l'on goûte.
Et la cuisine : celle du chef Kazuichi Unnan, qui se veut dans la plus pure tradition kaiseki de Kyoto. Kaiseki ? Un mot dérivé des préceptes bouddhistes qui voulaient que le moine jeûne de midi à l'aube du lendemain : pour tromper sa faim, il glissait une pierre chaude dans son habit, sur son estomac, « la pierre dans le ventre » ou kai-seki. Depuis, le mot désigne une cuisine gastronomique très travaillée, dont la succession des plats figure l'éphémère et les cycles de la nature, dans le respect absolu du shun.
Autre mot : le shun est le meilleur moment de la dégustation. Et plus il est court, plus il est précieux, l'intensité fugace du goût rappelant l'évanescence du monde. Car dans l'esthétisme japonais, ce qui est

« Il y a deux kaiseki. Celui des moines bouddhistes, le repas léger qui précède la cérémonie de thé. Et celui de la réunion d'amis qui mangent, boivent et s'amusent en lisant les poésies de chacun. Ma cuisine est plutôt ce dernier, car elle s'accompagne volontiers de saké. Je souhaite également qu'elle soit conviviale, que nos clients passent un moment agréable. Nous servons toujours dans des salons clos, où chacun peut s'enivrer, chanter, danser…il n'y a aucune retenue à avoir, et c'est bien ainsi. Où serait le plaisir, s'il faut, en mangeant, faire attention au regard des autres ? »

HAMADAYA
→ Japon

éphémère est beau, épousant en cela la pensée shintoïste avec ses divinités incarnant la nature : les parfums, les saveurs, les vents, la montagne, le riz, l'air et l'eau.

Autant d'éléments que le repas de kaiseki figure, par la succession et le type de ses plats : l'amuse-bouche, la soupe, le sashimi, la grillade, le ragoût, l'entremets, la friture, le riz accompagné de légumes salés et d'un bouillon léger, avec des variations selon le lieu et selon le chef.

Et c'est ici, au kaiseki de Hamadaya de Genyadana, que l'on reste le plus fidèle à cette cuisine de la nature : la table égrènent plats légers et évanescents, d'une beauté exquise dans leur vaisselle élaborée, pour une simplicité toute japonaise.

EXTRAIT DE LA CARTE

Zensai ou hors d'œuvres variées de Kyoto	Yakimono ou grillade de crevettes et amadai, aux feuilles d'automne	Wan ou bol de consommé limpide comme de l'eau de source

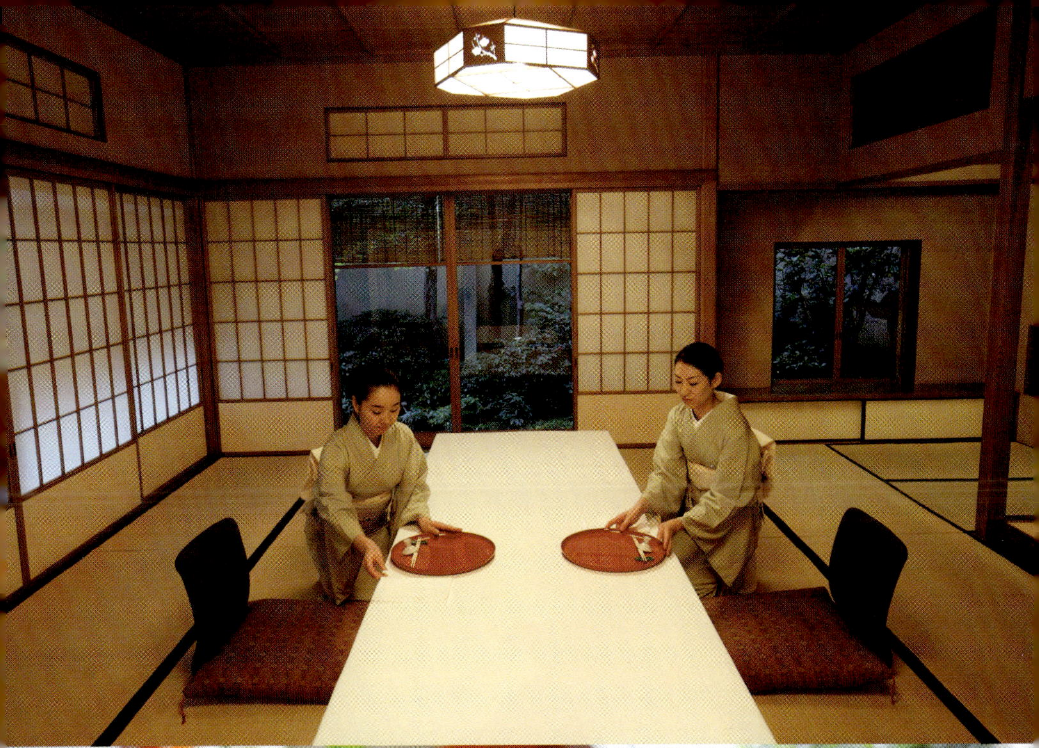
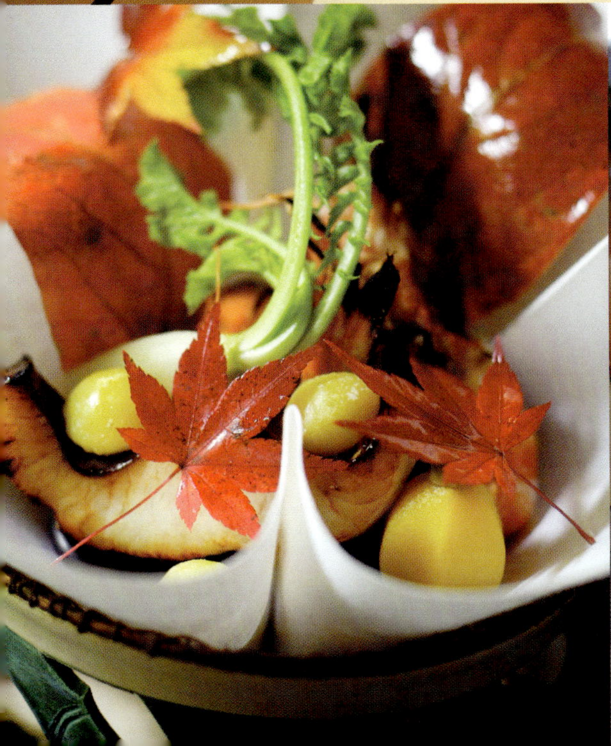
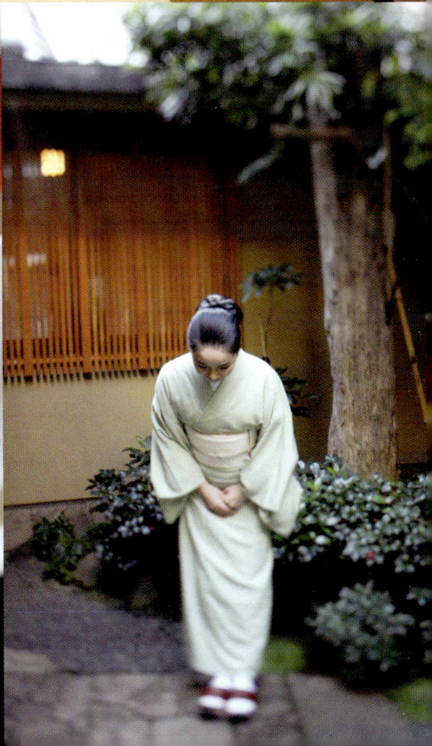

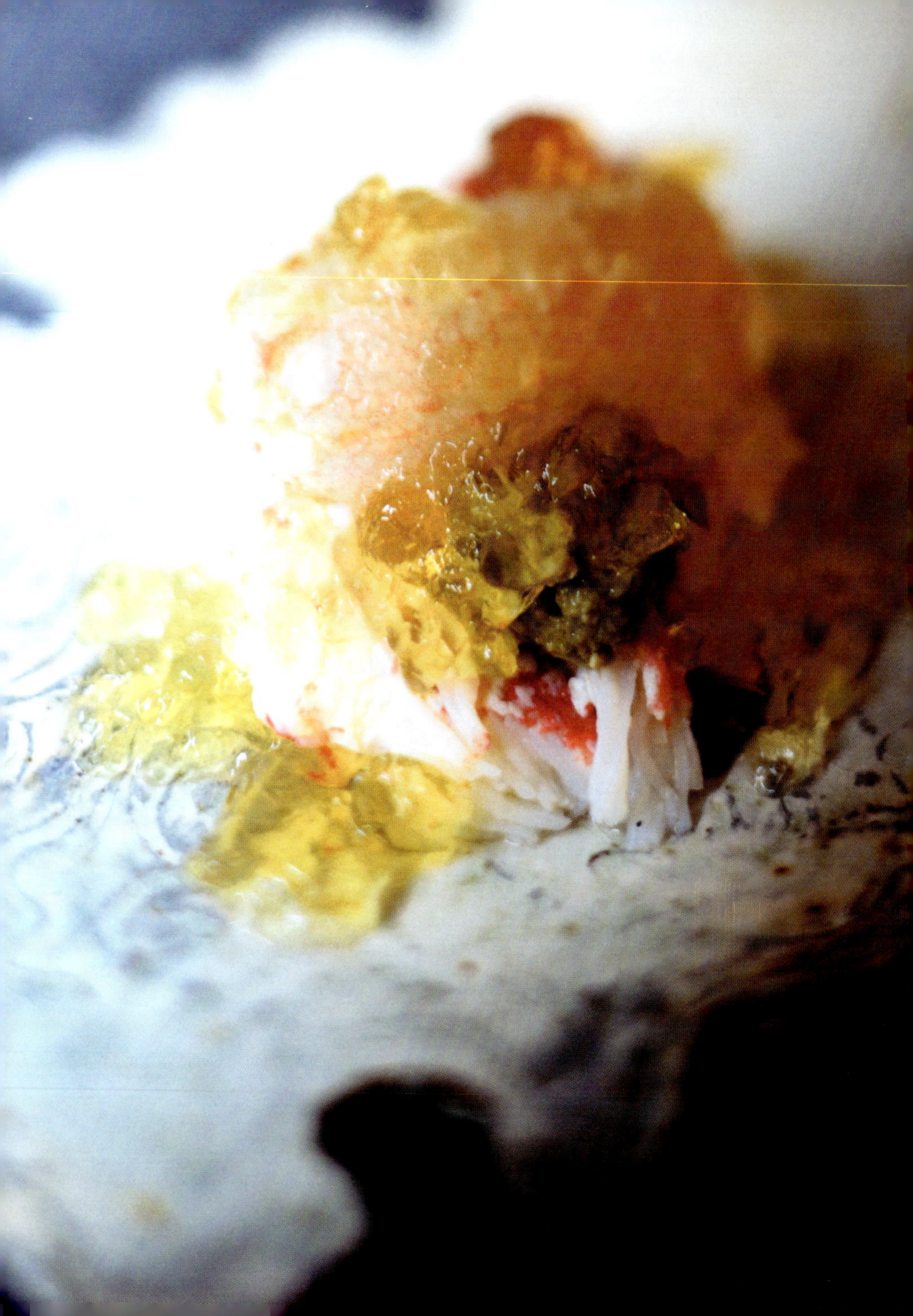

5-37 Kagurazaka,
Shinjuku-ku
Tokyo 162-0825
Tél. et fax 0081 (0)3 5225-0173

Propriétaire et chef : Hideki Ishikawa

ISHIKAWA

→ Japon

❁❁❁ À Kagurazaka, un ancien quartier de plaisir qui connut son apogée au début du siècle dernier, une ruelle longe le temple bouddhiste de Zenkokuji, séparée du sanctuaire par un long mur de bois noir. L'endroit est tellement discret que le touriste peut passer devant des milliers de fois sans apercevoir le restaurant qui s'y cache. Aucun repère, aucun signe distinctif, sinon une minuscule enseigne : Ishikawa.
Cette tradition japonaise de la discrétion désoriente souvent le voyageur occidental – encore plus, peut-être, le Chinois, tant tous deux sont habitués à ce que les grands établissements se déclarent avec pompe et fracas. Mais ici, nous sommes au Japon où la discrétion vaut plus que l'ostentation, où la pureté veut transcender le magnifique. Et dans ces anciens quartiers de geishas et de maisons closes, certains restaurants continuent de respecter ce sceau du secret, conservant des salons privés où l'on ne reçoit que les clients recommandés par les habitués. Tel l'Ishikawa, avec ses sept couverts au comptoir et ses quatre petits salons de quatre couverts chacun, pas plus. Et c'est pourtant là, sans doute, le restaurant le plus moderne, le plus zen et le plus élégant des étoilés de Tokyo ! Dans le plus pur respect de la tradition, le chef Hideki Ishikawa a

ISHIKAWA
→ Japon

privilégié le bois – l'un des cinq éléments de la nature – mariant plusieurs essences pour créer un décor et une atmosphère feutrés.

Même philosophie côté cuisine. Mais en cela, Hideki Ishikawa est un oiseau rare dans le monde de la gastronomie japonaise, où l'on vante d'abord la valeur de l'artisan et de sa technique. Lui ose dire, modeste parmi les plus modestes, que sa technique est en dessous de la moyenne. Car il est arrivé tard dans le métier, s'excuse-t'il, qui veut que l'on commence à 15 ans : Ishikawa en a déjà vingt quand il arrive à Tokyo, et il ne découvre la cuisine que deux ans plus tard, dans un restaurant japonais où il a la chance de rencontrer un chef qui accepte de le former. À 25 ans enfin, il devient commis cuisinier... aux côtés de compagnons plus jeunes de sept ans. Mais Hideki Ishikawa n'en fait aucun complexe. L'homme est un rêveur qui n'a peur de rien... Sont-ce ses grands yeux, vous scrutant avec l'attention d'un chirurgien devant son patient, qui lui donnent cet air d'évoluer hors de ce monde, loin des désirs ordinaires qui nous animent ?

" Je suis devenu cuisinier comme j'aurais pu devenir menuisier ou jardinier", dit-il avec simplicité. Le hasard – ou le destin – lui a montré sa voie. Et ne s'est pas trompé. Le menu, unique, dit tout : omasaké comme il est d'usage au Japon, à la guise du chef et nouveau tous les mois, proposant par exemple une soupe claire de vermicelles, junna et yuzu vert... divine. Le tout accompagné d'une carte des vins équilibrée, faisant la part belles aux sakés, dont certains se révèlent méconnus des Japonais eux-mêmes.

ISHIKAWA
→ Japon

« L'objectif que cherche à atteindre un cuisinier, c'est que le client soit content. Après tout, il ne s'agit pas de faire un plat parfait et d'en être satisfait. Il ne faut pas oublier que nous n'existons que parce qu'il y a des clients. Nous ne sommes pas des artistes… Nous ne faisons pas la cuisine pour notre propre satisfaction. »

EXTRAIT DE LA CARTE

Sakizuke ou amuse-bouche de gombos des îles, bœuf japonais au vinaigré doux épais

Agemono ou friture d'ormeau mijoté et champignons matsutaké

Yakimono ou grillade au charbon d'anguille et d'oignons d'Awaji

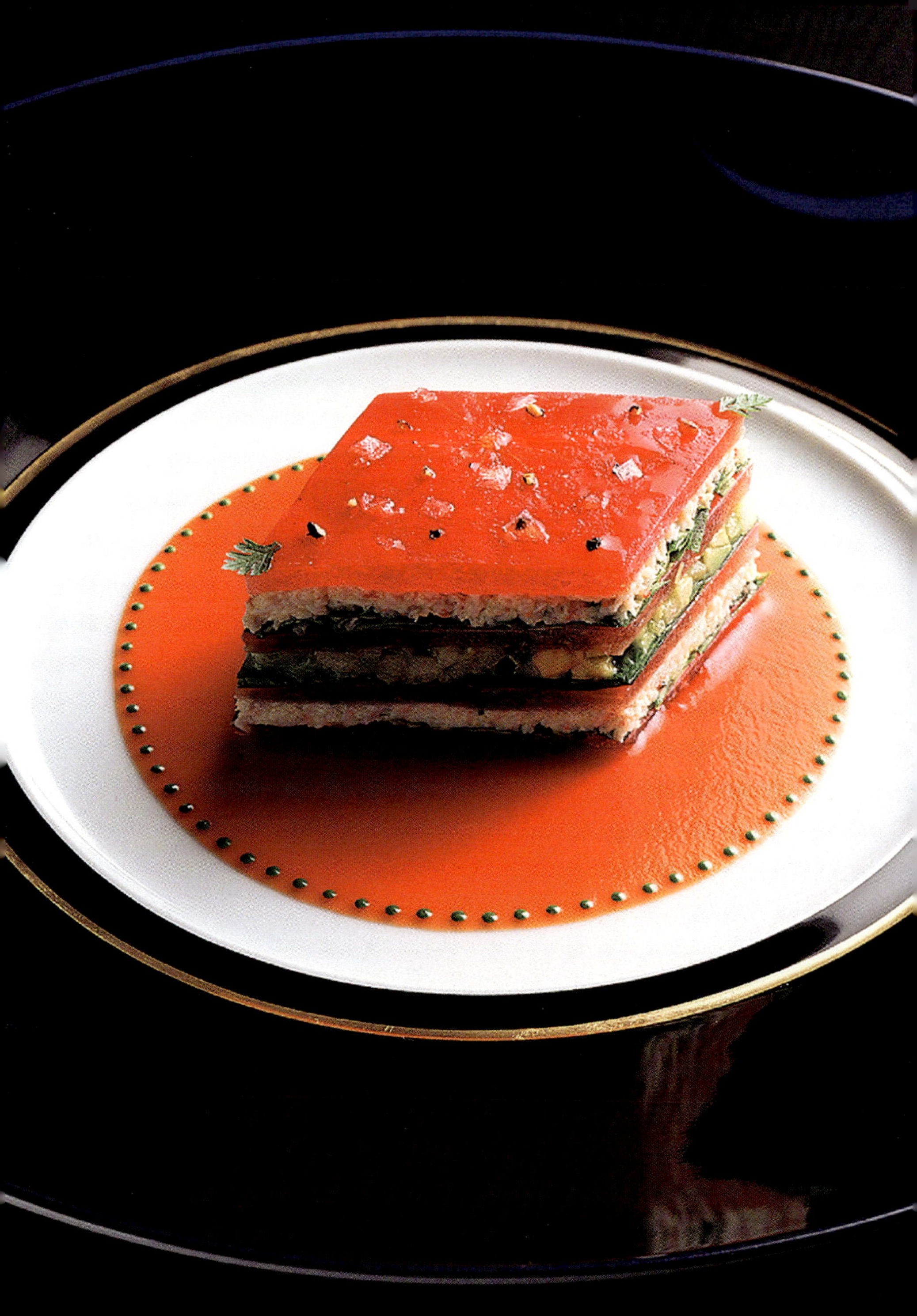

1-13-1 Mita, Yebisu Garden Place, 2F-3F
Tokyo 153-0062
Tél. 00 81 (0)3 5424 1347
Fax 00 81 (0)3 5424 1339
www.robuchon.jp

Propriétaire : Four Seeds Corporation
Chefs : Joël Robuchon et Alain Verzeroli

JOËL ROBUCHON

→ Japon

✿✿✿ Joël Robuchon fait partie des premiers chefs français à avoir investi l'archipel japonais. Dès 1976, dans le sillage de Paul Bocuse, de Michel Guérard et Alain Chapel, il venait étancher la soif des Japonais pour la cuisine française, important échalote, ciboulette, moutarde ou truffe noire sur les terres du sushi et du wasabi… Quelques décennies plus tard, après avoir annoncé son intention de se retirer de la constellation des trois étoiles, le voilà à la tête d'un nouveau diamant gastronomique : le « Château Robuchon », dans le quartier d'Ebisu. Cette impressionnante réplique d'un château de style Mansart, étrangement plantée au cœur des buildings d'acier de Tokyo, abrite une salle à manger or et noire, saturée de brillance, dont l'atmosphère majestueuse et recueillie répond à l'attente des gourmets japonais. La cuisine de Joël Robuchon reste fidèle aux principes qui ont fait de lui une icône de la gastronomie française : le meilleur et le plus simple fondent le goût des grands plats. Alain Verzeroli, collaborateur de longue date, travaille essentiellement avec des produits de saison, toujours de très haute qualité, il limite les associations à trois ou quatre harmonies de saveurs, introduit une touche d'acidité mesurée tout en restant dans

« … Je me demandais comment on peut donner aux aliments autant de présence. De la forme au goût, tout était source d'émerveillement. J'ai demandé au chef si je pouvais faire un stage pendant les vacances, il a accepté et j'ai changé de voie. » … Je réalise une cuisine française de saison avec des goûts nets et précis, auxquels j'aime ajouter un élément un peu étonnant et une pointe d'acidité. Sous l'influence du Japon, ma cuisine va vers l'épure. La qualité du produit est une donnée essentielle de la grande cuisine. Peu à peu, on se débarrasse des éléments superflus. »

JOËL ROBUCHON
→ Japon

une expression culinaire très épurée en accord avec la tradition japonaise. Cette quête de la simplicité s'impose dès la lecture de la carte, dans le choix de mettre en valeur un produit unique – le bar, le bœuf, l'anguille, par exemple – dont les préparations sont détaillées ensuite. Comme s'il s'agissait de déguster non pas un plat parmi d'autres, mais bien l'essence même d'un poisson ou d'une viande, révélée aux gourmets par la magie d'une cuisson parfaite autant que d'une parure idéale. Le fameux « Oursin dans une délicate gelée recouverte d'une onctueuse crème de chou-fleur », « le Bar servi avec une crème et huile de citronnelle et des poireaux étuvés », « le Bœuf poêlé avec des légumes de saison au jus » ne disent rien d'autre que ce bonheur d'expérimenter le moelleux d'une chair, la subtilité d'une saveur, la justesse d'un jus sans complications cérébrales. La carte puise naturellement dans les formidables ressources du terroir nippon – les poissons d'exception comme l'amadaï, le porc de la région d'Iwaté, les tomates bien mûres de la région de Fukushima, les champignons, les pousses de bambou ou le yuzu – des apports qui sous-tendent un échange fécond entre deux cuisines qui partagent les mêmes valeurs. S'il fallait choisir un dessert pour clore l'expérience Robuchon au Pays du Soleil Levant, ce serait sans hésitation « le Sucre, Sphère soufflée au fruit de la passion, ananas et pamplemousse marinés ». Prodigieuse douceur aux pointes acidulées, symbole d'une cuisine virtuose qui ne renoncera jamais à sa dimension artisanale.

EXTRAIT DE LA CARTE

Le crabe en millefeuille de tomate et un coulis verjuté	L'oursin à la purée de pommes de terre au café torréfié	Le caviar Osciètre

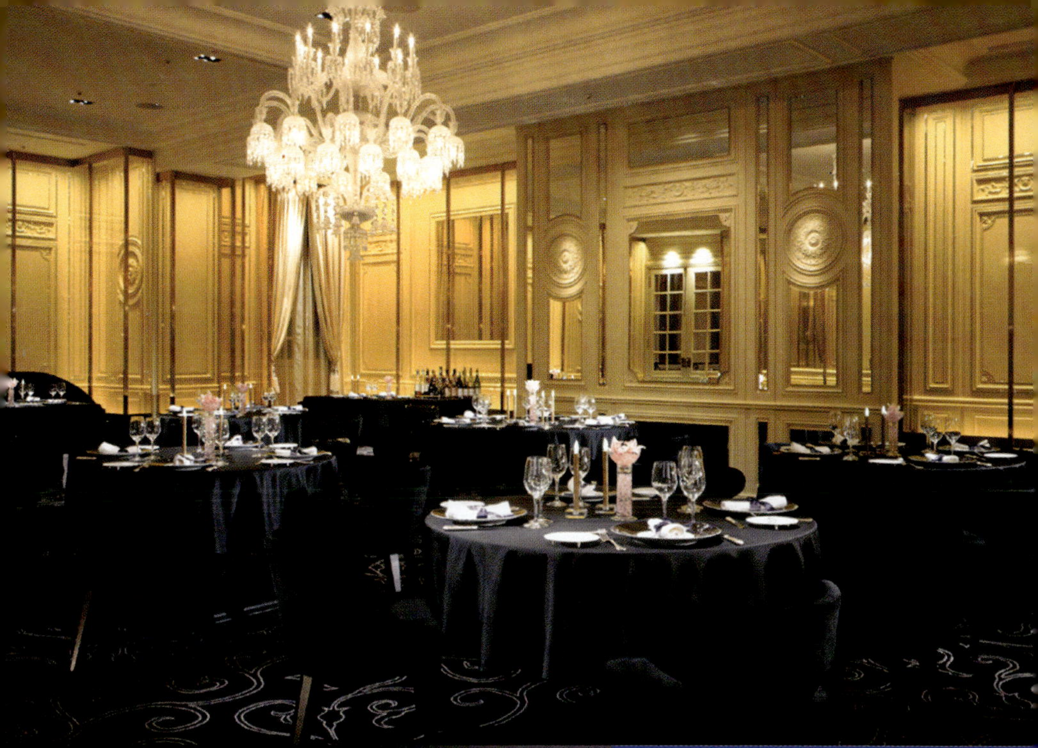
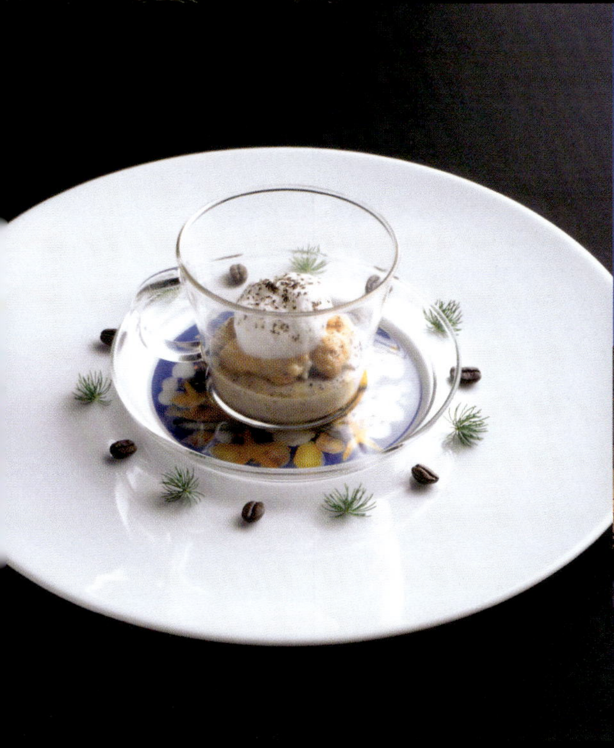
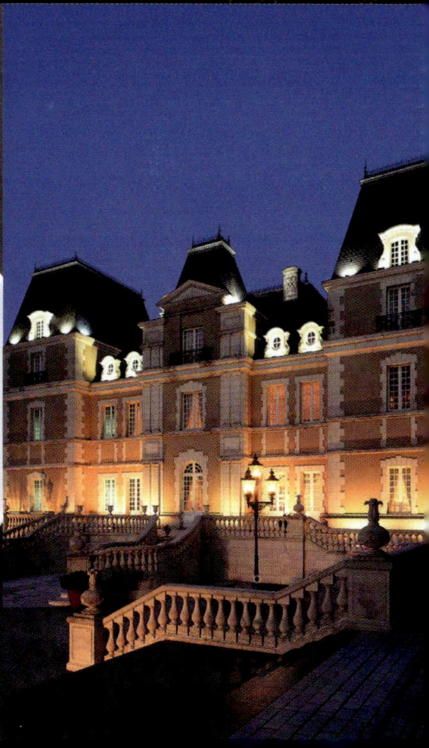

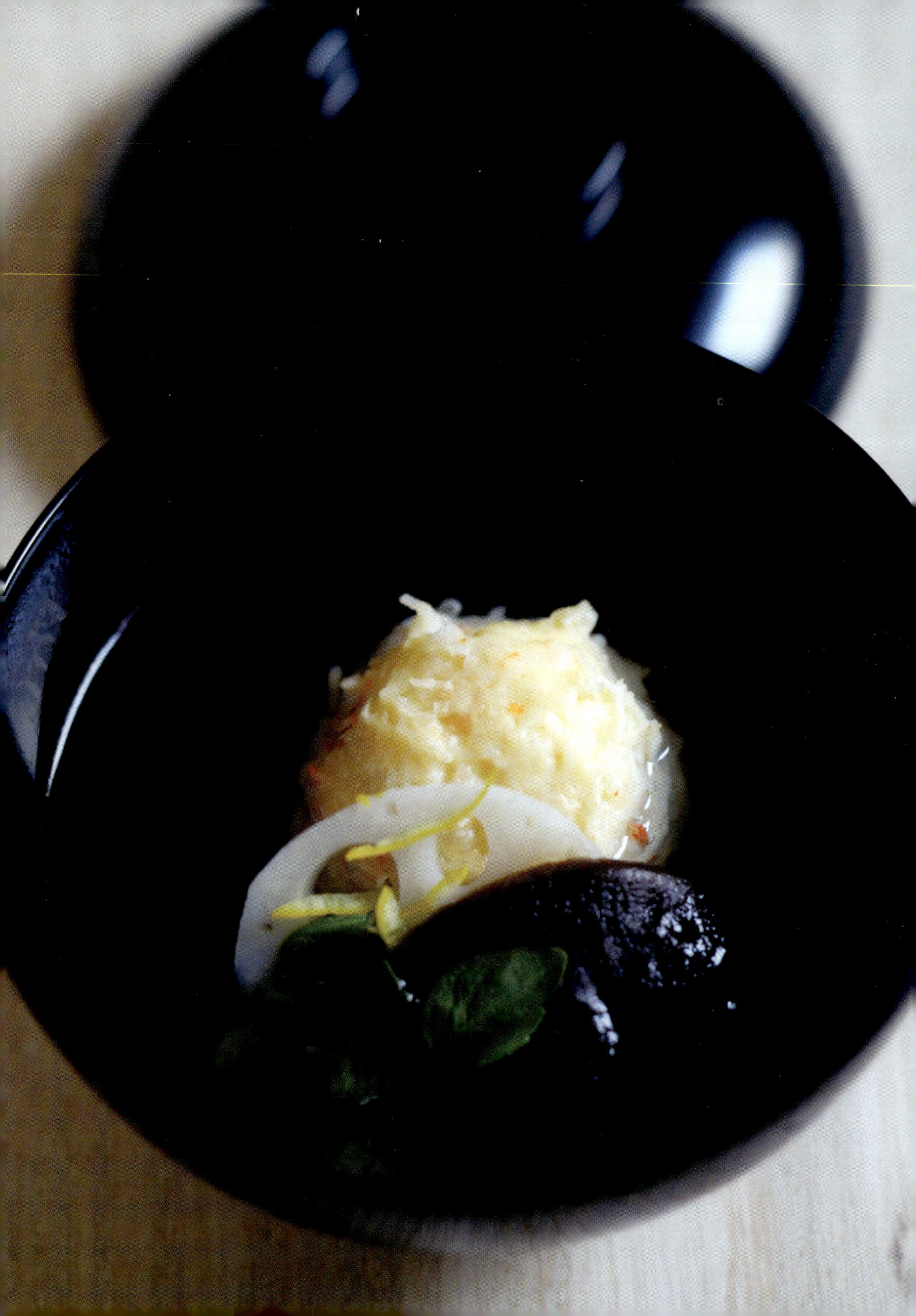

1F Ka-mu Moto-Azabu Building
3-6-34 Moto-Azabu, Minato-ku
Tokyo 106-0046
Tél. 00 81 (0)3 5786 0150

Propriétaire et chef : Hiroyuki Kanda

KANDA

→ Japon

✿✿✿ Itadaki-masu, gochiso-sama, arigato. Littéralement « je reçois avec gratitude, ce fut un festin, merci ». Voici trois mots de japonais à apprendre, car Hiroyuki Kanda dit volontiers que ce sont les seules récompenses du cuisinier.
Pourtant, il vous comprendra aussi dans la langue de Rabelais. Car ce chef – un oiseau rare dans le monde de la gastronomie japonaise – a fait plusieurs stages en France et parle le français. D'où, aussi, une grande connaissance des vins et des verres qui les contiennent...
Quatorze couverts, pas plus, pour ce restaurant de Kappo, où l'on s'aligne au comptoir, face au cuisinier et au défilé de petits plats joliment présentés.
Lorsque la porte d'entrée coulisse, c'est pour découvrir un tout petit espace blanc, simple, à l'atmosphère paisible. Des rideaux noren cachent l'arrière-cuisine de leur bleu de « ai », le bleu traditionnel du Japon, tandis que sur le comptoir poli, en épicéa japonais, la vaisselle apporte sa touche d'élégante sobriété, repensée et adaptée tous les ans à la cuisine et aux saisons.

Chez Kanda, un seul menu : omakasé ou « à la guise du chef », composé de huit plats. Aujourd'hui, le menu célèbre le tout début du printemps : un sashimi de bar légèrement séché et parfumé à l'algue kombu ; deux sushis, l'un de joue de thon, l'autre de thon mi-gras ; un amadai, le plus raffiné des poissons cuits du printemps avec sa chair blanche et fine, si délicate, servi grillé et parfumé à la vapeur de saké. Et pour la friture, des huîtres en beignet de farine de riz gluant.

Une cuisine toute japonaise, donc, dans la tradition de l'épure où le moins est supérieur au trop, doublée d'une créativité instantanée consistant à servir tel ou tel plat selon l'expression qu'on lira sur le visage du client. Comme un hôte avec son invité – vous êtes son okyaku-san, le même mot japonais pour « client » et « invité » –, le chef adapte ses plats aux goûts et aux appétits de chacun, changeant un ingrédient, dosant une préparation, moment par moment. Un coup d'œil nonchalant sur votre verre de vin lui suffira pour savoir quel dosage de sel conviendra le mieux à ce moment précis du repas. Sans oublier le jeu du dialogue et du partage des idées, car nul n'ignore l'importance de la conversation dans la convivialité.

« J'ai ouvert ce restaurant car je voulais cuisiner à une distance du client qui me permettrait de tout lui transmettre. Un restaurant où l'œil, la main et le cœur sont partout présents.

Peu après la troisième étoile dans le "Michelin" de Tokyo, j'ai appris que j'avais été "nommé" le plus petit restaurant du monde par les Français ! Cela m'a beaucoup amusé, car pour nous, il est évident qu'un itamaé ne peut servir que quelques clients à la fois. Le produit change tous les jours. Chaque instant d'un repas est différent. D'adapter sa cuisine au produit, à chaque moment de dégustation, et d'entendre le client dire que c'est bon, est notre destin d'itamaé. »

EXTRAIT DE LA CARTE

Oshinogi ou entremets de sushi de matsutake

Mushimono ou plat cuit à la vapeur, de tête de daurade à la vapeur de saké

Nimono ou plat mijoté, de mochi de racine de lotus et ankaké de crabe

KANDA
→ Japon

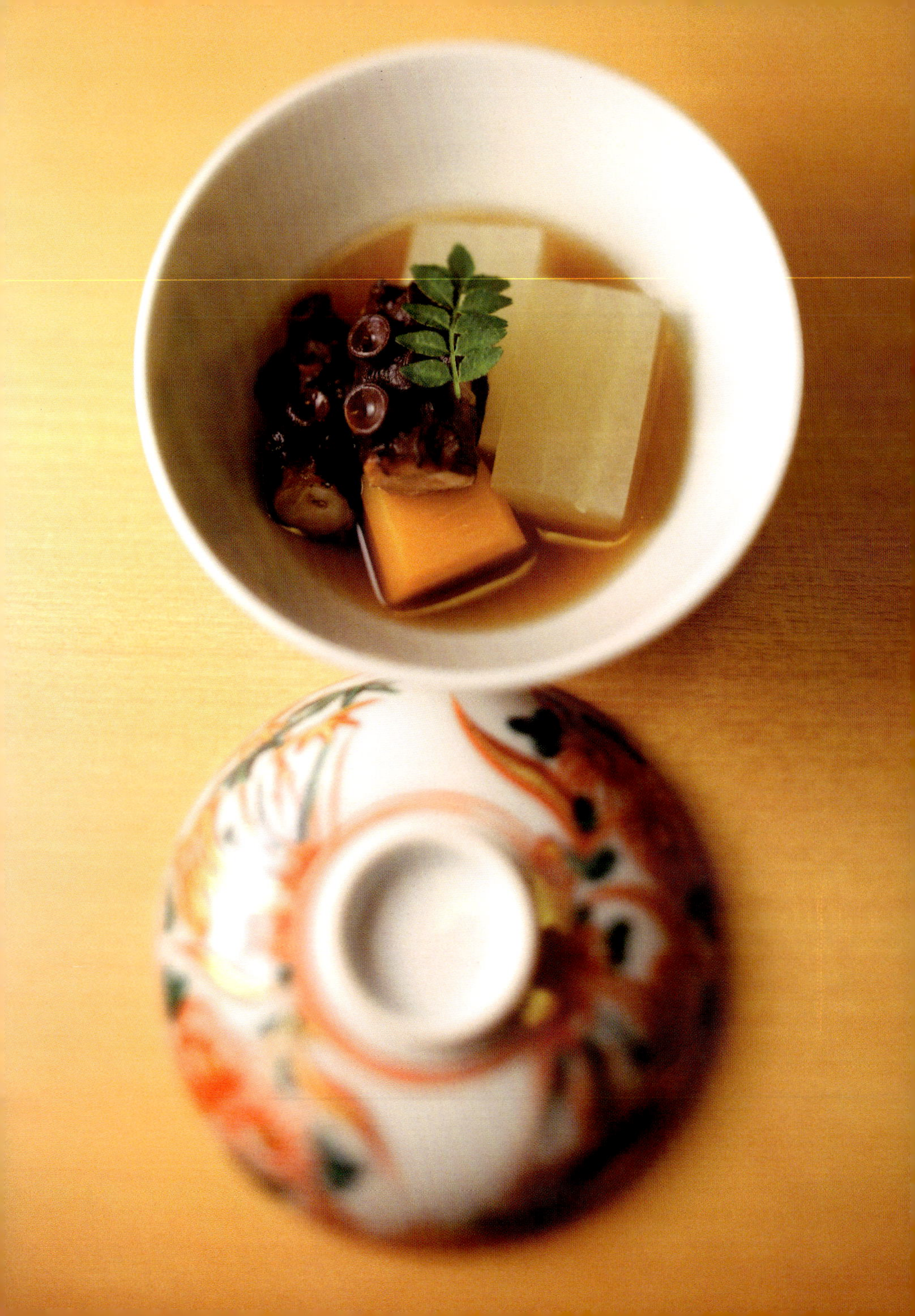

Daini Sanyuu Bldg 1 F
8-5-25 Ginza, Chuo-ku
Tokyo 104-0061
Tél. et fax 00 81 (0)3 5856 2465
kojyu-1010@tuba.ocn.ne.jp
www.kojyu.jp

Propriétaire et chef : Toru Okuda

KOJU

→ Japon

✿✿✿✿ Ce qui est formidable chez Tooru Okuda, le chef du Koju, c'est le respect de ses pairs. Dans le milieu très fermé de la gastronomie japonaise, tout le monde se connaît ; et jamais vous n'entendrez la moindre critique concernant le chef du Koju. Il est réputé pour sa gentillesse, son humilité, son honnêteté, sa candeur. Et ses qualités se découvrent dans sa cuisine...
Pourtant, le Koju est loin d'être le seul restaurant de Ginza, véritable champ de bataille de restaurants ! Avec ses bars, ses cafés, ses boutiques de luxe et ses grands magasins, le quartier s'érige en symbole du luxe, de la mode et de la haute gastronomie japonaise. Elle en est la Mecque, où tous les cuisiniers rêvent d'ouvrir un restaurant et d'y accrocher son « noren », ce petit rideau court qu'on suspend à l'entrée de l'établissement pour annoncer son ouverture. Son seul nom résonne comme une référence, à tel point que nombre d'établissements y associent son nom, tel « Ginza Koju ».
Encore un petit restaurant discret, donc, et difficile à trouver. À croire que les Japonais prennent un malin plaisir à cacher leurs meilleurs établissements ! Et ils ont raison, car avec huit places au comptoir et deux petits salons à tatami de deux ou quatre couverts, Monsieur Okuda ne peut servir qu'une douzaine de convives. Le premier service se consacre au menu omasakasé du chef. Passé 21h, il est possible de commander également à la carte, car les

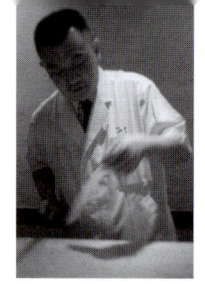

« Il y a deux types de cuisiniers. Ceux qui privilégient la création et ceux qui privilégient la dégustation. Je suis de ces derniers. Je ne dis pas que l'un est meilleur que l'autre. C'est juste que pour moi, la cuisine n'est terminée qu'au moment où le client la mange. Et je pense que ce que veut le client aujourd'hui, c'est la nature. Surtout dans une ville comme Tokyo, où les gens vivent dans des immeubles en béton, où nous souffrons tous les jours de transports en commun bondés, où nous passons nos journées devant un ordinateur. Nos vies sont très artificielles. Il y a des concombres toute l'année au supermarché, nous perdons la notion des saisons. Mais le corps désire la nature. À l'exemple des concombres qui rafraîchissent nos corps chauffés en été, les produits ont naturellement un effet bénéfique sur nous. Et je pense que nous le désirons inconsciemment ».

KOJU
→ Japon

petits restaurants japonais comme le Koju accueillent une clientèle tardive d'hôtesses de bar, accompagnées de leurs hommes d'affaires dont certains auront déjà dîné. Attention, ces hôtesses, généralement jolies, surtout intelligentes et cultivées, ne sont pas des « dames de la nuit » : de même que les geishas, elles sont là pour faire la conversation aux clients, les aidant à passer un agréable moment et entretenant une humeur plus propice à la négociation, voire à la signature de contrats…

Lorsque Tooru Okuda ferme son restaurant, c'est pour partir directement à Tsukiji, le marché aux poissons de Tokyo. C'est là qu'il va chercher l'essence de sa cuisine et donner tout son sens à sa devise : que la cuisine soit naturelle, qu'elle ne transforme le produit qu'à la mesure du nécessaire, pour lui laisser ce qu'il a de meilleur par sa nature même. Le rôle du chef n'est-il pas de donner au produit l'occasion de se montrer sous ses plus belles couleurs ? Et Okuda de préciser que ce n'est pas là une philosophie, ni une religion, même si à l'écouter on croirait entendre un moine bouddhiste exhorter les bienfaits de la nature. Non, cet homme, aux dires de tous charmant, modeste et effacé, ne s'avancerait pas à prononcer une « philosophie » ; tout ce qu'il désire, c'est de respecter l'autre, et cela inclut le produit, son premier partenaire. Tooru Okuda sert ainsi une cuisine puissante, riche de goûts, de saveurs et de parfums. Avec une certaine complexité qui, soyons francs, ne relève pas de la nature seule, mais surtout de la main de cet homme incontestablement talentueux. Mais celui-ci, avec une modestie qui fait tout son charme, ne l'admettra jamais.

EXTRAIT DE LA CARTE

Yakimono ou grillades d'anguilles sauvages, l'une nature, l'autre en kabayaki

Nimono ou mijoté de pommes de terre « ebi » et courge, poulpe cuit aux haricots

Shokuji ou riz aux champignons matsutaké et poisson amadaï, soupe miso rouge

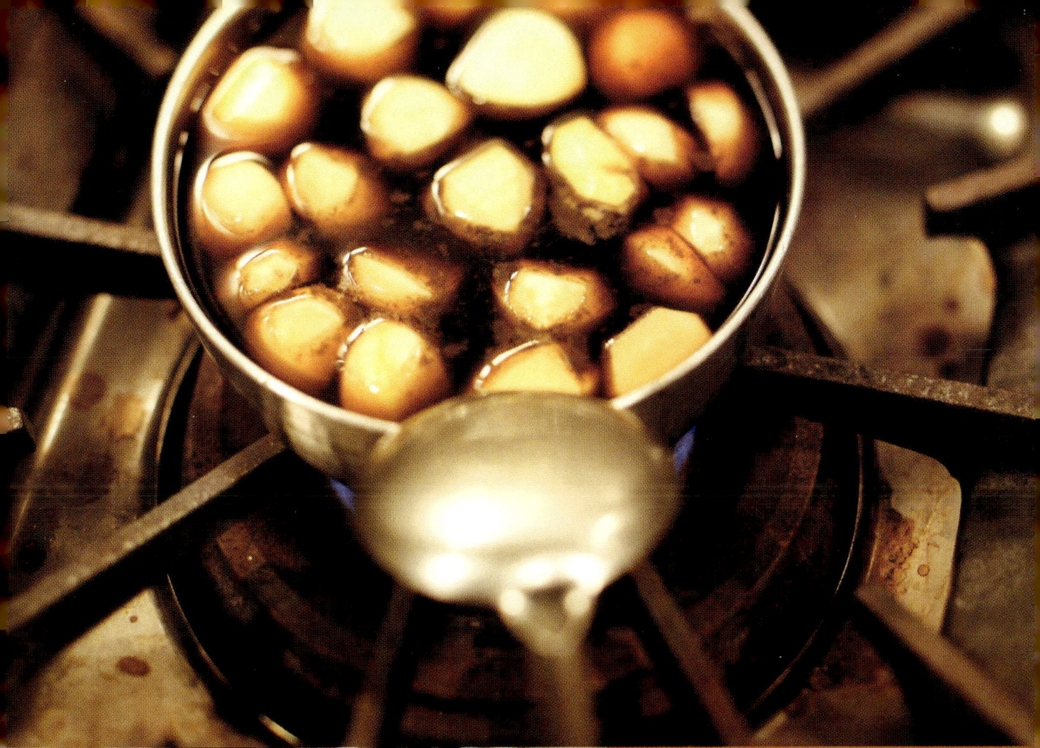
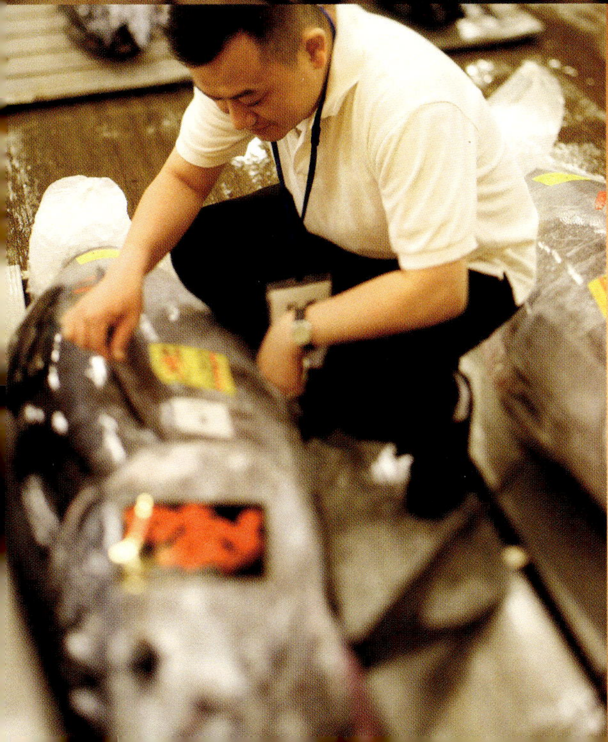
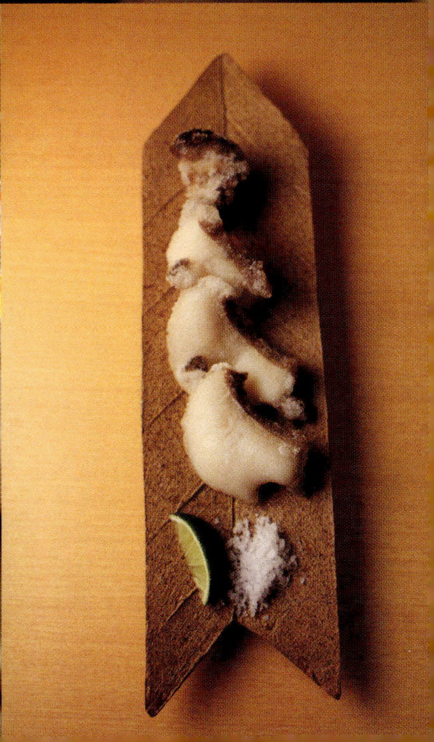

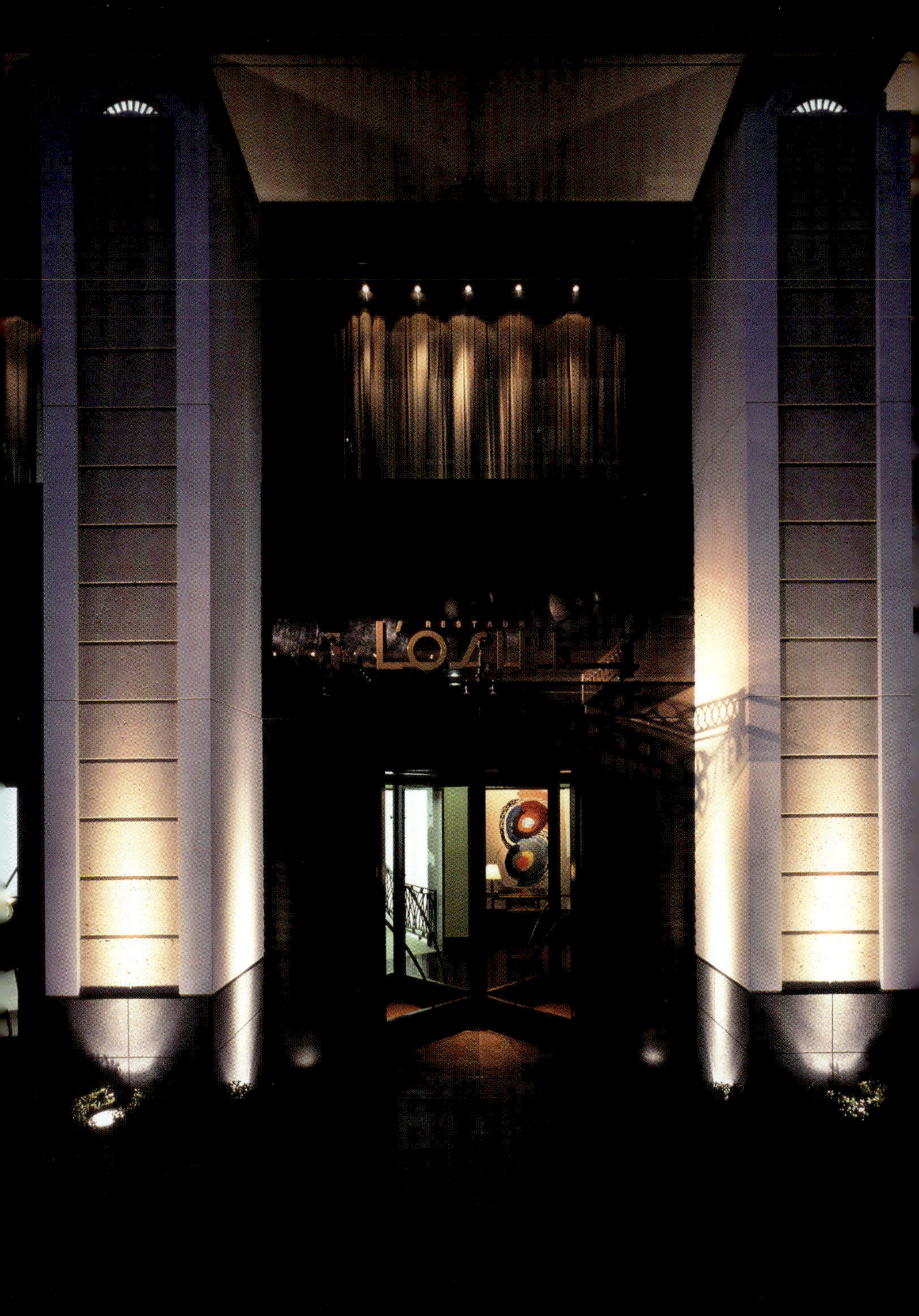

7-5-5 Ginza, Chuo-ku
Tokyo 104-8010
Tél. 00 81 (0)3 3571 6050
Fax 00 81 (0)3 3571 6080
www.shiseido.co.jp/e/losier

Propriétaire : Shiseido CO. LTD
Chef : Bruno Ménard

L'OSIER

→ Japon

🌸🌸🌸 Bruno Ménard est un homme heureux. En 2008, à l'occasion de la sortie du premier guide Michelin Tokyo, il a décroché trois étoiles d'un coup ! Une consécration pour ce fils de chocolatier tourangeau qui rêve de cuisiner depuis l'âge de huit ans et qui assure « ne rien savoir faire d'autre ». Après un beau parcours qui l'a conduit chez Charles Barrier, Jean Bardet, puis au Ritz-Carlton à Osaka et Atlanta, Bruno Ménard a finalement trouvé son port d'attache au Japon. C'est là, dans le quartier ultrachic de Ginza, que le groupe Shiseido lui a confié le soin de faire briller sa perle gastronomique, l'Osier, dont le nom rend hommage aux saules qui ornaient autrefois les rues de Ginza.

Dans sa conception, l'Osier se veut « plus français que français ». Une bulle d'élégance Art déco à l'atmosphère feutrée où s'élabore une cuisine française « néoclassique » imprégnée de Japon. C'est bien là toute l'intelligence de Bruno Ménard, qui ne se contente pas d'importer à l'étranger des principes et des recettes tricolores. Il orchestre bien plutôt le choc de deux cultures, s'appuyant sur l'une, se nourrissant de l'autre, exploitant le meilleur des deux. La cuisine japonaise traditionnelle kaiseki repose sur un scrupuleux respect des produits et un souci poussé du détail. Elle ra-

« La cuisine n'a jamais été un métier, c'est ma vie. J'ai quitté la France sans étoiles avec le secret espoir de les décrocher un jour, sans oser y croire. Elles m'ont rattrapé au Japon. Le souvenir du moment où j'ai appris la nouvelle restera à jamais gravé dans ma mémoire. Ces trois secondes sont d'une intensité inimaginable, comme l'émotion que j'ai ressentie au cours de la cérémonie de remise des étoiles, en présence de Joël Robuchon et de Paul Bocuse, qui sont pour moi deux monstres sacrés. »

L'OSIER
→ Japon

conte l'histoire d'une saison au fil de petites portions exécutées de façon magistrale. Cette philosophie imprègne le travail de Bruno Ménard qui change sa carte à volonté, tous les matins s'il le faut, au rythme de l'arrivée des produits frais dans son garde-manger. Les truites du Mont Fuji, les cochons de lait de Tchiba, les yuzu et autres sudachi fraîchement cueillis reposent à côté des homards de Bretagne, des volailles de Bresse, des foies gras et des pigeons Grémillon venus de France par avion.

Cuisiner au Japon suppose d'apprendre à maîtriser la gamme des acides, d'une variété insoupçonnée en Europe. Ainsi la truite de lac du Mont Fuji est-elle accompagnée d'un praliné à l'huile d'Argan et essence de sudachi – un petit agrume au goût très puissant – qui trouve son contrepoint dans la douceur d'un houmous de noix de macadam. Le cochon de lait de Tchiba rôti, polenta crémeuse truffée, est habillé d'un jus simple à la verveine, travaillé avec un jus de pomme déglacé au vinaigre qui présente un autre visage de l'acidité, tempérée de douceur. Bruno Ménard se passionne pour ces composantes du goût sur lesquelles il joue constamment avec beaucoup de subtilité. Le vinecao, un vinaigre de riz au cacao et au soja qu'il a mis au point pour le chocolatier Weiss, est le résultat de cette recherche d'équilibre entre le sucré, le salé, l'acide et l'amer. Grâce à lui, on peut goûter un peu du talent de Bruno Ménard, en attendant de s'envoler pour le Japon…

EXTRAIT DE LA CARTE

Truite de lac du mont Fuji, praline à l'huile d'argan, essence de Sudachi et « houmous » de noix de macadam

Cochon de lait de « Chiba » rôti, polenta crémeuse truffée, Jus simple a la verveine

Tarte soufflée au chocolat mi-amer, sorbet à la vanille

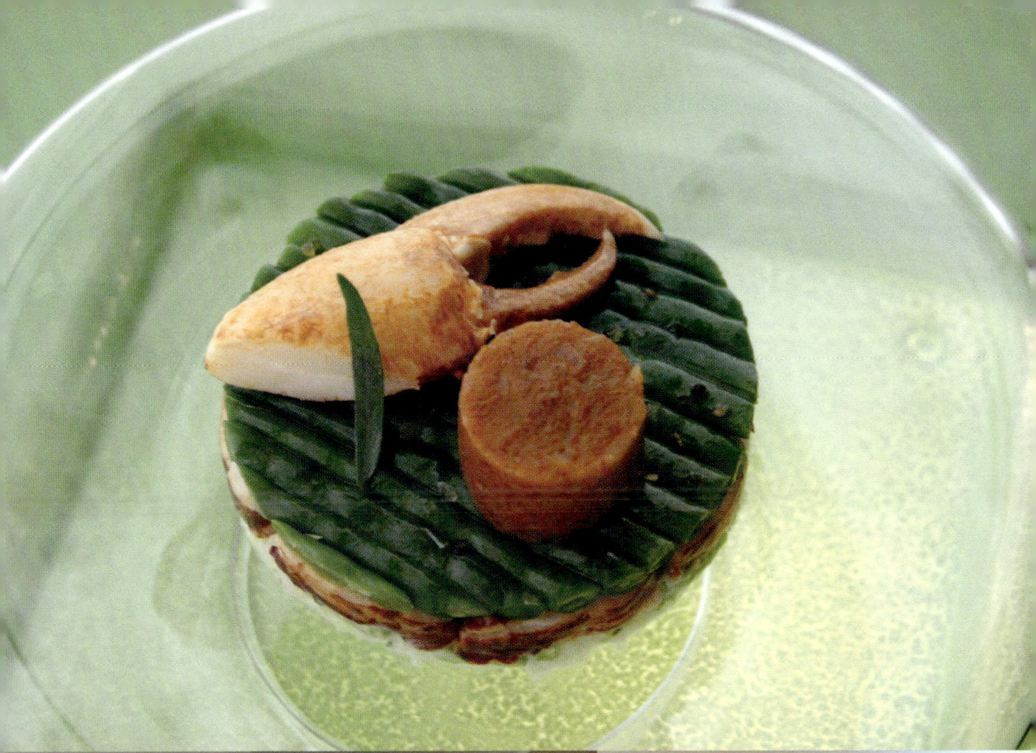
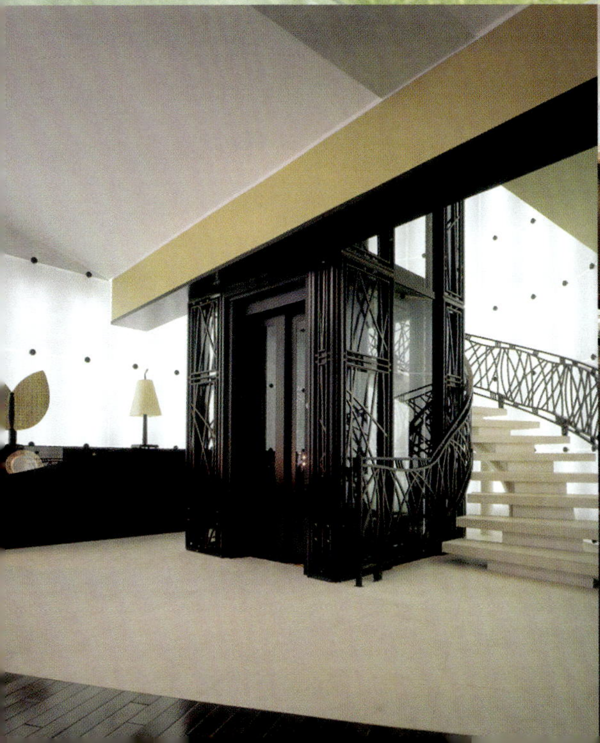
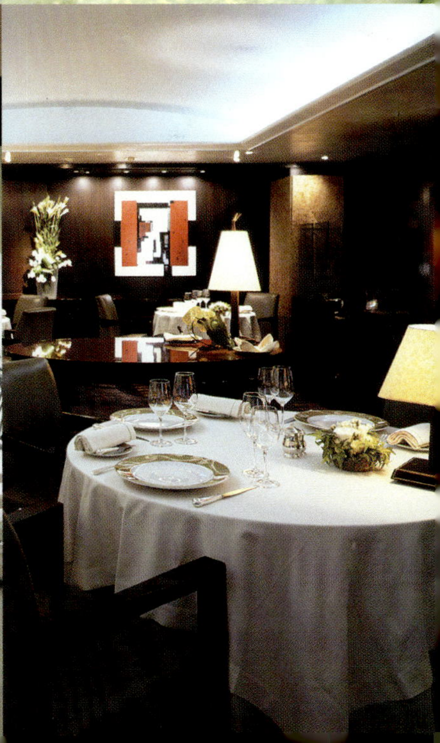

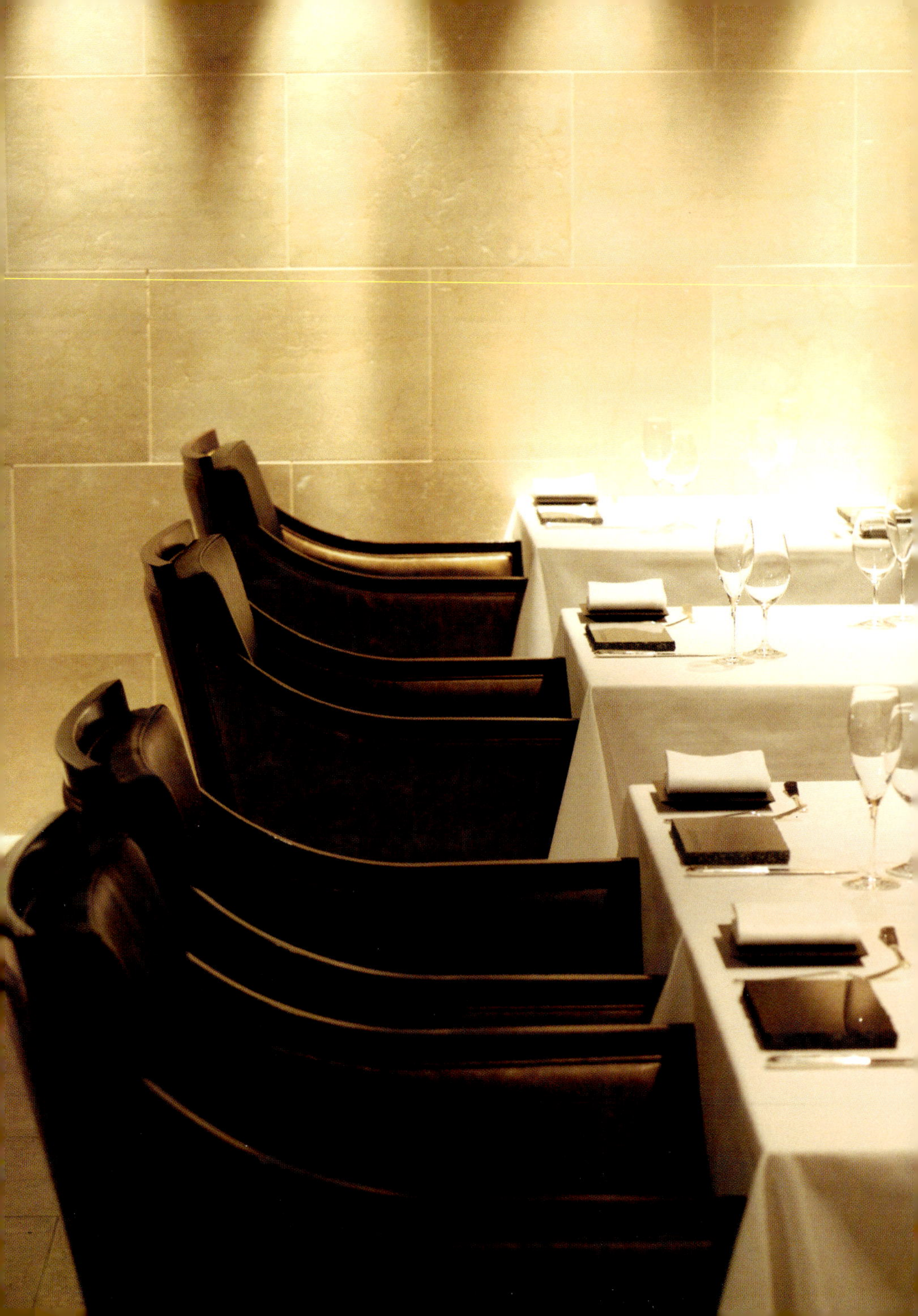

1F « Barbizon 25 » Bldg,
5-4-7 Shiroganedai, Minato-ku
Tokyo 108-0071
Tél. 00 81 (0)3 5791 3715
Fax 00 81 (0)3 5791 3716
quintessence@granada-jp.net
www.quintessence.jp

**Propriétaire : Yuji Shimoyama
Chef : Shuzo Kishida**

QUINTESSENCE

→ Japon

❀❀❀ Timide et effacé, il s'anime tout d'un coup lorsqu'il parle de son mentor, Pascal Barbot, le chef de l'Astrance (Paris), à qui il voue une admiration sans bornes. Shuzo Kishida est jeune et passionné de cuisine. Sa devise ? utiliser les meilleurs produits, apprendre à les exploiter, servir le client avec tout le soin et le respect qu'il mérite.
Avec le Quintessence, Shuzo Kishida a trouvé le lieu à sa mesure. Le nom dit tout : la quintessence du mariage entre cuisines française et japonaise. De fait, nul autre cuisinier au Japon n'a su mêler aussi bien ces deux univers gastronomiques et atteindre une telle richesse de goût. Est-ce la formation qu'il a reçue à Paris auprès de Pascal Barbot ou est-ce tout simplement un don ? Les deux ensembles, sans doute.
Dans un cadre épuré et feutré, à l'atmosphère calme et sereine, le charme opère instantanément. Au sens magique du terme, qui suggère un voyage dans le merveilleux. Commençons en douceur : bavarois de fromage de chèvre, huile d'olive et sel de Guérande. Une expérience fraîche et aérienne pour ouvrir l'appétit. Puis le ton s'affirme et nous emporte, la route est prise vers des orients nouveaux, inconnus : le maquereau mariné à la betterave rouge, gouttes de citron caviar,

QUINTESSENCE
→ Japon

bouchées de navet kabu, accompagnées de magnifiques noix de gingko et de feuilles de pimprenelle. Une alliance subtile entre les deux cuisines, pour une « fusion » des genres totalement unique.
Et la métamorphose des extrêmes atteint son apogée avec un far breton révolutionnaire : de l'aoyagi (un lointain cousin japonais du pétoncle) à la place des pruneaux, du sel de Guérande en guise de sucre, de la farine de soba plutôt que de blé, du beurre d'algues de Monsieur Barodier et de l'algue hijiki de rive, dont on dit qu'elle contient plus de calcium que le lait. C'en est fait : notre petit gâteau breton a basculé dans le registre du salé, emportant avec lui la Bretagne toute entière du côté du Levant ! Comme une île entre deux mers, en somme, unissant l'Atlantique au Pacifique d'un trait de magie. Ou de génie…. A n'en pas douter, ce far "nippo-breton" aux parfums marins symbolise à lui seul toute l'audace et l'imagination de Shuzo Kishida.
Des parfums de quintessence, d'essence de perfection. Comme l'endroit où s'est installé Shuzo Kishida : il fallait un lieu aussi discret que la cuisine est lumineuse, à l'image de son jeune chef. Installé dans l'un des rares quartiers de Tokyo qui ne connaît aucune animation, l'endroit reflète l'esprit de celui qui l'anime, pour donner toute son ampleur à son art, et en toute sérénité.

QUINTESSENCE
→ Japon

« J'essaie de faire une cuisine qui n'est ni japonaise ni française, ni quoi que ce soit, mais qui reflète tout simplement ce qui est bon dans la nature. Il y a d'excellents produits au Japon, il y a d'excellents produits en France. Je suis sûr qu'il y en a d'excellents dans tous les pays du monde. J'aime utiliser les bons produits sans me préoccuper de savoir si le résultat appartient à une nationalité ou à une autre. Cela me paraît plus juste, plus sensé »

EXTRAIT DE LA CARTE

Bavarois au chèvre, sel et huile d'olive

Boudin noir

Glace meringuée

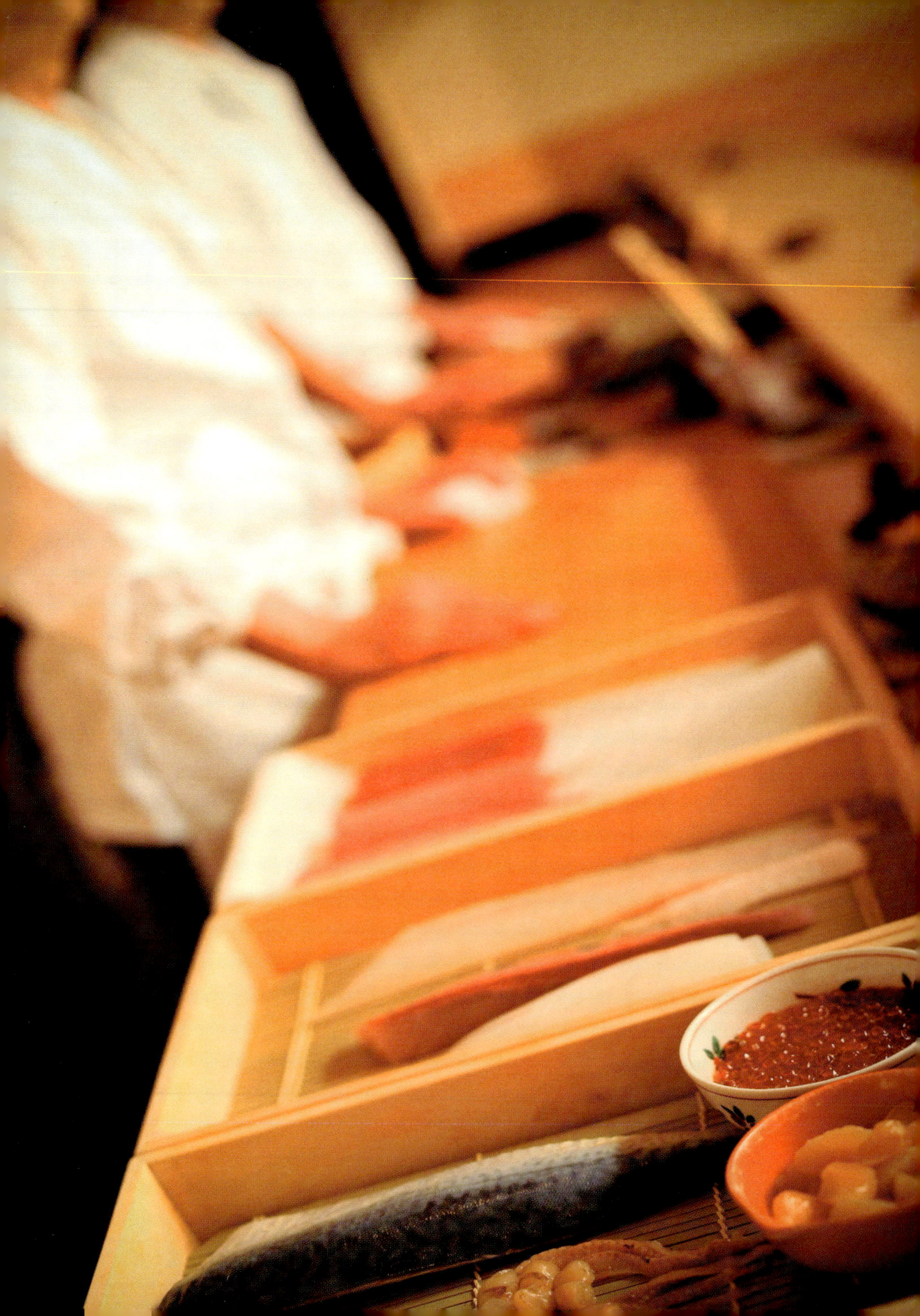

Tsukamoto Sozan Building B1F,
4-2-15 Ginza, Chuo-ku
Tokyo 104-0061
Tél. 00 81 (03) 3535 3600

Propriétaire et chef : Jiro Ono

SUKIYABASHI JIRO

→ Japon

✿✿✿ Le poulpe : une grande spécialité de Jiro, quasi spécifique au pays du Soleil Levant. Le poulpe d'hiver, servi à température humaine, se révèle doux et raffiné. Il doit reposer pendant une demi-journée pour l'affaiblir, puis il est longuement massé, pétri avec soin. Un travail qui demande non seulement de l'expérience, mais aussi de la poigne !
Et le *hiramé*. Une texture en bouche qui saute de gaieté. Une douceur subtile et un parfum délicat. Le roi des poissons blancs d'hiver…
Cinquante ans déjà ont passé depuis qu'il a frappé pour la première fois à la porte d'un sushiya. Le néophyte d'antan est devenu le grand maître révéré du monde de la gastronomie japonaise : Jiro Ono, ou tout simplement « Jiro san ». Un monument. Apprenti à l'âge de huit ans, Jiro Ono est le dernier des grands de l'ancienne génération, celle qui n'a jamais appris à se plaindre, qui ne connaît pas la pitié de soi. Le stoïcisme n'est-il la plus noble des qualités japonaises – nous parlons de la culture qui a inventé le harakiri. « Le travail du sushiya est un long combat contre soi ». De fait, ne dirait-on pas une parole de samouraï, de guerrier au sabre levé pour couper la chair et donner la mort ? « Aucun travail ne s'adapte à soi, il faut s'adapter au travail », affirme le maître.

« *La technique, c'est le trésor de l'artisan. Le sushiya est un artisan, pas un artiste. Un artiste, c'est quelqu'un qui rêve, qui fantasme, qui crée. Le sushiya, le vrai, ne rêve jamais. Il a un couteau, un client en face de lui qui voit tous ses faits et gestes. Un combat sans fin. C'est ça la vie du sushiya* »

SUKIYABASHI JIRO
→ Japon

Et il faut dix ans pour faire un sushiya. Tout le monde le sait. Jiro de préciser qu'il faut déjà savoir résister les trois premières années ; celui qui y parvient peut alors résister encore cinq ans. Puis il s'apercevra de lui-même qu'il reste encore beaucoup à apprendre, et l'élève en demandera, encore plus, jusqu'à ce qu'il puisse, s'il a de la chance, continuer à apprendre… Une quête quotidienne et permanente pour réaliser, enfin, le sushi d'exception.

Car le temps qui passe à apprendre ne se compte pas. Derrière son comptoir, tel un face-à-face constant avec ses clients, Jiro Ono le vit toujours pleinement, et toute l'année. Six jours sur sept, il est là, debout, à quatre-vingt-trois ans ! Est-il humain ?

On oublie pourtant vite cette vieillesse des traits tant l'homme en impose, par son charisme, son expérience et son talent. Chacune de ses paroles est pesée, écoutée, vénérée par tous les professionnels japonais. Tel le maître qu'il reste.

L'homme, par sa nature, s'arrête quand il se trompe et réfléchit. Le *tamago*, ou l'œuf chez Jiro, est préparé par un jeune… qui a déjà 8 ans de maison. Avant de réussir son premier tamago, ce dernier en a raté au moins une centaine et, tous les jours, il subit le coup de pied du maître dans le derrière ! A en devenir dépressif, à force de réfléchir.

Ce qui, pour Jiro, est une marque de sérieux. Un bon gars, donc… C'est comme ça, un sushiya. Un homme qui a souffert de l'échec connaît mieux la joie de la réussite. Et il redoublera d'efforts, pour revivre une nouvelle fois cette joie. Et il trouvera de lui-même son prochain combat, pour souffrir et pour rire. La vie n'est que cette répétition, un cercle vertueux sans fin.

EXTRAIT DE LA CARTE

Menu omakasé de sashimis et sushis de saison

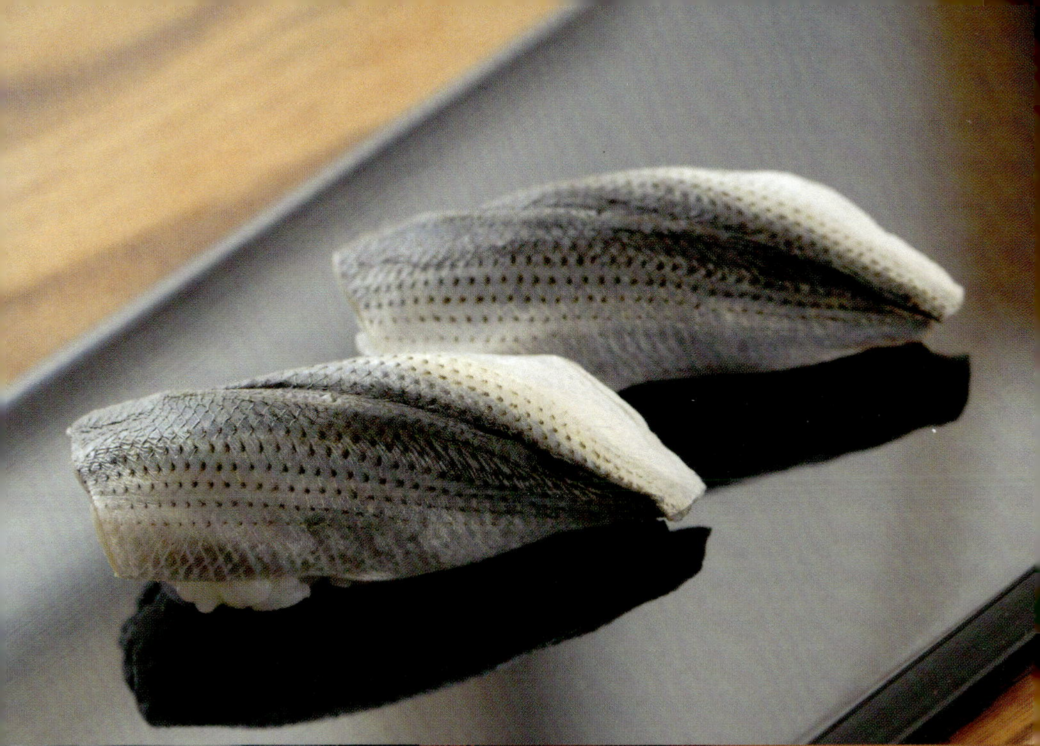

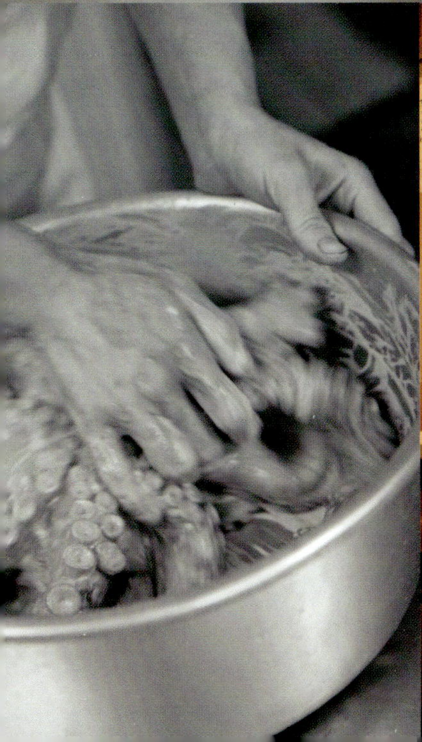

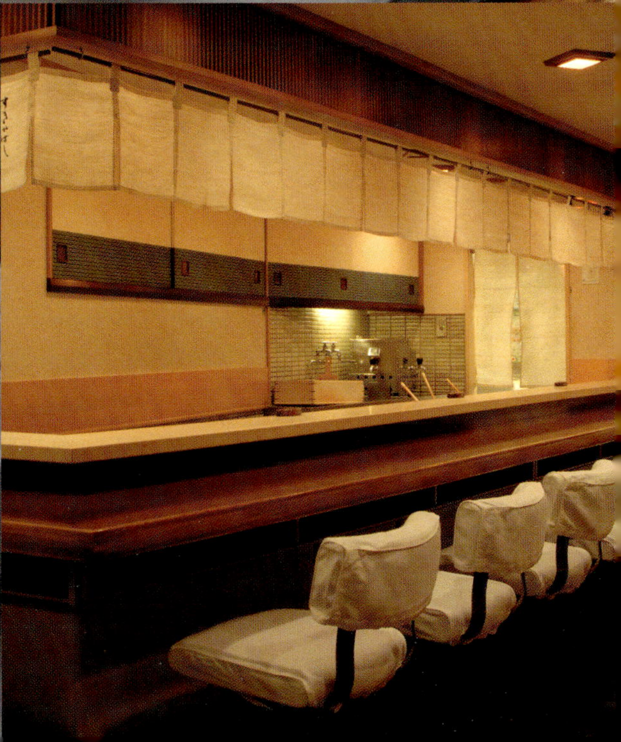

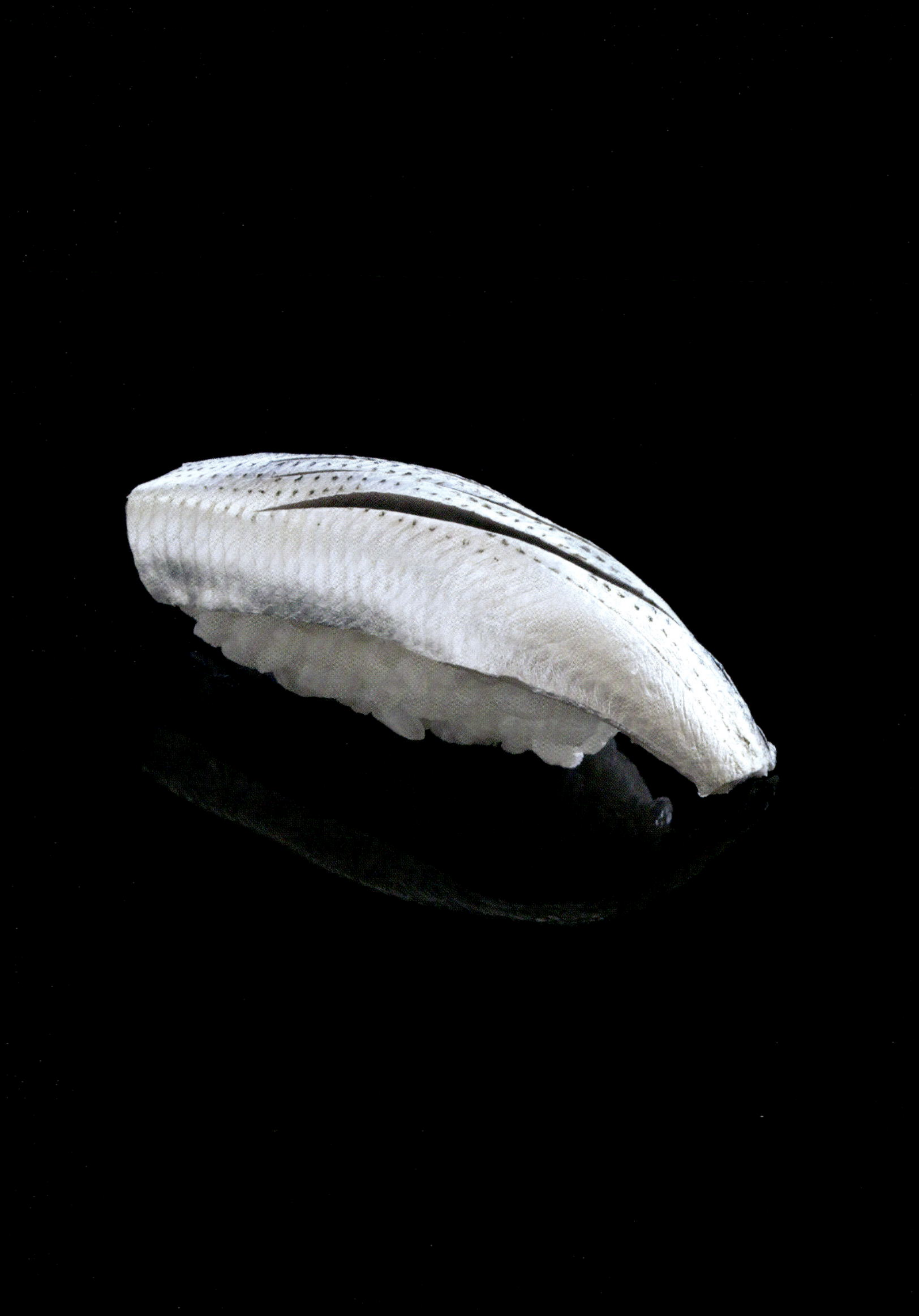

Seiwa Silver Building B1F
8-2-10 Ginza, Chuo-ku
Tokyo 104-0061
Tél. 00 81 (0)3 3573 5258

Propriétaire et chef : Hachiro Mizutani

SUSHI MIZUTANI

→ Japon

❀❀❀ Au rez-de-chaussée de l'immeuble, un petit marchand d'*umeboshi*. Au sous-sol, seule une petite planche en bois annonce le nom : *Mizutani*. L'entrée est discrète. Introuvable. Dix places seulement au comptoir. Un touriste n'arriverait jamais ici par hasard. Mais si un jour la chance l'y conduit, il se souviendra du calme et du silence des lieux, presque intimidant, comme de la cuisine : car c'est là qu'on déguste les meilleurs sushis du monde. Hachiro Mizutani est le disciple de Jiro Ono. Il a quitté son maître pour ouvrir un restaurant à Yokohama, en attendant pendant quinze ans la permission de ce dernier pour s'installer à Ginza – le rêve de tout cuisinier japonais. Aujourd'hui, les jeunes n'attendent plus la permission du maître ; mais Hachiro Mizutani est un *sushi-shokunin* de l'ancienne école. Hors de question pour lui de déroger aux règles établies par les anciens, ceux que l'on ne surpassera jamais, car ils sont nés avant nous. Il se tient debout, homme mince tout de blanc vêtu, derrière son comptoir. Et pose une petite planche de laque noire devant nous. *Omakase*, n'est ce pas ? Bien sûr, chef. Quelques gestes nonchalants, et voilà presto, un merveilleux sushi de poisson blanc. En été du karei, en hiver du

SUSHI MIZUTANI
→ Japon

hirame. Toujours exquis, fondant comme neige en bouche, un subtil mélange de poisson et de riz assaisonné à la perfection, légèrement plus chaud que le poisson lui-même. Les températures de l'un et de l'autre parfaitement équilibrées, pour achever un mariage sublime de simplicité, dans la richesse des goûts de la nature. Et nous voilà partis pour un éblouissant voyage sur les mers du Japon… L'erreur que nous commettons est de penser que cette cuisine est simple. Car chaque poisson a subi une cuisine du temps, par le repos, pendant des minutes, des heures, des jours, variant selon le type de poisson, mais d'une rigueur absolue pour obtenir un goût et une texture parfaite. Thon et poissons blancs sont juste coupés. Les bleus ou brillants, comme le maquereau ou le *kohada*, sont salés à point dans une saumure délicate (le sel à nu abîme la chair), et vinaigrés pendant quelques précieuses minutes. Ils font ensuite l'objet d'une cuisine de pointe qui se mesure par les années d'expérience. Le *kohada* de Mizutani se révèle fondant et souple, goûteux, doux et acide. Poisson et riz se mêlent et se confondent en bouche, bouchée qui laisse émerveillé par cette discrétion qui s'épanouit, ces saveurs intenses qui s'ouvrent comme un plaisir d'une sensualité totale.

SUSHI MIZUTANI
→ Japon

« Lorsque vous avez coupé des milliers de poissons dans votre vie, vous finissez par savoir couper sans regarder. Mon couteau est l'extension de ma main, je sens le poisson au bout de mon doigt Les poissons sont frais, cela est évident. Ce qui l'est moins, c'est de savoir choisir le poisson de telle baie, à telle semaine de tel mois. Car le poisson migre. Il est différent tous les jours. Je ne peux pas laisser ce travail à mes apprentis. Il faut des décennies d'expérience à voir, palper, caresser le poisson tous les jours. »

EXTRAIT DE LA CARTE
Menu omakasé de 17 sushis. Sashimis et sushis de saison

LE LOUIS XV-
ALAIN DUCASSE
Monte-Carlo

→ MONACO
✿✿✿

Un chapitre entier pour un restaurant ? Le Louis XV mérite cet honneur. Situé sur l'une des plus belles corniches d'Europe, paré d'un décor époustouflant, le premier restaurant triple étoilé d'Alain Ducasse marque le point de départ de la fabuleuse aventure gastronomique d'un chef hors norme. C'est aussi le témoin d'une histoire étonnante, celle d'une ville créée de toutes pièces au XIXe siècle, par la volonté du Prince Charles III. Il ne faudra pas plus de cinq ans pour dresser sur le plateau des Spélugues, encore couvert d'arbres fruitiers, le casino et les hôtels de luxe qui attireront bientôt les plus grandes fortunes de ce monde. À sa naissance, Monte-Carlo avait pour ambition de rivaliser avec Paris, Londres et New York. Les trois étoiles qui brillent sur le Louis XV lui donnent les moyens de relever le défi.

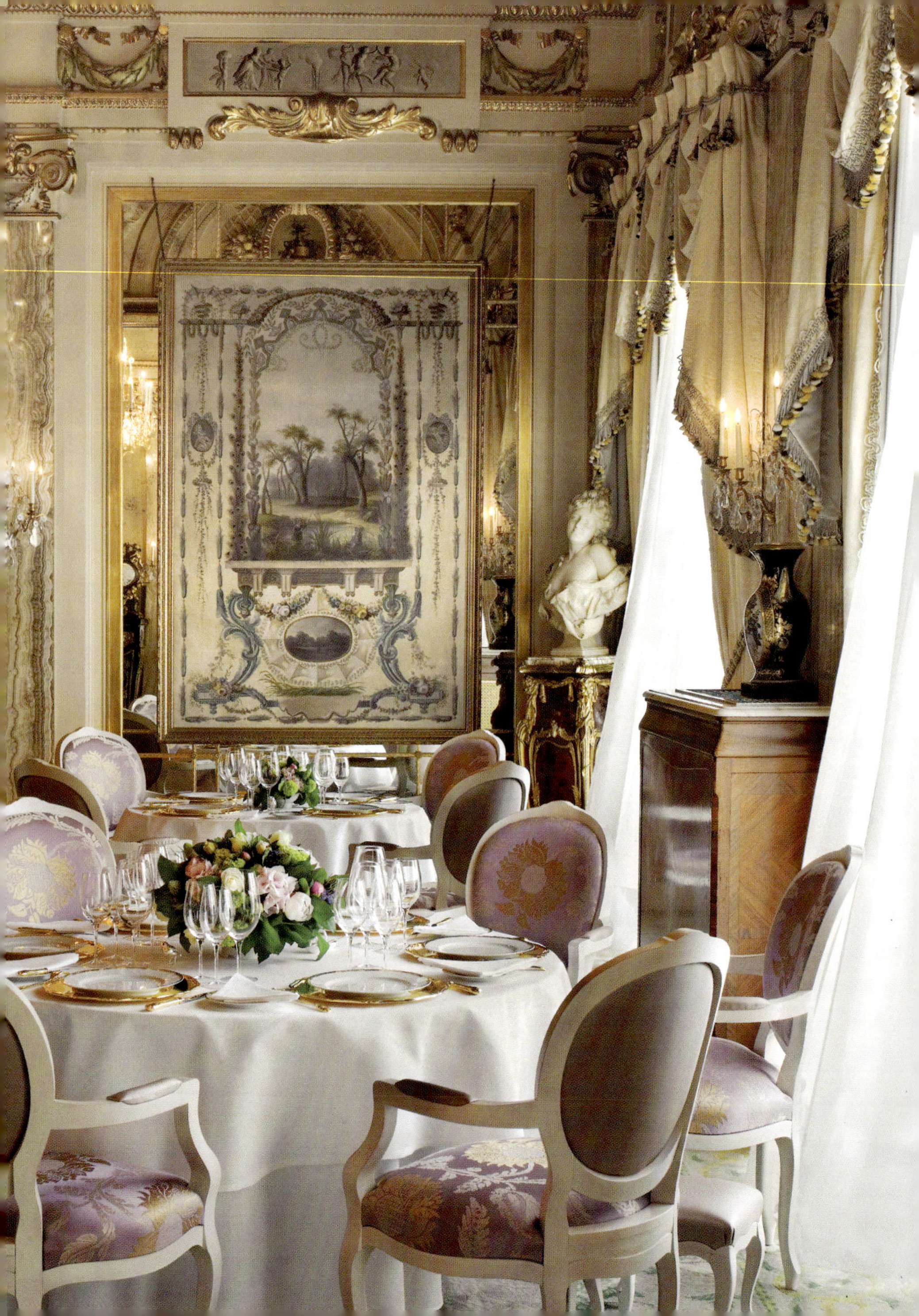

Place du Casino
98000 Monaco
Tél. 00 377 98 06 88 64
Fax 00 377 98 06 59 07
lelouisxv@alainducasse.com
www.alain-ducasse.com

Propriétaire : Monte Carlo SBMw
Chefs : Alain Ducasse et Franck Cerutti

LE LOUIS XV-ALAIN DUCASSE

→ Monaco

❀❀❀ L'Hôtel de Paris à Monaco. Un bijou scintillant sur la plus belle corniche du monde, une bulle d'élégance grand siècle au parfum poudré, des tapis feutrés sur lesquels glissent des pieds menus, des miroirs immenses dans lesquels les femmes s'observent à la dérobée, des assiettes dorées à l'or fin pour souper de roi... Quel chef pouvait oser relever le défi de prendre la tête de ce monument, en s'engageant par contrat à récolter trois étoiles en quatre ans ? Alain Ducasse, naturellement. À l'époque, il a déjà affiché deux étoiles au fronton de la Terrasse, le restaurant de l'hôtel Juana à Juan-les-Pins. Passionné de cuisine depuis l'enfance, il a construit son style en s'inspirant des meilleurs : Michel Guérard à Eugénie-les-Bains, Roger Vergé à Mougins, et surtout, Alain Chapel, qui lui a enseigné, comme aucun autre, la rigueur et la religion du produit. La Société des Bains de Mers ne s'y est pas trompée : Alain Ducasse a l'étoffe des grands chefs. En mars 1990, à trente-trois ans, il décroche les étoiles promises – en trente-trois mois – et fait du Louis XV le laboratoire de sa cuisine ; un répertoire classique modernisé aux accents du sud, cette fameuse « cuisine méditerranéenne » qui fera florès dans bien des restaurants

« S'il fallait lui donner une couleur, ce serait le bleu de la mer Méditerranée. S'il fallait la résumer en un goût, ce serait celui, subtil et parfumé, de l'huile d'olive. S'il fallait la décrire en un mot, ce serait « essentielle »
Alain Ducasse

« Dans la cuisine du Louis XV se produit une sédimentation entre le terroir où je vis, des goûts et des couleurs qui ont accompagné mon enfance, des récits d'exil italien ou de voyages au long cours vers l'Asie. Je ne cherche pas la prouesse, je souhaite offrir des plaisirs essentiels ; cela commence par la justesse des associations et de l'exécution, voilà le secret. »
Franck Cerutti

LE LOUIS XV ALAIN DUCASSE
→ Monaco

de France. Simple, fraîche, savoureuse, en accord avec la vérité du produit toujours… Mais aussi aérienne, délicate et inventive, manière de bousculer un peu la mémoire des plats classiques. Comme pour insister sur la formidable diversité des terroirs de France, la carte se décline en plusieurs thèmes. Du potager, surgissent « les primeurs des jardins de Provence à la truffe noire, huile d'olive taggiasche de Terre Bormane, aceto Balsamico et fleur de sel » ; de la mer, le délicieux « fumet de homard lié d'une purée de châtaignes, paysanne de légumes mijotés » ou le « loup de Méditerranée piqué de citron et de coriandre, grecque de légumes caramélisés de leurs sucs ». Choisissez le registre de la ferme et voici le « foie gras de Chalosse au naturel », la « poitrine de pigeonneau des Alpes-de-Haute-Provence, polenta du Piémont » et le « veau du Limousin élevé sous la mère au jus, cardons « gobbo » gratinés et artichauts de pays »…

Franck Cerutti, le chef des cuisines du Louis XV depuis 1993, donne le tempo jour après jour dans les coulisses de cette salle spectacle. Formé dans le Sud, (par Jacques Maximin, Annie Féolde en Italie, et… Alain Ducasse), il maîtrise à merveille cette cuisine puissante, iodée et colorée, naviguant entre terre et mer. Puisant au gré de ses envies dans le livre universel des goûts, il y ajoute quelques touches cosmopolites pour le plaisir d'une clientèle qui l'est tout autant.

EXTRAIT DE LA CARTE

Coquillages et crustacés, poulpe de roche, pistes et palourdes liés d'un pesto de roquette sauvage, haricots du Val de Lantosque

Légumes des jardins de Provence à la truffe noire, huile d'olives taggiasche de Terre Bormane, aceto balsamico et fleur de sel

Poitrine de pigeonneau des Alpes-de-Haute-Provence et foie gras de canard sur la braise, polenta, jus goûteux aux abats

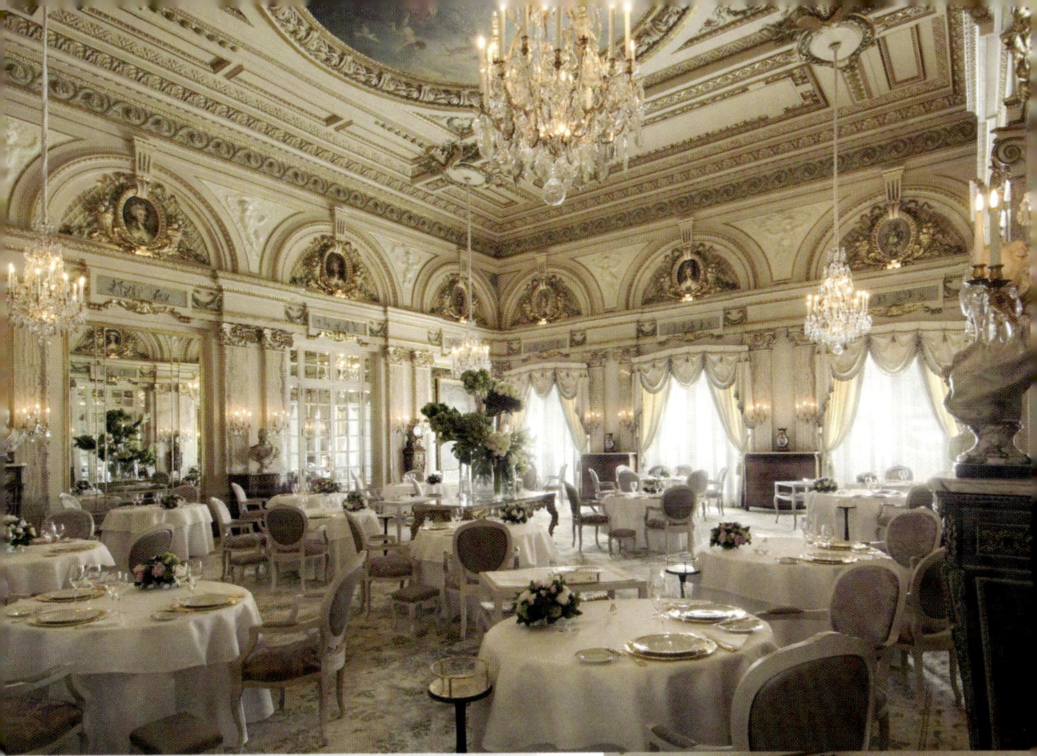

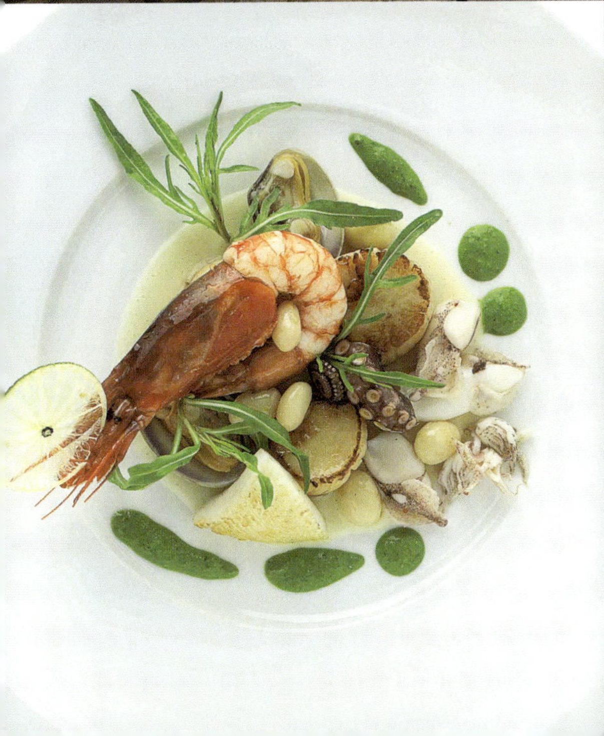

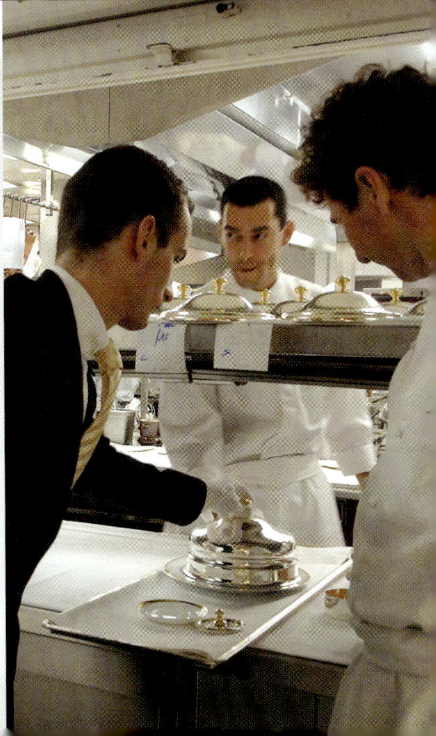

DE LIBRIJE   OUD SLUIS
Zwolle   Sluis

→ PAYS-BAS
❀❀❀

Charisme et modernité sont les deux mots qui caractérisent le mieux l'art culinaire néerlandais. Jonnie Boer à Zwolle et Sergio Herman à Sluis incarnent tous deux une jeune génération de chefs entreprenants, ambitieux, lancés dans un processus créateur très personnel. Le choix de décliner leurs plats en petites portions à déguster, la volonté d'ouvrir les cuisines pour l'un, d'approfondir les recherches dans une cuisine expérimentale pour l'autre, témoignent de cette démarche vivifiante qui place la notion d'expérience au cœur de l'élaboration culinaire. Les règles d'or de la grande cuisine n'en sont pas moins respectées : la saveur originelle des matières premières, l'harmonie des associations, la justesse des cuissons restent un préalable au défrichage des terres inconnues.

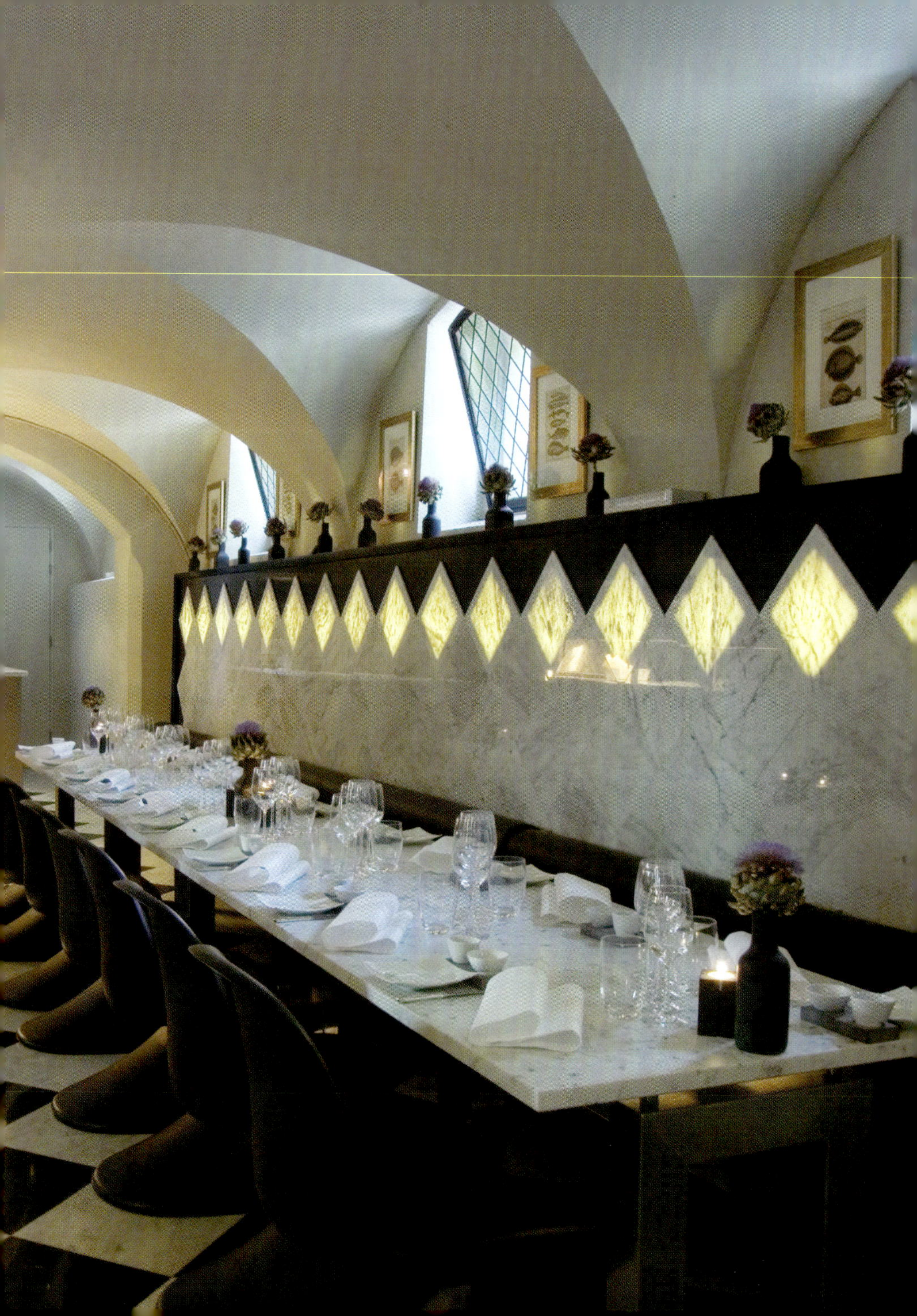

Broerenkerkplein 13,
8011 TW Zwolle
Tél. 00 31 38 421 2083
Fax 00 31 38 853 0009
info@librije.com
www.librije.com

Propriétaires : Jonnie et Thérèse Boer
Chef : Jonnie Boer

DE LIBRIJE

→ Pays-Bas

🦋🦋🦋 Jonnie Boer incarne l'une des figures les plus charismatiques de l'Europe étoilée du Nord. à Zwolle, à une centaine de kilomètres au Nord-Est d'Amsterdam, il a construit, avec sa femme Thérèse, un véritable empire dévolu aux plaisirs des sens dans un ancien monastère dominicain du XVIe siècle. Sous le toit de cette imposante bâtisse gothique devenue chapelle gastronomique, les Boer manient les styles avec élégance, jouant des contrastes entre fauteuils noirs et nappes blanches, privilégiant la simplicité et le naturel dans le rituel du service. Le centre de gravité du lieu se loge au sous-sol, dans les magnifiques caves voûtées reconverties en cuisine, où s'élaborent des chefs d'œuvre de saveur vraie qu'il est possible de déguster en observant le ballet des cuisiniers au travail.
Cette ouverture sur le « work in process » se veut à l'image de la philosophie de Jonnie Boer : offrir le « naturel à l'état pur », sans fards, sans ingrédients superflus, en se concentrant sur la vérité des produits. Des produits qui, pour la plupart, proviennent de la région de Zwolle – royaume de la pêche au sandre, de la menthe aquatique, des bolets et des chanterelles – et, plus généralement, du terroir

« À la base de notre cuisine se trouvent des ingrédients purs que nous achetons autant que possible directement à différents fournisseurs de la région. Il est important qu'un repas offre un certain suspens, que les ajouts qui n'y participent pas soient laissés de côté. Les garnitures superflues n'ajoutent rien à un produit déjà très beau. Un moins grand nombre de saveurs donne souvent de meilleurs résultats. »

DE LIBRIJE
→ Pays-Bas

hollandais. C'est en élaborant des plats simples comme la perche de rivière de "Het Zwarte Water" à la mousse d'ail fumé et pistou à la coriandre que Jonnie Boer s'est fait connaître. Aujourd'hui, la carte offre la possibilité de déguster des classiques : « sole de la Mer du Nord, lard séché, carotte et jus de pain grillé », « canard sauvage au maïs, olive et betterave rouge ». Elle ouvre également des horizons sur des assiettes d'une créativité sans limites, comme ces audacieux « spaghetti de noix de coco avec bouillon de mélisse et saté (satay?) de pistache » ou cet étonnant « concombre, raifort, langoustines et "boule de Belp" » : des globes de fromage pour la douceur, du concombre pour la fraîcheur et du raifort pour l'intensité de l'arôme au service de la langoustine.

Les menus dégustations déclinés sous forme de petites bouchées, les « minis du Librije », sont absolument incontournables et donnent à Thérèse – sommelière reconnue – le loisir d'exprimer tout son talent à travers d'heureuses associations mets-vins, avec une prédilection pour les terroirs espagnol et bourguignon. Ces menus s'accompagnent d'un festival d'amuse-bouche, tous plus surprenants les uns que les autres : « pleurotte peau de porc croquante et moutarde à l'abricot », « cacahouète avec cornichon piquant aubergine au poivre noir », pour ne citer qu'eux… Un grand bonheur, un « pur » plaisir.

EXTRAIT DE LA CARTE

Waterzooi d'eau douce : deux dimensions	Sandre, « coussins » de grenouille, anguille fraîche, anguille fumée, écrevisses et navet	Tartare de veau, hareng saur et bouillon de volaille à la langue de veau et au chou-fleur

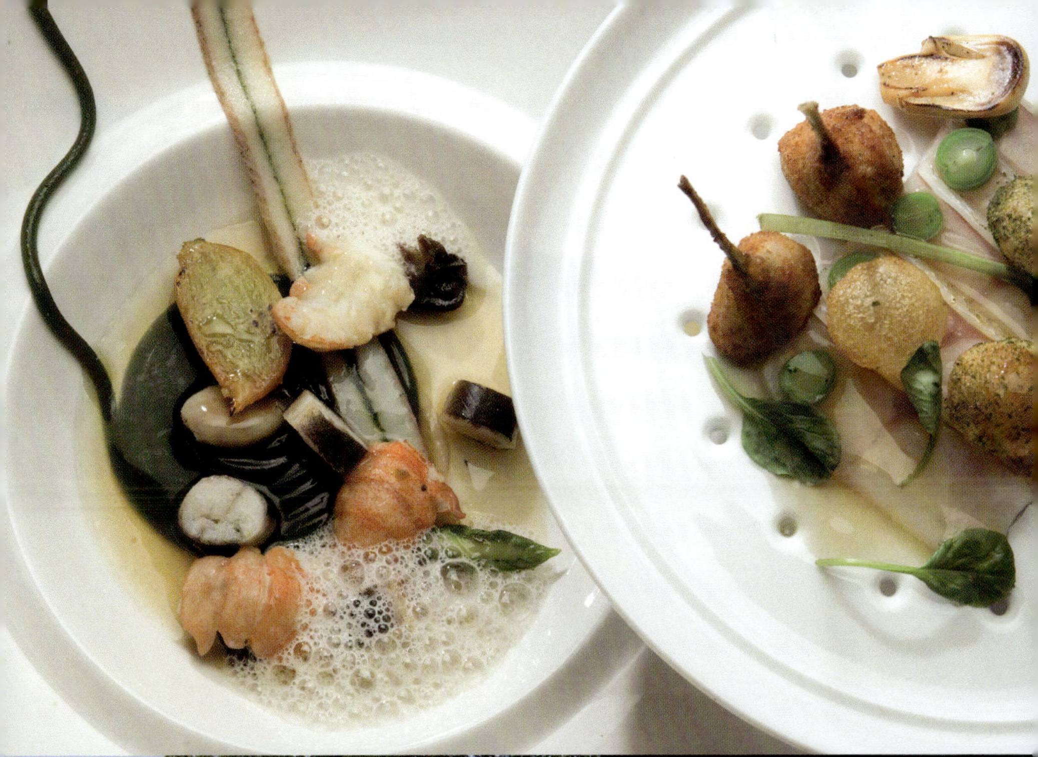
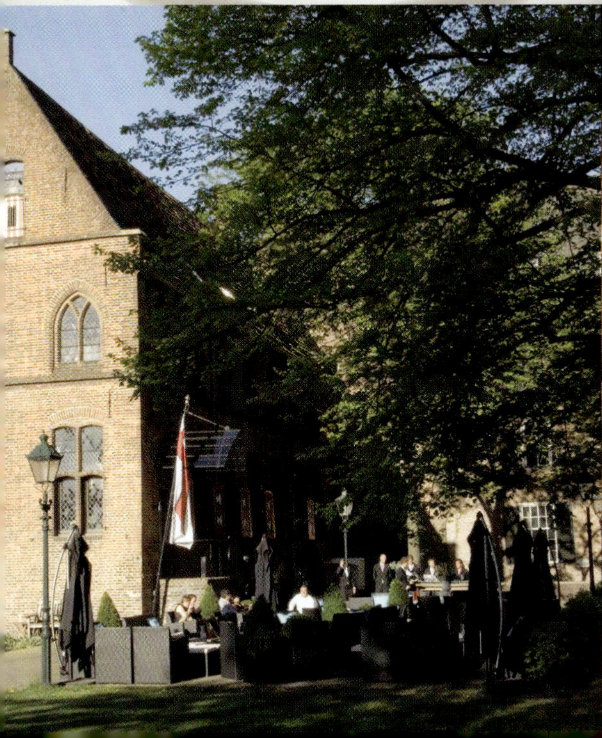
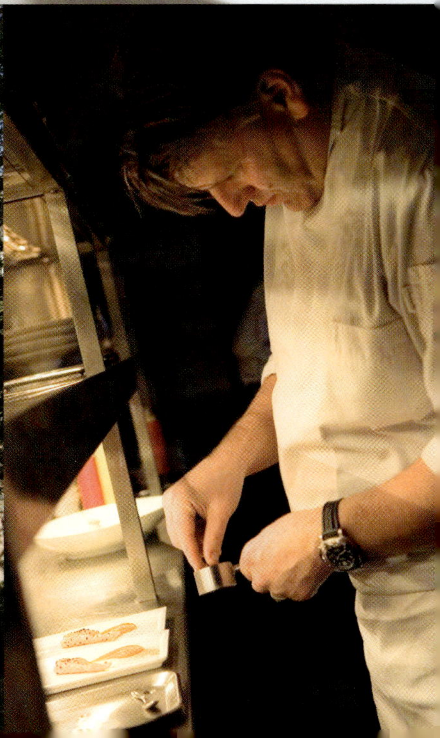

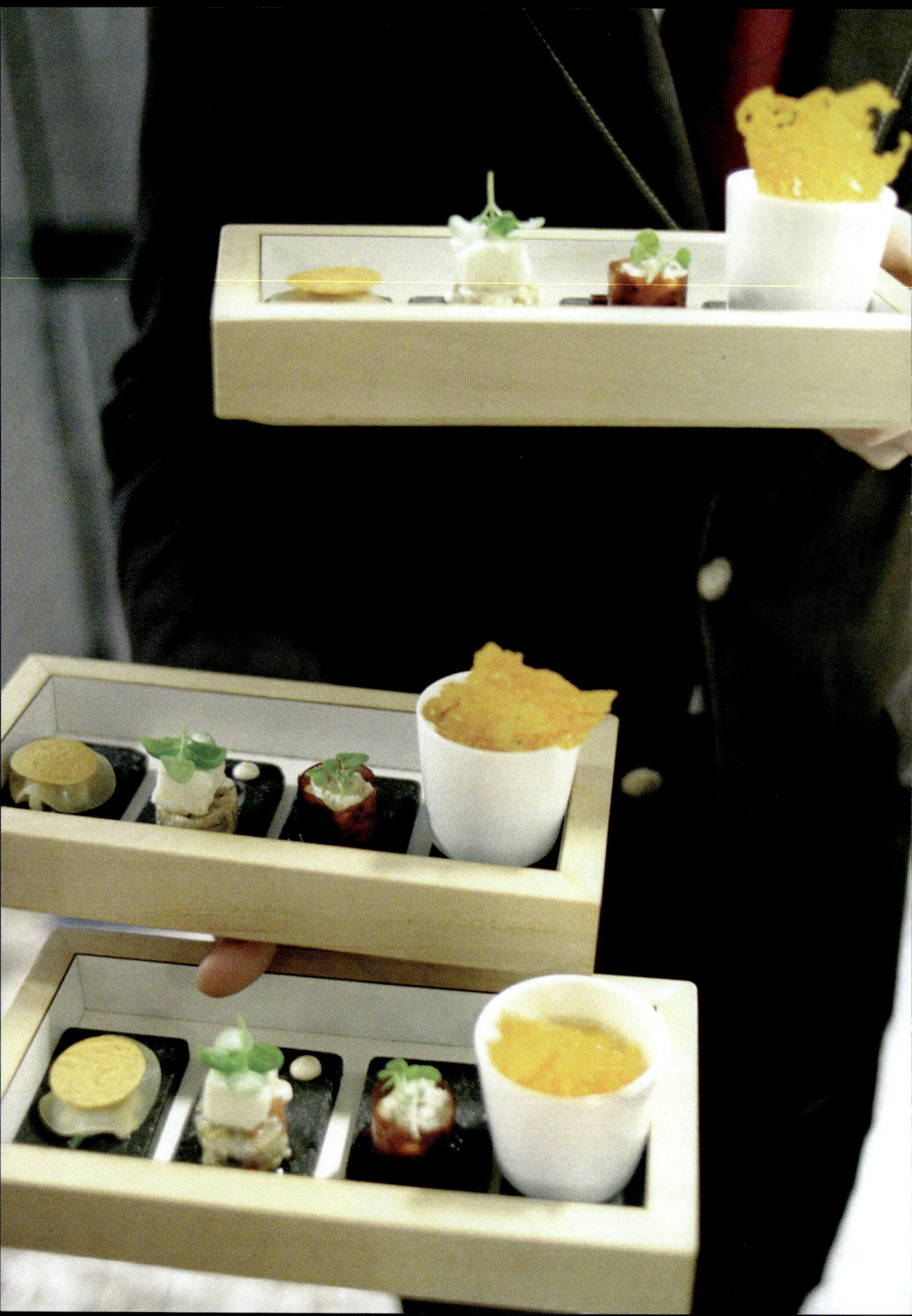

Beestenmarkt 2
4524 EA Sluis
Tél. 00 31 117 46 12 69
Fax 00 31 117 46 30 05
contact@oudsluis.nl
www.oudsluis.nl

Propriétaire et Chef : Sergio Herman

OUD SLUIS

→ Pays-Bas

🏵🏵🏵 Huîtres zélandaises en six façons, bar de ligne mariné comme cannelloni, sole à l'anguille laquée et fumée de l'Escaut… Ça bouillonne de l'autre côté de la frontière belge où le talentueux Sergio Herman a métamorphosé l'affaire familiale en étoile de haut vol. L'ancien restaurant spécialisé dans les moules frites est devenu au tournant des années 90 l'un des meilleurs représentants de la cuisine créative contemporaine. Le jeu sur les textures, les variations de températures, les défis esthétiques constituent les éléments les plus visibles de cette approche culinaire vivifiante. La fraîcheur et l'intensité aromatique en reste le fondement. L'un des plats signature de Sergio Herman, les huîtres zélandaises en six façons, témoigne de la virtuosité de son style tout en rendant un bel hommage aux produits de la mer. En voici le savoureux détail : cocktail d'huître, granité de champagne et caviar ; trois structures de concombres, tartare de coriandre ; collections d'algues et vinaigrette au yuzu ; croquant d'huître à la pomme et au fenouil ; comme un hamburger, crème d'aubergine et miso et enfin, huître, foie gras et truffes… On y retrouve les éléments distinctifs du génie culinaire actuel : l'ouverture sur le monde, le recours aux herbes et aux épices travaillées

« Je réalise une cuisine épurée, légère. Mon credo, c'est la nature dans l'assiette. J'aime les saveurs de la mer, relevées d'herbes, d'épices, de condiments dont la combinaison offre une belle fraîcheur acide. »
« Je suis toujours en quête de lieux où l'on pratique la bonne cuisine, je recherche les expériences culinaires, parfois au milieu de nulle part, en pleine nature. C'est aussi une question d'atmosphère. »

OUD SLUIS
→ Pays-Bas

avec une formidable maîtrise. Comme ses compagnons d'avant-garde, le chef et sa brigade opèrent également dans une seconde cuisine, expérimentale, consacrée à l'élaboration de techniques et d'associations inédites. Leur préférence va à la cuisson lente et à la distillation qui constituent un excellent moyen d'exalter les saveurs. Les plats, qui se présentent comme autant d'œuvres picturales, annoncent d'emblée un plaisir durable. La sobriété de la vaisselle – assiettes blanches, blocs de granit, bento – prédispose à la dégustation d'une cuisine lumineuse et légère. L'espace contemporain, savamment étudié, se montre en parfaite osmose avec ce style culinaire. Des cheminées où dansent les flammes nous rappellent que la cuisine c'est d'abord l'art de maîtriser le feu. Au fond de la salle, un rectangle vitré s'ouvre sur les coulisses de ce théâtre. On y voit passer les visages fugitifs de Sergio Herman et de ses cuisiniers. Rien ne transparaît de ce qui se trame entre leurs mains… Manière de préserver les secrets d'une cuisine magique.

EXTRAIT DE LA CARTE

Collection d'huîtres plates de Zélande automne/hiver

Anguille fumée et laquée, chips croustillante de poulet, pomme de terre "opperdoezer" confite, vinaigrette de verveine et miso

Coquilles Saint-Jacques grillées et marinées avec différentes structures de topinambour, salade de fenouil, endive et pomme verte, truffe d'automne râpée

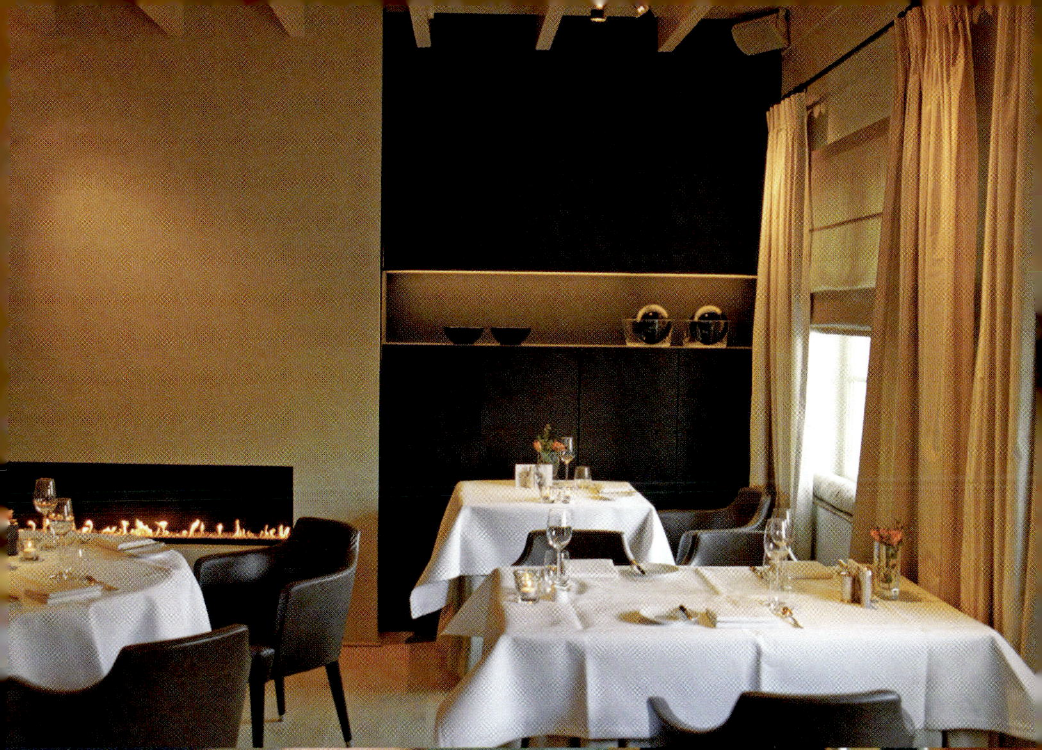
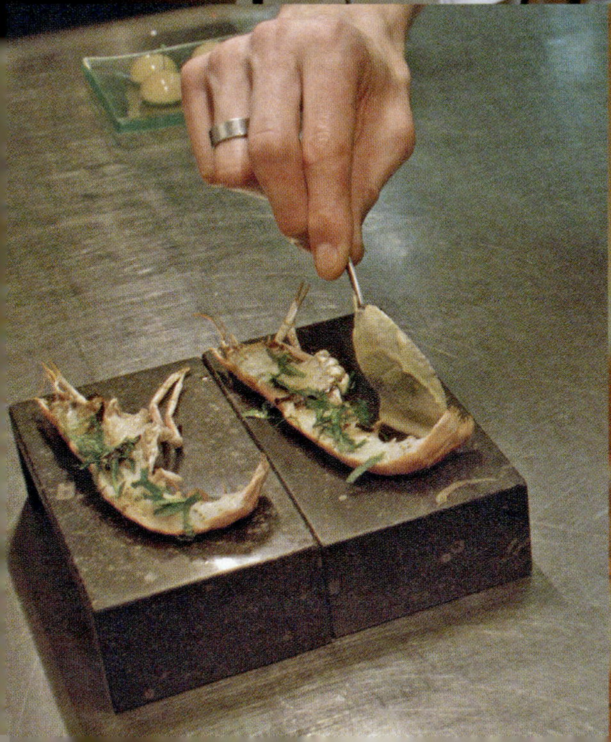
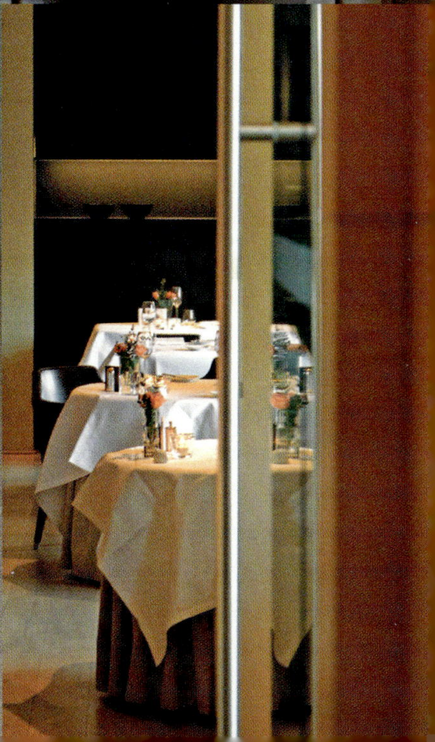

**LE PONT
DE BRENT**
Montreux

PHILIPPE ROCHAT
Crissier

→ SUISSE
✿✿✿

La figure de Fredy Girardet, retiré en 1996, hante toujours les fourneaux suisses. Philippe Rochat et Gérard Rabaey, ses deux fils spirituels, exercent leur talent sans déroger aux principes de l'ancien maître de Crissier. De la simplicité avant toute chose, jamais plus de trois saveurs par assiette, le produit et seulement le produit… Voilà comment se construit la légende culinaire suisse. À l'image de ces lacs imperturbables, de ces montagnes sereines sur lesquels le temps ne semble pas avoir de prise. Gérard Rabaey à Montreux, Philippe Rochat à Crissier sont les représentants d'un art qui s'éteindra avec le dernier mets, l'art de mettre la nature à sa vraie place, au centre de l'assiette.

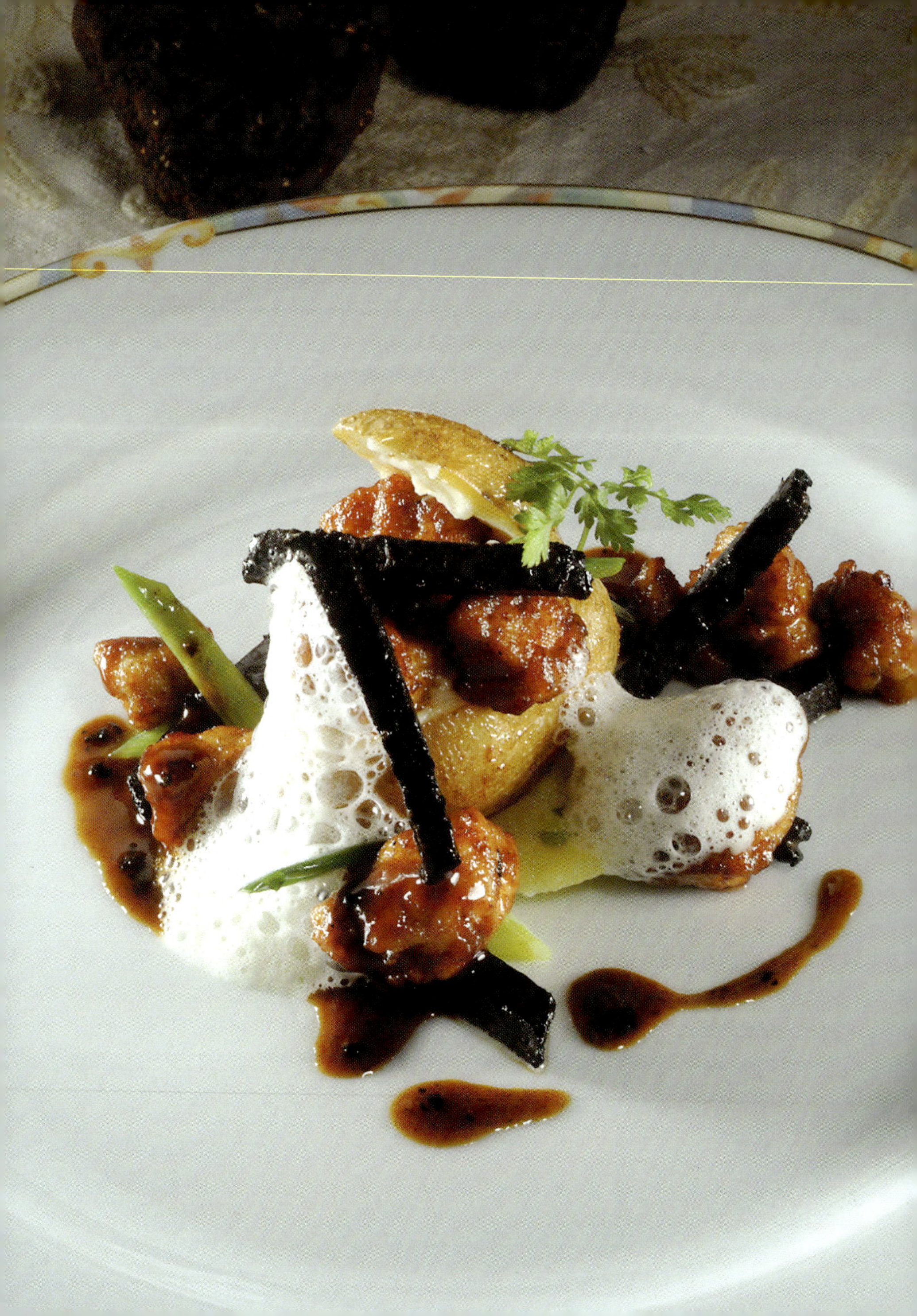

Route de Blonay 4
CH-1817 Montreux
Tél. 00 21 964 52 30
Fax 00 21 964 55 30
rabaey@bluewin.ch
www.lepontdebrent.ch

Propriétaire et chef : Gérard Rabaey

LE PONT DE BRENT

→ Suisse

❃❃❃ Comment ne pas rêver d'être là, sur les hauteurs de Montreux, solidaire de cette montagne tranquille s'absorbant dans le miroir bleu du lac Léman ? Comment ne pas souhaiter rester assis tout le jour sous les frondaisons de la terrasse du Pont de Brent, dans la douceur d'un soleil complice, bercé par le murmure de l'eau ? Comment ne pas prendre racine à la table de Gérard Rabaey quand tout concourt au plaisir des gourmets ? Ce chef humble et talentueux convoque la nature dans ses assiettes comme s'il lui fallait rendre hommage à la beauté des paysages qui l'entourent. Les poissons du lac, les champignons, les crustacés sont ses produits de prédilection, sans oublier les pièces cuisinées servies entières, que le personnel de salle découpe avec une dextérité impressionnante. Car Gérard Rabaey et son épouse Josette chérissent le classicisme dans ce qu'il a de meilleur : l'art de la découpe en salle, le respect des matières premières, la simplicité des recettes… Le chef s'est forgé ses convictions culinaires au fil des années, étudiant l'art de cuisiner dans les livres anciens et s'inspirant de quelques modèles bien choisis. Né en France et suisse d'adoption, Gérard Rabaey découvre sa vocation à l'occasion d'un apprentissage dans un restaurant étoilé de

« *Le style d'une cuisine faite à la commande et l'exécution d'un plat n'est pas mesurable. Le temps de cuisson doit être ressenti selon l'aspect, le bruit et l'odeur. Il est clair que tout ne peut être écrit dans une recette, c'est un mélange de technique et de sensibilité…* »
« *Ma cuisine est basée sur un maximum de produits locaux ainsi que les abats, les crustacés et les pièces cuisinées servies entières et les desserts chauds aux fruits.*
Un grand chef Trois étoiles, c'est du talent, de la persévérance, une motivation au-dessus de la moyenne, le désir de toujours faire mieux, mettre en évidence, le goût et la saveur des produits sans les dénaturer. »

LE PONT DE BRENT
→ Suisse

Dinan. Il compte bien poursuivre l'aventure dans l'Hexagone, mais son destin en décide autrement. Embauché pour un intérim de quelques mois chez Louis Richoz à Martigny en Suisse, il rencontre sa future femme et ne quittera plus ce doux pays où il fait bon vivre. Le couple s'installe à l'Auberge de Veytaux, près de Montreux, où il excite rapidement la curiosité des gourmets et des guides. A la faveur d'un concours où il arrive en tête, le jeune homme est mis en relation avec Frédy Girardet. L'admiration et l'émulation sont bonnes conseillères. Gérard Rabaey n'a plus qu'une chose en tête : atteindre les sommets étoilés. Le petit hôtel-restaurant du Pont de Brent, racheté en 1980, lui offre la consécration suprême en 1998.

La simplicité reste bien le maître mot de cette cuisine d'inspiration française qui porte la marque d'un grand talent. En témoignent le feuilleté de chanterelles et amandes fraîches au jus de persil, la noix de ris de veau aux tomates confites et pommes de terre nouvelles. Il suffit d'un ingrédient – un jus de persil, un bouillon à la verveine, un peu de vinaigre de Banyuls, du citron confit – pour glisser de la magie dans un plat sage. Le maître de Montreux se révèle profondément généreux, pourvoyeur de recettes qu'il détaille sans fard dans ses livres et sur son blog. Il prodigue aussi des conseils et montre la voie à ses apprentis cuisiniers.

EXTRAIT DE LA CARTE

Marbré de ris de veau et foie gras aux pommes vertes	Crème de courge au chèvre frais, graines torréfiées	Aiguillette de saint-pierre au jus d'agrumes, fondue de laitues

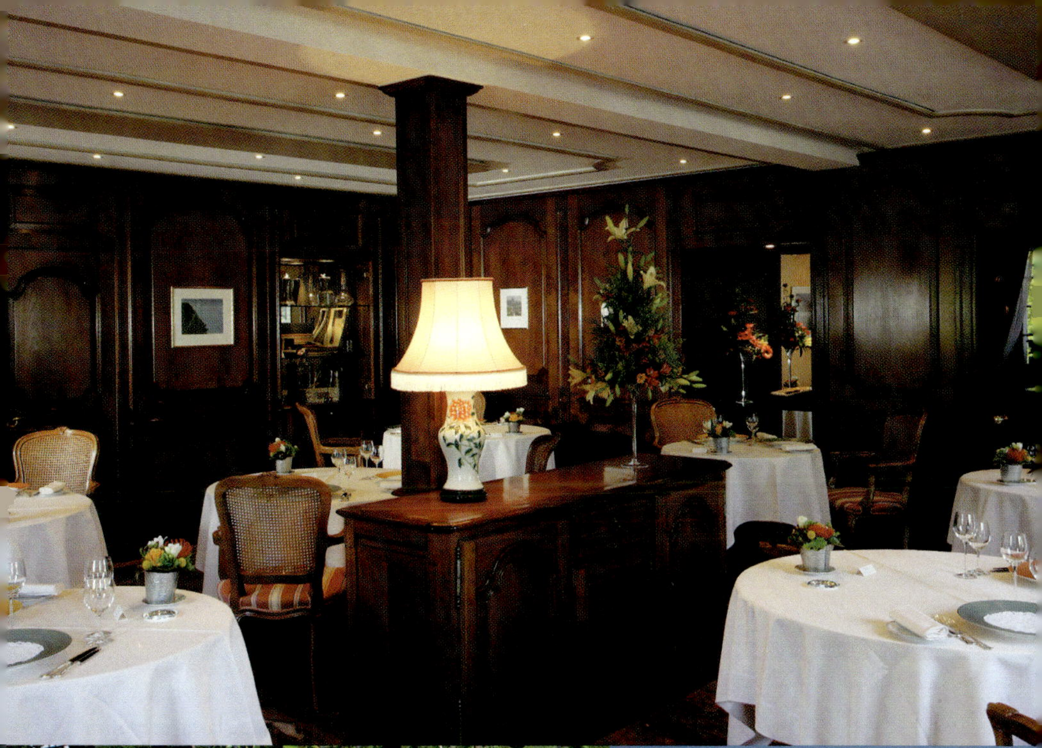
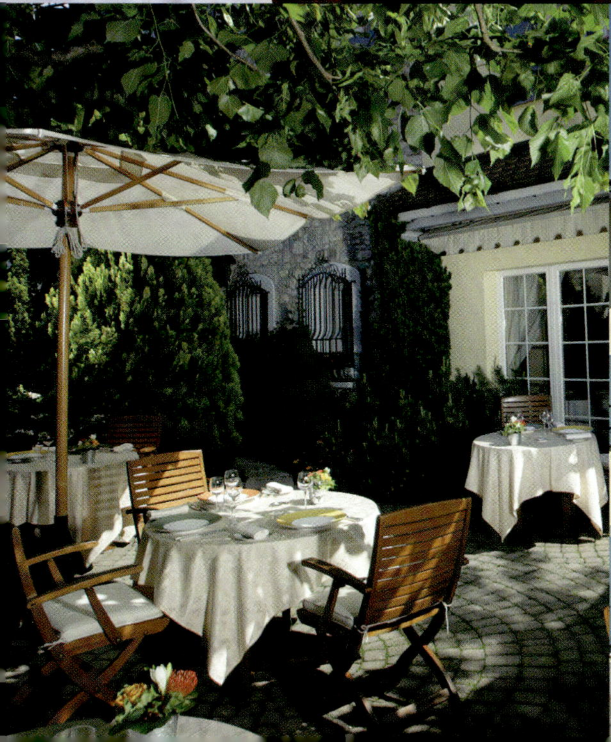
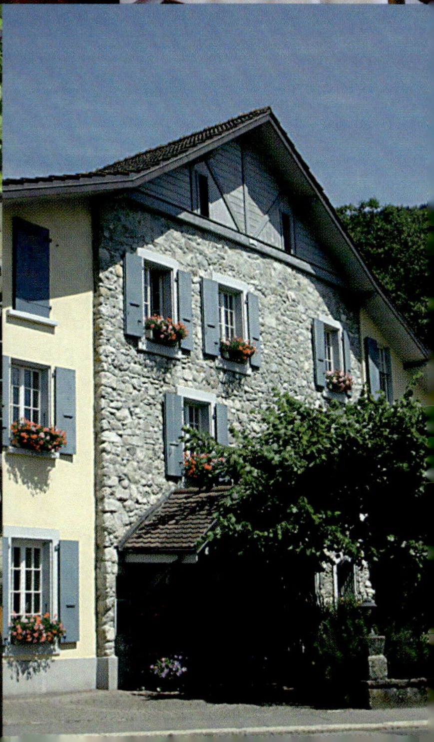

Philippe Rochat
Cuisinier

Rue d'Yverdon 1
CH-1023 Crissier
Tél. 00 21 634 05056
Fax 00 21 634 2464
rest.p.rochat@bluewin.ch
www.philippe-rochat.ch

Propriétaire et chef : Philippe Rochat

PHILIPPE ROCHAT

→ Suisse

❀❀❀ C'est là, tout près de Lausanne, dans cette maison reconnue par les gastronomes du monde entier, que Philippe Rochat s'est imposé comme le digne successeur de Frédy Girardet. Une gageure ? Non. Une passation de pouvoir naturelle. La preuve, après seize années passées « en coulisses », il n'aura fallu qu'un an à Philippe Rochat pour reconquérir, entre 1996 et 1997, la troisième étoile acquise par le maître de Crissier avant son départ.

S'il est une philosophie qui perdure dans cette belle demeure toute en charme et en élégance, c'est le culte voué au produit et la recherche de la simplicité à tout prix. « Nul besoin de multiplier les ingrédients, il suffit de trois saveurs par assiette » commente sobrement le chef quand il s'agit d'évoquer son art. « La queue de homard bleu de Ayr au tandoori », « la bouchée de Saint-Jacques d'Erquy au naturel », « le lièvre à la Royale », « les fins gâteaux de champignons » disent mieux qu'un long discours l'attachement de Philippe Rochat à l'essentiel, le goût sublimé d'un produit qui raconte une histoire, celle d'un terroir, celle des hommes qui l'ont cultivé, récolté, pêché avec passion… D'ailleurs, le chef suisse entretient une relation intime avec ses fournisseurs,

PHILIPPE ROCHAT
→ Suisse

souvent des amis, qui lui offrent la matière première de son inspiration. Madame Dupuis l'approvisionne en cardons, pousses d'épinards et pommes de terre nouvelles poussées dans son jardin de Crissier, les Freymond rapportent de Jouxtens-Mézery leurs framboises et haricots parchemins, Rémy Liautet est un formidable pourvoyeur d'ombles et de perchettes en même temps qu'un fameux cueilleur de champignons. Il faudrait encore citer les pigeons et les poulets bressans de Jean Verne, les merveilleux gibiers de chasse – jusqu'aux palombes et bécasses en salmis, dont la chasse n'est pas interdite en Suisse – et tous ces ingrédients venus des quatre coins de la planète, sélectionnés et testés par le chef et son talentueux second, Benoît Violier.

Il serait pourtant faux de croire que Philippe Rochat s'en tient à l'exécution d'une partition classique. Les plats qu'il échafaude se parent d'influences lointaines – frôlement de saveurs, délicats pincements de cordes – dont la résonance est d'autant plus forte sur un produit sans apprêt, qui a conservé sa vérité première. Ainsi la « soupe thaïe de crabe de Lannion à la citronnelle », le « teppaniaki de lotte de l'Arcouest, tiède bagna cauda » ou les « queues de grosses langoustines de Loctudy coraillées au curry vert de Bangkok ». Heureux mariage d'ici et d'ailleurs, parfait équilibre des goûts, propre à séduire les gourmets de tous les pays.

PHILIPPE ROCHAT
→ Suisse

« C'est une cuisine évolutive, moderne, légère, saine, équilibrée, basée sur les quatre saisons. Je fais tout pour conserver la valeur des produits sans les déstructurer afin de mettre en valeur leur goût originel. »

« La vue d'un beau produit m'inspire, c'est lui qui me donne la motivation pour trouver la meilleure façon de le servir. »

EXTRAIT DE LA CARTE

Couteaux, coques, amandes et vernis de Riec sur Belon vinaigrette de petits champignons

Crème prise de céleri branche aux truffes blanches d'Alba

Filet de sole de Saint Gilles au verjus à la livèche

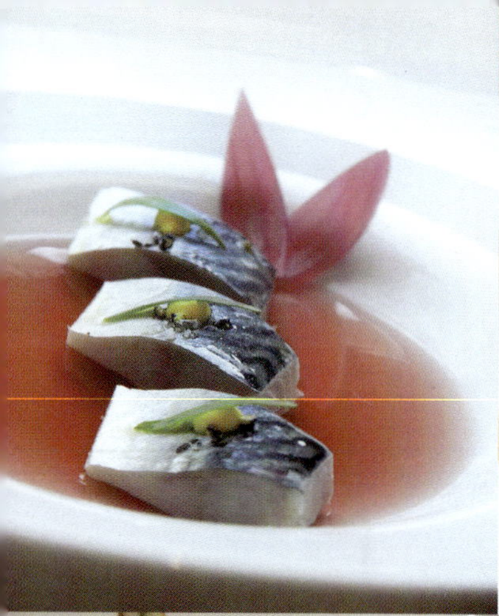
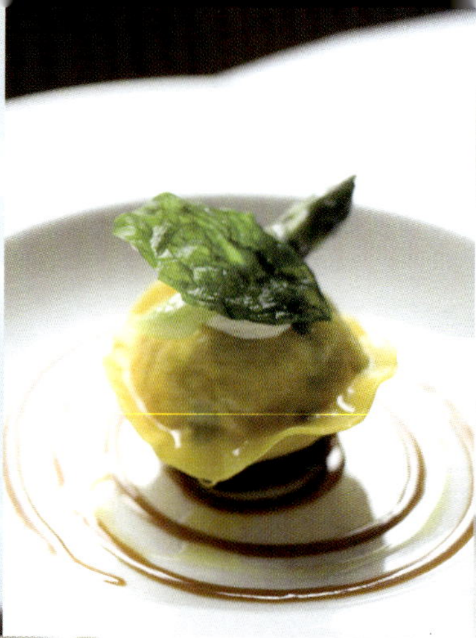
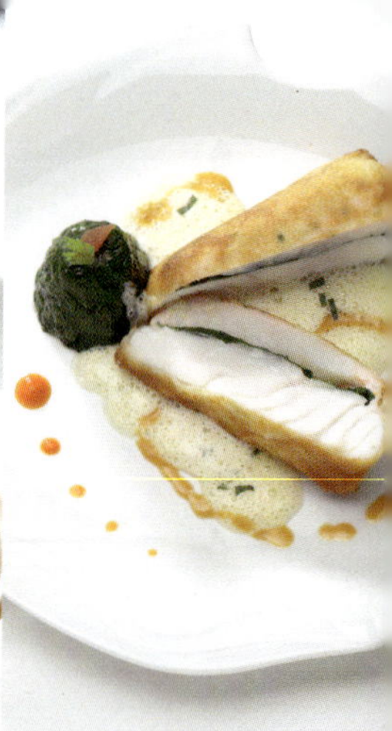
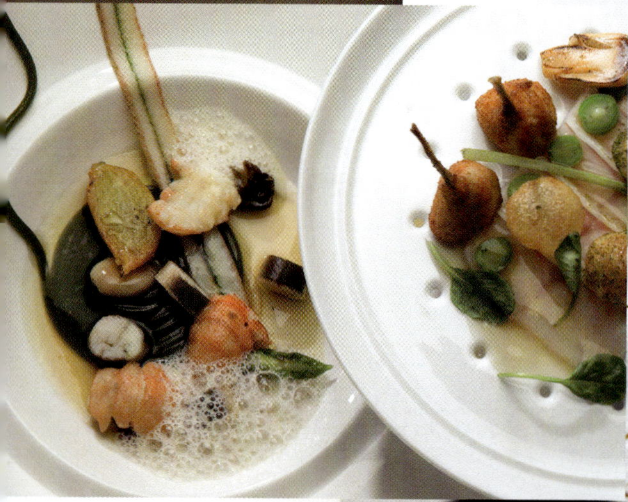
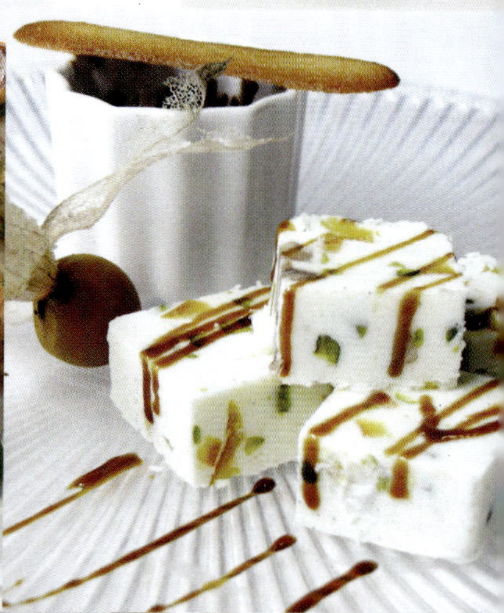
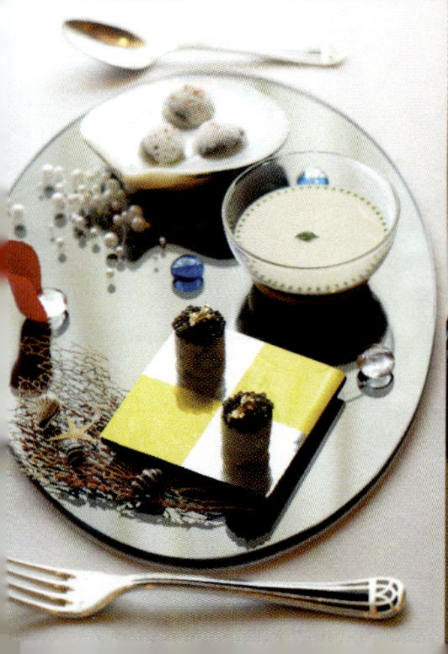
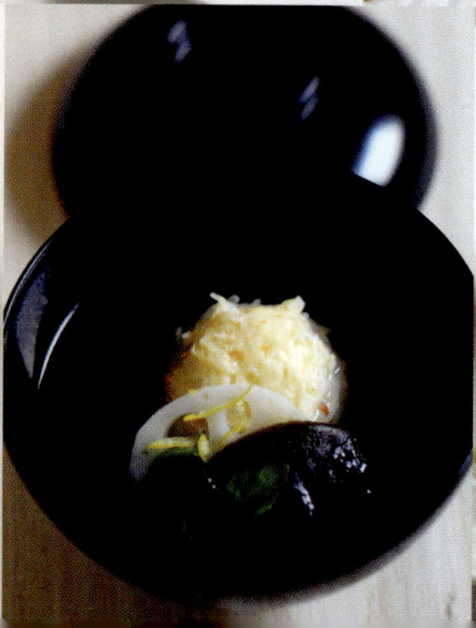
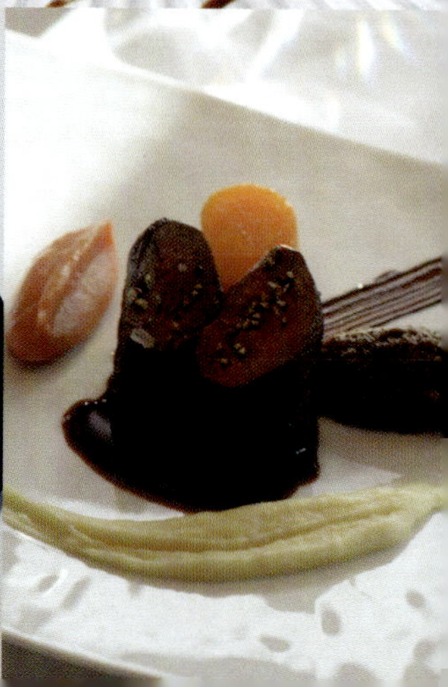

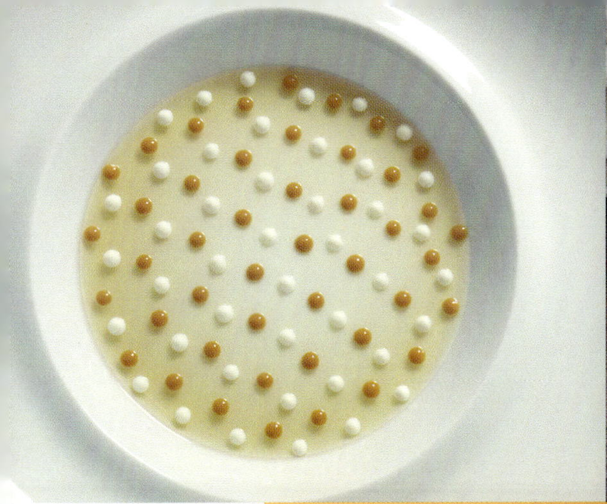
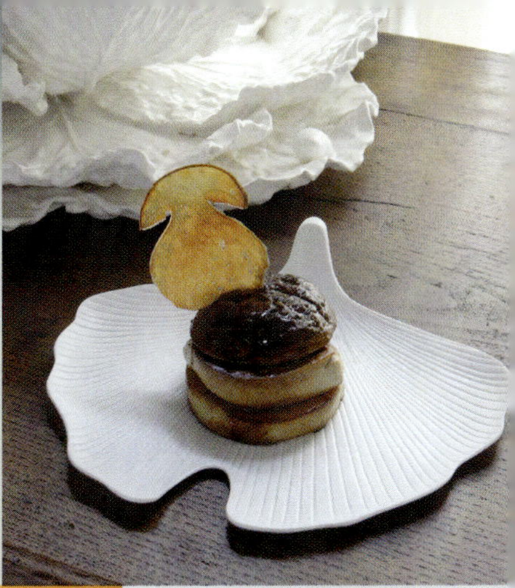
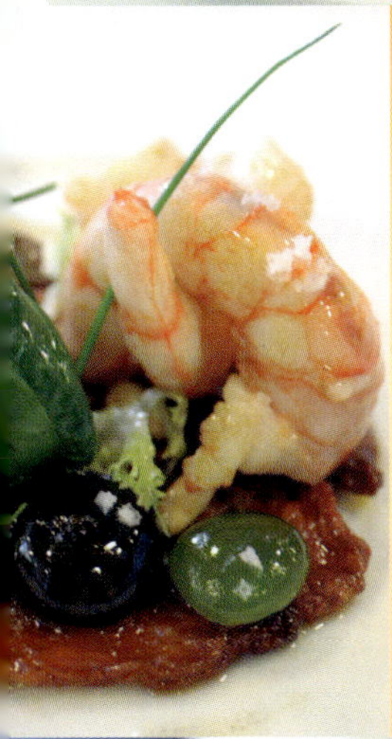
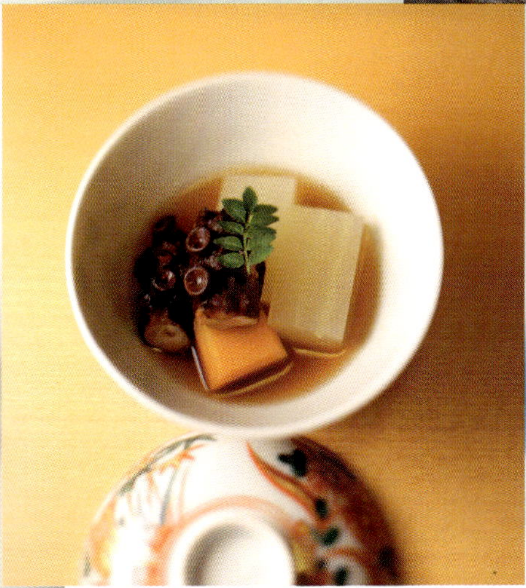
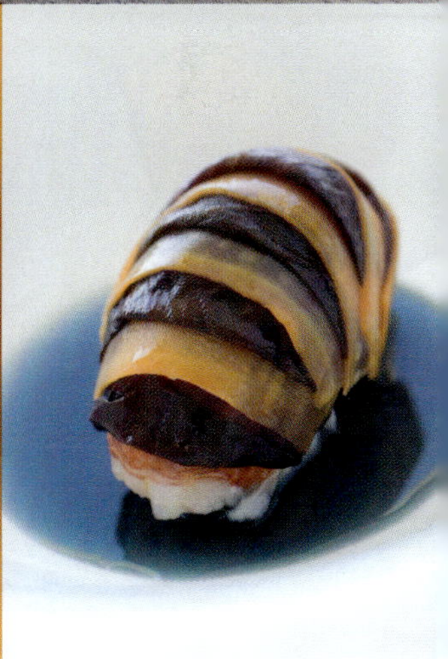
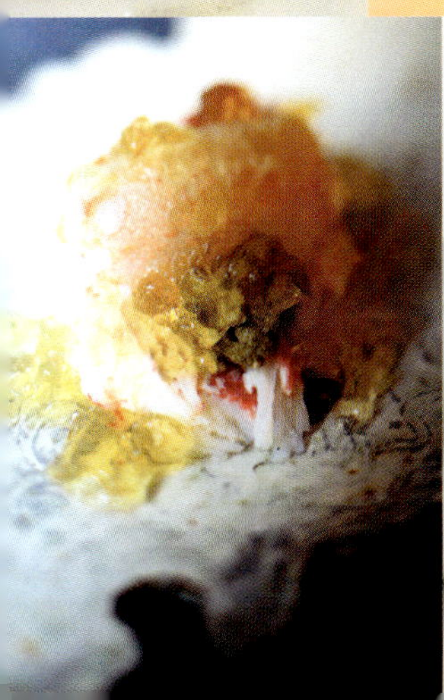
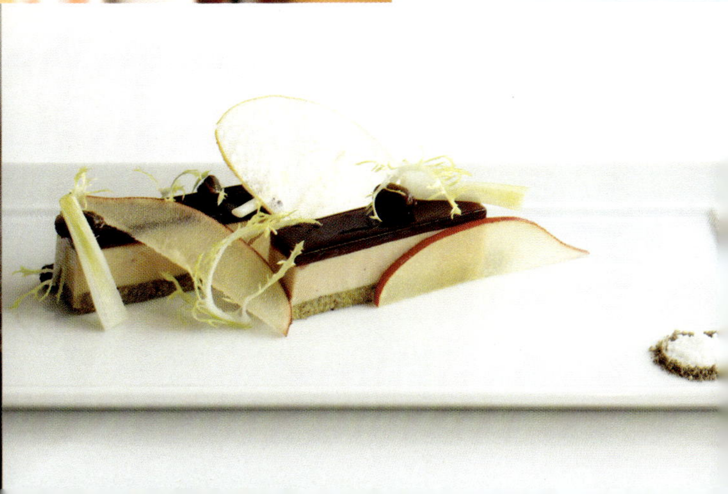

INDEX
→ noms propres

A
Adrià Acosta, Ferran 193
Akelarre 177
Alajmo, Massimiliano 247
Alain Ducasse au Plaza Athénée 17
Alajmo, Raffaele 248
Alléno, Yannick 77
Al sorriso 243
Althoff (Hotel) 147
Althoff, Thomas 135
Amador 119
Amador, Juan 119, 181
L'Ambroisie 21
Anton, Frédéric 101
Aqua 123
L'Arnsbourg 25
L'Arpège 29
Arzak 181
Arzak, Juan Mari 181
Astrance 33
Auberge de L'Ill 37

B
Balam Castanyer, Antoni 189
Barbot, Pascal 33, 131
Bareiss, Hermann 131, 139
Bassi, Italo 255, 256
Bau, Christian 127, 109, 53, 54
Beauharnais, Joséphine de 65
Beck, Heinz 259, 260
Benno, Jonathan 220
Berasategui, Martín 197, 81

Le Bernardin 203
Bertron, Patrick 113
Beuerle, Eric 119
Blanc, Frédéric 53
Blanc, Georges 65, 207
Blumenthal, Heston 229
Bocuse, Paul 85, 273
Bocuse, Raymonde 85
Boer, Jonnie 309
Boer, Thérèse 309
Bonaparte 41
Bouvarel, Christian 85
Brandt, Thomas 132
Bras 41
Bras, Michel 41, 42
Bras, Sébastien 41
Le Bristol 45

C
Le Calandre 247
Can Fabes 185
Cerutti, Franck 303, 304
Chapel, Alain 143, 158, 273, 303
Cocteau, Jean 81
La Côte Saint Jacques 49
Cunningham, Laura 53

D
Danzaki, Tomonori 212
Dal Pescatore 251
De Karmeliet 157, 158
De Librije 309
Ducasse, Alain 17, 109, 303, 304
Dumaine, Alexandre 93

E
El Bulli 193
Elizabeth II 238
Elverfeld, Sven 123
Enoteca Pinchiorri 255
Erfort, Klaus 127
Escoffier 238
Espina, Maite 101
Eugénie (impératrice) 105

F
Fanella, Loretta 256
Fat Duck 229
Fendt, Jürgen 132
Féolde, Annie 255, 256, 304
Ferré, Léo 62
Finkbeiner, Heiner 143
Freymond (famille) 324

G
Gagnaire, Pierre 97, 98
Garcia, Jacques 81
GästeHaus 127
Georges Blanc 53
Girardet, Frédy 320, 323
Giraudo, Umberto 260
Goossens, Lieve 162
Goossens, Peter 161, 101
Gordon Ramsay 233
Guérard, Christine 105
Guérard, Michel 81
Guy Savoy 57

H
Haeberlin, Henriette 37

Haeberlin, Jean-Pierre 37
Haeberlin, Marc 37
Haeberlin, Marthe 37
Haeberlin, Paul 207
Hamadaya 265
Henkel, Nils 135
Herman, Sergio 313, 314
Hiroyuki, Kanda 277
Hof Van Cleve 161

I
Ishikawa 269
Ishikawa, Hideki 269

J
Jackson, Michael 207
Jean Georges 207
Jean sans Peur 61
Joël Robuchon 211, 273
Jouin, Patrick 38

K
Kanda 277
Keller, Thomas 219, 223, 224, 223
Kishida, Shuzo 289
Kleehaas Suzanne 139
Klein, Cathy 25
Klein, Jean-Georges 25
Klein, Lilly 26
Koju 281

L
Lameloise 61
Lameloise, Jacques 61, 62
Lameloise, Jean 61

Lameloise, Pierre 61
Launay, Loïc 212
Le Coze, Gilbert 203
Le Coze, Maguy 203
Ledoyen 65
Lenôtre, Gaston 62
Lesecq, Camille 78
Le Squer, Christian 65, 109, 49
Le Tohic, Claude 211
Liautet, Rémy 324
Loiseau, Bernard 113
Loiseau, Dominique 113
Lorain, Jean-Michel 49, 131, 132
Lorain, Marie 49
Lorain, Marine 49
Lorain, Michel 49
Lortie, Marie-Claude 224
Louis XV 18
Le Louis XV- Alain Ducasse 303
Lumpp, Claus-Peter 131
Lung King Heen 167

M
Marcon, Jacques 109, 110
Marcon, Michèle 110
Marcon, Régis 109, 110
Maison Troisgros 73
Marc Veyrat 69
Martín Berasategui 197
Masa 215
Maximin, Jacques 304
Ménard, Bruno 285

Mère Brazier 22
Le Meurice 77
Michel-Ange 255
Michel Trama 81
Miro 162
Mizutani 262, 135, 136
Monco, Riccardo 17
Monte-Cristo (comte de) 90
Moret, Christophe 86
Muller, Christophe 85
Müller, Dieter 135

O
Okuda, Toru 281
Oneka 197
Ono, Jiro 297
L'Osier 285
Ostermann, Hartmut 207
Oud Sluis 313

P
Pacaud, Bernard 21, 22
Pacaud, Mathieu 22
Passard, Alain 29, 30
Passédat, Gérald 89, 90
Passédat, Germain 90
Passédat, Jean-Paul 90
Paul Bocuse 85
Philippe le Hardi 61
La Pergola 259
Per se 219
Le Petit Nice 89
Philippe Rochat 323
Pic 93
Pic, André 93

329

INDEX
→ noms propres

Pic,
Anne-Sophie 93, 94
Pic, Jacques 94
Pic,
Jacques et Alain 238
Pic, Sophie 94
Pierre Gagnaire 97
Pinchiorri,
Giorgio 255, 256
Plaza Athénée 17
Point, Fernand 93
Le Pont de Brent 319
Pré Catelan 101
Les Prés
d'Eugénie 105

Q - R
Quintessence 289
Rabaey, Gérard 319, 320, 323
Rabaey, Josette 319
Ramsay, Gordon 233, 203, 204
Régis et Jacques
Marcon 109
Reinhardt, Gilles 86
Reitano, Marco 260
Le Relais
Bernard Loiseau 113
Restaurant
Bareiss 131
Restaurant
Dieter Müller 135
Richoz, Louis 320
Ripert, Eric 203, 189
Rives, Jean-Pierre 57
Robuchon
a Galera 171
Robuchon,
Joël 102, 237, 238

Rochat,
Philippe 323, 324
Rochon,
Pierre-Yves 101
Rodin 29
Rohat, Christophe 33
Roux, Alain 237
Roux, Albert 234
Roux, Michel 234
Ruscalleda Serra,
Carmen 189

S
Santamaria, Àngels 185
Santini, Alberto 252
Santini, Antonio 251
Santini, Bruna 251
Santini, Giovanni 251
Santini, Nadia 251
Santini, Teresa 251
Santi, Santamaria 185
Sant Pau 189
Savoy, Guy 57
Schloss Berg 139
Schwarzwaldstube 143
Semblat, Francky 171
Sévigné
(marquise de) 21
Shimoyama, Yuji 289
Sinapian, David 93
Soler Lobo, Juli 74
Starck, Philippe 78
Gass, Stéphane 207
Suarez Phil 177
Sukiyabashi Jiro 293
Sushi Mizutani 297

T
Takayama,
Masayoshi 215

Tàpies 186
Tendret, Lucien 18, 77
The French
Laundry 223
The Waterside Inn 237
Thieltges,
Helmut 151, 77, 113
Tihany, Adam 219
Trama, Maryse 81
Trama, Michel 81, 82
Troisgros 49
Troisgros,
Marie-Pierre 73
Troisgros, Michel 73

V
Valazza, Angele 243
Valazza,
Luisa 243, 244
Van Hecke,
Gert 157, 69, 207, 208
Vendôme 147
Vergé, Roger 303
Verne, Jean 324
Verzeroli, Alain 273
Veyrat, Marc 69
Violier, Benoît 324
Vongerichten,
Jean-Georges 207

W
Waldhotel
Sonnora 151
Watanabe, Yuichiro 273
Wilmotte,
Jean-Michel 58
Wissler, Joachim 147
Witzigmann,
Eckart 132, 143
Wohlfahrt, Harald 143

CRÉDITS PHOTOS

El Bulli
© M. Ruiz de Erenchun
© F. Guillamet

Plaza Athénée
© V. Lappartient

Régis et Jacques Marcon
© P. Fournier
© C. Viviant
© L. Lager-Barruel

Sant Pau
© Sant Pau

La Pergola
© La Pergola

Martín Berasategui
© A. Garofano/RBA
© J.L. Lopez Zubiria
© Terry Poducciones

Le Pont de Brent
© P.M. Delessert

Philippe Rochat
© M. Gillieron
© P.M. Delessert

Al Sorrizo
© G. Renna
© F. Brambilla
© A. Valazza

The Waterside Inn
© M. Brigdale

Schloss Berg
© Schloss Berg

L'Arnsbourg
© J.C. Kanny

Dal Pescatore
© P. Scaff

Bras
© C. Palis
© J.P. Trebosc

Akelarre
© J.L. Galiana

La Calandre
© Wowe

Enoteca Pinchiorri
© Quagli
© Cecconi

© Saccani
© S.M. Photoart

Guy Savoy
© L. Mouton
© S. Straessle
© F. Botel

Can Fabes
© Can Fabes

La Côte St Jacques
© J.M. Lorain

Arpège
© A. Deligny
© S. Fraisse
© V. Klecka
© J.C. Amiel

Le Petit Nice
© J. Fondacci
© C. Cress

Hotel Bareiss
© Hotel Bareiss

Waldhotel Sonnora
© C. Arnoldi

Maison Troisgros
© J. Aubanel
© M.P. Morel

Oud Sluis
© T. Le Duc

Michel Trama
© L'Aubergade
© P.F. Couderc

Amador
© Amador GmbH/ Tre T. Verlag

Le relais Bernard Loiseau
© C. Erwin
© G. Glomeau

De Karmeliet
© M. Wiegandt

Le Bernardin
© N. Parry
© L. Hughes
© S. Tammar Rothstein
© B. Lacombe

Ledoyen
© E. Delamare
© G. Dacquin

Le Pré Catelan
© Lenôtre

GästeHaus
© W. Klaukp
© Saarbracken

Pierre Gagnaire
© J. Gavard

Lameloise
© M. Muzard

Georges Blanc
© P. Muradian

Schwarzwaldstube
© Schwarzwaldstube

Pic
© J. Nalin
© T. Arms
© B. Winkelmann
© G. Lebois

La Maison de Marc Veyrat
© Maison Marc Veyrat

Les près d'Eugénie
© T. Clinch
© C. Sarramon
© C. De Virieu
© F. Goudier
© X. Franquet Del Rey

Le Meurice
© J.F. Mallet
© Hotel Le Meurice

Bareiss
© Hotel Bareiss

Hof Van Cleve
© J.P. Gabrielle Delponte

Arzak
© M. Alonso

Ledoyen
© E. Delamare
© G. Dacquin

Louis XV
© B. Touillon
© T. Duval

Auberge de l'Ill
© E. Laignel

© P. Margenroth
© J.M. Hueber

Oud Sluis
© T. Le Duc

Gordon Ramsay
© P. Raeside

Pierre Gagnaire
© J. Gavard

Lameloise
© M. Muzard

The French Laundry
© The French Laundry

Per Se
© Per Se

Hamadaya
© J.F. Mallet

Ishikawa
© J.F. Mallet

Joël Robuchon a Galera
© J.F. Mallet
© Takashi Oyama

Kanda
© J.F. Mallet

Koju
© J.F. Mallet

Quintessence
© J.F. Mallet

Sukiyabashi Jiro
© Hiroshi Suga

Sushi Mizutani
© R. Haughton

Lung King Heen
© J.F. Mallet

Le Bristol
© G. de Laubier
© P. Baret
© R. Balencourt

Introduction
© P. Robic/Michelin
© Michelin

LIVRE D'OR
→ notes

Établissement : _____

Date : _____ Lieu : _____

_____
_____
_____

Établissement : _____

Date : _____ Lieu : _____

_____
_____
_____

Établissement : _____

Date : _____ Lieu : _____

_____
_____
_____

Établissement :

Date :   Lieu :

Établissement :

Date :   Lieu :

Établissement :

Date :   Lieu :

✿✿✿
LES 3 ÉTOILES DU GUIDE MICHELIN
le tour du monde des tables d'exception

LIVRE D'OR
→ notes

Établissement :

Date : Lieu :

Établissement :

Date : Lieu :

Établissement :

Date : Lieu :

Établissement : _____

Date : _____ Lieu : _____

_____

_____

_____

Établissement : _____

Date : _____ Lieu : _____

_____

_____

_____

Établissement : _____

Date : _____ Lieu : _____

_____

_____

_____

✽✽✽
LES 3 ÉTOILES DU GUIDE MICHELIN
le tour du monde des tables d'exception